de Bibliot
D0297770

LIEFDE IS EEN EILAND

CLAUDIE GALLAY BIJ UITGEVERIJ CARGO

De branding

Claudie Gallay

Liefde is een eiland

Vertaald door
Han Meyer

2011
DE BEZIGE BIJ
AMSTERDAM

Cargo is een imprint van uitgeverij De Bezige Bij, Amsterdam

Oorspronkelijke titel *L'Amour est une île*
Oorspronkelijke uitgever Actes Sud, Parijs
Omslagontwerp Marry van Baar
Omslagillustratie Roberto Pastrovicchio/
Arcangel Images/Hollandse Hoogte
Foto auteur Laurent Giraudou/Opale
Vormgeving binnenwerk Adriaan de Jonge
Druk Bariet, Ruinen
ISBN 978 90 234 5835 7
NUR 302

www.uitgeverijcargo.nl

voor Guy

Ze wisten niet dat het onmogelijk was,
dus hebben ze het gedaan.
Mark Twain

HET IS NOG donker en de rivier is kalm als Odon Schnadel uit zijn woonaak naar boven komt. Hij heeft een kom in zijn hand. Zijn eerste koffie, zwart en heet. Hij heeft koppijn. Hij laat twee aspirientjes in de koffie glijden.

Het is benauwd warm.

Er drijven takken langs, ergens in het noorden afgebroken en meegevoerd door de stroom; ze zijn nauwelijks te onderscheiden in het bruine water.

De bomen hebben veel te lijden, zelfs de bomen die met hun wortels in het water staan.

Op het dek ruikt het naar vernis. Er staan een blik met rode kwasten, een pot lak, lappen. De verflucht verergert zijn hoofdpijn.

Odon drinkt zijn koffie en kijkt naar de rivier. Ergens op het eiland jankt een hond. In de deur is een lamp met een tralieruitje aangebracht. Een zwak geel schijnsel. Toen Mathilde vertrok, heeft hij zich heilig voorgenomen dat licht te laten branden tot ze terugkwam.

Vijf jaar. Er zijn lampen doorgebrand. Hij heeft ze vervangen.

Nu is ze hier, ergens in de stad, voor de duur van het festival. Sinds weken zoemt het gerucht rond, La Jogar is terug in de stad, ze speelt *Sur la route de Madison – De bruggen van Madison County* – in het Minotaure-theater.

Men heeft het over haar in de kranten.

Overal heeft men het over haar, in de wijk waar ze vandaan komt, op straat. Men vertelt dat ze in het Mirande logeert, een van de mooiste hotels van de stad. Men zegt ook dat ze haar naam heeft afgezworen toen ze La Jogar werd.

Odon drinkt zijn koffie, beide handen om de kom, ellebogen op de reling.

Het wordt dag.

Big Mac, de pad, kruipt weg in de walkant.

Er komt een trein voorbij.

Odon haalt een sigaret uit het pakje, bijt de filter af met zijn tanden. Het is de laatste, hij verfrommelt het pakje, gooit het in de rivier.

Hij pist in het water.

Een vis komt aan het oppervlak. Een meerval ligt te creperen in de takken tussen het schip en de wal. Alles heeft dorst deze zomer, de aarde, de hemel, zelfs de rivier eist zijn deel.

Hij zet zijn kom neer, pakt de meerval en gooit hem weer in de stroom.

JEFF ARRIVEERT VLAK na achten; hij zet zijn solex tegen de wilg, stapt over het hek.

Aan de voet van de loopplank hebben brandnetels en beemdgras wortel geschoten. Een pot met een oude geranium, knoestige, droge stengels.

Jeff gaat de loopplank op.

Hij doet zijn helm af. Zijn haar is nat van het zweet.

Hij gooit de krant op tafel, tussen de asbak en de koffiekom. Zo gooit hij hem altijd neer, met een achteloos gebaar. De helm volgt.

Vroeger was hij kantinebaas in de gevangenis. Toen de gevangenis dichtging, heeft hij de sleutels gehouden, een hele bos. Sinds twee jaar woont hij als kraker in een cel met uitzicht op de achterkant van het Pausenpaleis. Hij krijgt een uitkering van de staat. Hij doet ook kleine klusjes, zorgt bijvoorbeeld voor de woonaak en voor het theater van Odon.

Hij haalt een klaverblaadje uit zijn zak.

'Die vond ik op de wallekant. Een goed voorteken,' zegt hij, en hij laat de vier blaadjes zien.

Het kan Odon niet boeien, hij heeft de krant opengeslagen.

'Goed voorteken, wat je zegt...'

Op de voorpagina een grote kop: *Verbijstering in Avignon!*

Na een staking van een week heeft de festivalleiding besloten alle voorstellingen van het officiële programma, het 'In', af te gelasten. Groot nieuws in de kranten.

Het onbehagen groeit al jaren, het moest een keer tot een uitbarsting komen.

Odon maakt zich zorgen. Zijn gezelschap wilde de vorige dag al niet spelen, uit solidariteit.

Hij wrijft over zijn gezicht. Zijn huid is droog. Of de binnenkant van zijn handen.

Hij kijkt naar de rivier. De zon legt een rode schittering over het water.

Jeff stopt het klavertjevier weg.

Hij pakt een appel uit de mand. Hij nestelt zich tegen de reling, schraapt met zijn tanden de schil af, zet ze dan in het vruchtvlees. Het klokhuis eet hij ook. Heeft hij altijd gedaan. Hij slikt ook de pitten in. Daar schijnt arsenicum in te zitten. Alleen het steeltje eet hij niet op.

'Ze zeggen dat het een klotezomer wordt,' zegt hij. 'Een pokkezomer.'

Hij somt op wat hij allemaal nog moet doen voor de herfst, het dek schrobben, de olie van de generator verversen, de klaptafel repareren. Hij moet ook de dode takken opruimen en de lege verfblikken weggooien die overal rondslingeren.

Jeff wordt betaald om schoon te maken, te schilderen, te zorgen dat het geen zwijnenstal wordt.

Dat lukt hem niet.

Het dek staat vol met grote fauteuils, een divan, een kappersstoel met draaipoot en in het midden een lage tafel. Een rieten luifel beschermt dat alles tegen de zon.

Een piano. Jeff laat zijn hand over de toetsen glijden en strijkt een mengsel van stof en stuifmeel op. Zijn vingers laten hun afdruk achter, vervagende zweetplekken.

Odon bladert door de krant. De theaterrubriek. Een foto van La Jogar. In de salon van een hotel, in avondjurk. Met haar volle haar, haar donkere ogen. Op haar lippen de glimlach waaraan ze de reputatie dankt dat ze arrogant is.

'Ze is terug...' zegt Jeff, die zich over zijn schouder buigt.

'Dat gaat jou niets aan.'

Hij komt weer overeind.

'Ik vind het niks dat ze hier is.'

'Jouw probleem niet.'

Jeff wijkt achteruit.

'Dan lees ik maar niet mee.'

'Zo is het, lees maar niet mee.'

Odon vouwt de krant weer op.

'Je moet die brandnetels wieden, straks kunnen we er niet meer uit.'

'Zal ik doen.'

'Dat zeg je al twee weken, Jeff... Je bent ook begonnen het dek te schilderen en je hebt het niet afgemaakt.'

'Maar ik geef wel de bloemen water...'

'Ja, je geeft de bloemen water, maar de brandnetels moeten uitgetrokken worden en meneer Big Mac houdt niet van hun lucht.'

'Soms hou je ergens niet van en raak je er later aan gehecht,' zegt Jeff.

Odon laat zijn hand met gespreide vingers op de tafel neerkomen.

Jeff zwijgt.

De bladeren verdrogen met de hitte, ze worden geel, sterven af. De klimop onder een van de patrijspoorten verandert in lianen.

Hij vult de gieter.

Op een plank boven de piano staat een rij planten. Bloemen in glazen potten, je kunt de wortels zien. Jeff pot die planten. Als hij geen potten meer heeft, gebruikt hij conservenblikken waar hij met een priem gaten in maakt. Hij haalt leemaarde van een geheime plek op het eiland.

Alles wat Jeff plant, schiet wortel.

Hij zegt: Als ik de dood zou planten zou die ook groeien.

Odon denkt aan Mathilde. 's Nachts bleef hij wakker om naar haar te kijken. Haar volle mond, haar naakte lichaam onder het laken, hij volgde alle contouren, hij koesterde haar met zijn blik, dekte haar weer toe, hij had dat alles lief, haar zachte buik, de geur van haar huid, haar lach, haar sensuele verlangens, haar stem. Toen ze wegging, zei ze: Zul je nog af en toe aan me denken? Hij kon niets terugzeggen. Hij drukte een lange kus op haar haar.

Jeff geeft de bloemen boven de piano water. Hij heeft het over het festival van vorig jaar.

'Waar kwam die gast vandaan die ons met de decors hielp, die met dat vreemde accent?'

'Uit Michigan...'

Jeff weet het wel, maar hij wil die naam graag horen. Michigan.

'Ja, dat is waar ook, hij speelde banjo...'

Hij praat door in zichzelf terwijl hij de aarde begiet.

ODON SPRINGT IN het water en de pad duikt achter hem aan. Zo gaat het al jaren zodra het mooi weer wordt. Een gewoonte. Ze zwemmen samen, de man en het dier. Langs de oever. Na een paar meter klemt Big Mac zich aan zijn schouders vast, het koude lijf kleeft tegen zijn nek en Odon koerst recht de rivier in. Het is gevaarlijk. Als hij de stroming rond zijn dijen voelt, maakt hij zich eruit los en zwemt terug.

'Die stromingen zijn levensgevaarlijk,' zegt Jeff als hij hem uit het water ziet komen.

'Ik ken de stroom.'

Jeff haalt zijn schouders op.

'Ooit laat de stroom je niet meer los, of hij doodt meneer Big Mac.'

Odon antwoordt niet. Hij droogt zich af met een handdoek en hangt die weer aan de lijn tussen twee bomen. Het schip ligt afgemeerd aan het ruigste stuk oever, in de dichte schaduw van een rij platanen. Al jaren houdt hij de rivier tussen zichzelf en de stad. Niet in staat om aan de wal zelf te leven, bij de mensen. Niet in staat zonder hen te leven.

's Winters hangen de nevels op de rivier, dan ziet hij van Avignon alleen de schimmige vestingwerken.

Hij schenkt nog een kom koffie in.

Jeff doet de radio aan, France Inter, het is vakantietijd, de programmering is wat ontregeld. Het weerbericht belooft warm weer, tropische temperaturen en voorlopig geen enkele hoop op regen.

Een nieuwsflits kondigt aan dat het festival wordt afgelast. Odon foetert. Alleen het officiële programma, het In wordt afgelast, niet het hele festival.

Hij kiest een andere zender. Alle stations brengen hetzelfde nieuws. Op France Culture tekent Ariane Mnouchkine protest aan, eist het wettelijke recht om te spelen. Bartabas hekelt het besluit als zelfmoord, hij weigert de staking die hem wordt opgelegd te accepteren.

Odon drinkt zijn koffie op. Het belooft een spannende dag te worden.

Spannende dagen.

En nachten.

De lucht boven het schip is al blauw, tot het eind van de week zal het drukkend heet zijn en de rest van de maand juli ongetwijfeld ook.

ALS HIJ ZIJN blik onder de platanen laat dwalen, ziet Odon het meisje.

In de weken van het festival stranden ze daar met tientallen, jongens en meiden zonder onderdak die dromen van avonturen en uiteindelijk langs de weg moeten slapen.

Dit is bijna nog een kind, nauwelijks twintig, te kort geknipt haar, te wijde broek voor haar magere buikje.

Hij houdt zijn kom omhoog.

Ze knikt van ja.

Hij gaat het ruim in, komt terug met een beker. Hij gaat de loopplank af.

Ze draagt een gestreept T-shirt, een katoenen broek, basketbalschoenen die onder het stof zitten. Ze heeft een ring door haar lip, een spijker in haar wenkbrauw en drie ringen in de rand van haar oor.

In de berm ligt een rugzak. Een fototoestel erop.

'Sterk...' zegt ze als ze de eerste slok neemt.

Haar stem is gedempt, nauwelijks hoorbaar, astmatische ademhaling.

'Kom je van ver?' vraagt hij.

'Uit het noorden.'

'Dat is groot, het noorden...'

'Versailles, het bos van Versailles.'

Hij glimlacht. Zo noordelijk is dat niet.

Ze zegt dat ze is komen liften, een echtpaar heeft haar meegenomen over de snelweg door het Rhônedal.

Ze drinkt de koffie, de beker in haar handen geklemd.

Op de waterkant duwt een mestkever een bolletje zand, merels krabben in het stof op zoek naar iets eetbaars.

'Is het daar?' ze wijst naar de stad.

'Ja, daar, tussen de stadswallen.'

Ze is niet gewend aan rivieren. Deze is breed, een compacte, dreigende massa.

'Heb je honger?' vraagt hij.

Hij gaat terug naar het schip, zoekt wat bij elkaar – vijgen, boter, brood – legt het op een bord. Als hij weer buitenkomt, is het meisje er niet meer. De beker staat op de muur. Op de melkwitte binnenkant is een donker laagje neergeslagen.

ZE KOMT DE stad binnen door een grote poort, de Porte de l'Oulle. De vestingwallen. Dan een plein, de Place Grillon. Overal affiches, ze hangen aan spijlen voor ramen, zijn op muren geplakt of op borden. Op de brug hingen ze ook al.

Ze slaat haar ogen op, kijkt om zich heen.

De lucht is droog.

Het licht is scherp.

Ze slaat op goed geluk straten in die filmdecors lijken: de Rue Joseph-Vernet, de Rue Saint-Agricol. Nog meer affiches, een man met een hoed, een koorddanseres, het rode hart van een Cupido…

Op sommige is met zwarte verf een kruis gezet.

De deuren van de bakkerijen staan open, het ruikt naar brood, naar croissants.

Op de Place de l'Horloge zijn de terrastafels en stoelen nog met zware kettingen vastgesnoerd.

Ze heeft dorst. Ze heeft een bittere smaak in haar mond van de koffie. Ze zoekt een fontein. Die is er niet. Ze wrijft met haar hand over haar tong.

Vlak daarop ziet ze, tegen een hek, het eerste affiche van haar broer. Een eindje verder nog een.

Ze loopt erheen. Met kloppend hart.

Het affiche is op karton geplakt.

Nuit rouge, een stuk van Paul Selliès, regie Odon Schnadel, in het theater de Dolle Hond.

Hiervoor is ze van de andere kant van Frankrijk gekomen, om dit te zien. De naam van haar broer. Om zijn woorden te horen. Ze neemt een foto, nog eentje, de naam van Paul. Ze gaat op zoek naar nog meer affiches, vindt er alleen op dat grote plein al een stuk of tien.

Voor niets anders heeft ze oog, alleen hiervoor. Plotseling ligt daar het paleisplein. Wijd en groot. Het Pausenpaleis, de hoge muren. De zon schijnt op de hoektorens. Hoog op de klokkentoren kijkt een verguld beeld van de Maagd uit over de stad.

Het is een immens plein in een gesloten stad.

Ze komt dichterbij.

Op de trappen naar de poorten van het paleis liggen actievoerende stakers. Een man of twintig. Geknakte lijven, armen, nekken. Gefusilleerden lijken het. Achter hen hangt een spandoek met rode letters: WIJ ZIJN DOOD.

ODON LOOPT DOOR de vestingwallen de stad in. De smalle straatjes van de wijk La Balance. Gezelschappen vertrekken. Hij komt festivalgangers tegen die wat verloren ronddwalen. Op het paleisplein vertellen *intermittents* – theatermakers met tijdelijke contracten – waarom ze niet spelen. Anderen waarom ze wel voorstellingen geven. Verwarring alom.

Odon staat stil bij het affiche van het festival, drie bahcosleutels tegen de achtergrond van een roestige scheepsromp. Een profetisch beeld.

Hij loopt het park door, komt uit in de Rue des Ciseaux-d'Or.

Zijn theater, de Dolle Hond, een van de oudste theaters van Avignon, staat aan het Saint-Pierreplein in het hartje van de oude binnenstad. Vijftien jaar geleden heeft Odon het gekocht. Het was toen een verlaten bouwval. Er huisde een hond waarvan men zei dat hij gek was en die weigerde eruit te komen. Buurtbewoners zetten bakken met eten voor hem neer. Het was een dog met een dikke vacht en een lange snuit. Op een onweersnacht is hij gestorven van angst. Odon heeft hem op de rivieroever begraven, een wilg heeft daar wortelgeschoten.

De pastoor zit in zijn kerkportaal. De twee mannen schudden elkaar krachtig en warm de hand. De pastoor wordt vader Jean genoemd, maar eigenlijk heet hij Noël. *Père Noël* dus, Kerstman. Zijn moeder kon niet weten dat hij priester zou worden.

'Gaat de voorstelling door?' vraagt hij.

Odon weet het niet, hij hoopt het, maar nu het In wordt afgelast, valt een flink deel van het programma weg.

Hij haalt een vrijkaartje uit zijn zak.

'Bij wijze van kerkgeld. Julie zou het fijn vinden als je kwam kijken.'

De pastoor knikt.
'Ik zal er zijn,' zegt hij.
Hij is ervan overtuigd dat Julie op een dag een grote actrice zal zijn. Odon gelooft daar niet in. Zijn dochter houdt te veel van het leven, ze verveelt zich nooit, er zit geen greintje vertwijfeling in haar.
'Abraham hield zoveel van God dat hij bereid was zijn zoon te offeren,' zegt Odon.
'Ja, en?'
'Julie speelt goed, maar ze brengt geen offers.'
De pastoor haalt zijn schouders op.
Ze praten over de stakingen, of de acties voortgezet moeten worden of niet.
Een groepje toeristen staat stil voor de gevel van het theater. Ze kijken naar het schaakspel op het tafeltje bij de ingang. Er staan twee krukjes onder. Het spel is van Odon, hij laat het daar de hele zomer staan. Wie wil, kan spelen.
Naast de deur een messing bord:

Théâtre du Chien-Fou,
O. Schnadel.

Een eenvoudige houten klink.
Dat is de artiesteningang.
Odon legt zijn grote hand op de schouder van de pastoor.
'Tot straks...'
Hij steekt het plein over.
De gang achter de deur is onverlicht. De geur van stof, elektrische draden die aan het plafond hangen.
Odon kent de gang blindelings.
Zes kleedkamers, de coulissen, het doek. Rekken met kostuums. In de zaal tien rijen van zestien fauteuils, galerijen met klapstoeltjes, een versleten rood tapijt. Aan de zijkanten een ouderwetse kachel. Leren lussen waar vroeger fakkels in hingen.
Jeff is bezig op het toneel. Met hamer en drevel repareert hij

een losliggende vloerplank. De coulissen staan vol. Sinds de technici in staking zijn, is het een bende met de decors.

Julie zit in de eerste kleedkamer met Damien, Chatt' en Greg. Yann staat wat terzijde, telefoon aan zijn oor.

De airco werkt op volle kracht, het is bijna koud. Als ze hem lager zetten, slaat hij af. Een probleem met de thermostaat. Er is niemand om hem te repareren.

Tegen de muur affiches van *Nuit rouge*, tegen een witte achtergrond, eindeloos herhaald.

'Wat doen we vanavond?' vraagt Julie als ze haar vader langs ziet lopen.

Odon keert op zijn schreden terug.

'Hoezo, wat doen we?'

'We moeten solidair zijn,' zegt Julie.

Hij weigert de deuren weer een avond dicht te houden.

'Die kostuums in de gang moeten weg, anders wordt het een zootje.'

'Een zootje wordt het toch,' zegt Damien.

Hun blikken kruisen.

Damien wendt zich af.

Odon steekt een sigaret op.

'Je kunt solidair zijn en toch spelen.'

Voor Julie is staken ook een vorm van spelen. Als iedere groep een barricade zou opwerpen, zouden er meer dan zeshonderd in de stad verrijzen. Het theater zou verhuizen naar de straat, het asfalt zou het podium zijn.

De technici arriveren, mengen zich in de discussie.

Odon is ervan overtuigd dat juist de MEDEF, de werkgeversorganisatie, baat zal hebben bij een voortzetting van de staking en dat het opwerpen van blokkades het gezag in de kaart speelt.

'Door de theaters open te houden kan het volk zijn stem laten horen.'

De discussie raakt verhit. Julie durft niet meer tegen haar vader in te gaan.

'Over een uur komen we weer bij elkaar en hakken we de knoop door,' zegt Odon.

De knoop doorhakken betekent stemmen.

Hij gaat naar zijn kantoor, neemt de post door. De stapels paperassen groeien gestaag en hij heeft geen tijd alles open te maken.

Hij verhuurt de zaal aan twee andere voorstellingen, *L'Enfer* in de lunchpauze en om vijftien uur een klucht door de groep Le Sablier. Beide gezelschappen staken. Onmogelijk nog iets aan de contracten te doen.

Alles staat rondom volgestouwd, net als boven en in de belendende vertrekken, vijftien jaar archieven en oude decors.

Hij belt de directeur van het Carmestheater. Benedetto zegt dat hij het nooit zo stil heeft meegemaakt in zijn buurt. Zijn theater blijft open maar de voorstellingen zijn afgelast. Zijn toneel wordt een podium voor discussie. Ook in de Chêne-Noir geen voorstellingen.

Odon handelt nog een paar telefoontjes af. Financieel staat hij bijna in het rood.

Hij staat op.

De boksbal wiegt voor het raam. Die hing daar al toen hij het theater kocht. Hij streelt erover met zijn vlakke hand, geeft dan een stoot. Een paar keer. Een dof geluid. Hij stoot door.

Daarna belt hij zijn zus. Grote Odile woont in dezelfde buurt, vlakbij, in de Rue des Bains. Hij zou bij haar lunchen, zegt dat hij niet komt.

LA JOGAR DUWT de poort open. De scharnieren piepen. Ze piepten altijd. Er komt wat rood roeststof van het ijzer, het blijft aan haar vingers zitten.

Ze doet een paar stappen. Kijkt op. Dezelfde geur, hetzelfde stof. De fietsen van de jongens, rondslingerende ballen. De grote acacia. Het licht slaat neer op het gebladerte, valt op de binnenplaats als in een put.

Het hok met de vuilnisbakken.

De luiken van Grote Odile zijn dicht.

Ze raapt een kiezel op, mikt. Raak.

Ze gooit opnieuw.

Ten slotte gaat het luik open.

Grote Odile buigt uit het raam. Pagekapsel, een gestreepte tuinbroek. Als ze La Jogar herkent, slaakt ze een kreet, stormt de trap af. Het volgende ogenblik drukt ze haar tegen zich aan op de binnenplaats.

Ze bekijkt haar, pakt haar hand, trekt haar mee en bekijkt haar weer.

'Wat ben ik blij je te zien!'

In de keuken ruimt ze snel alles op, schuift de rommel aan de kant. Het is rustig in de woning, de jongens zijn vanmiddag naar het zwembad.

Ze pakt koel water en frisdranken.

'Vertel...'

'Wat moet ik vertellen?'

'Je bent *La Jogar* geworden!'

'Ja, ik ben La Jogar geworden...'

'En wat doet dat met je?'

La Jogar neemt een slok water.

'Dat betekent een braaf leven en hard werken.'
Grote Odile legt een hand op de hare.
'Je vond jezelf lelijk, je wilde niet dat mensen naar je keken, je verstopte je onder de tafel als er iemand kwam. En nu ben je beroemd!'
Ze fronst haar wenkbrauwen.
'Je had wel eens wat van je kunnen laten horen...'
Het is geen verwijt.
La Jogar zegt: Ik heb vaak aan je gedacht.
Het was zo'n mooie vriendschap. Hartsvriendinnen, geheimen, het begon op school. Mathilde had geen zus. Ze speelde alleen. Als ze met iemand wilde spelen, wisselde ze van stoel, van stem, verzon een vriendin. Ze praten over die tijd.
Odile schenkt haar glas vol.
'Wil je grenadine?'
Ze staat op, doet de kast open, zet een pak Bretonse koekjes op tafel.
'Als ik het had geweten, had ik een taart gebakken.'
Op de televisie staat de foto van haar vier jongens in een lijst met schelpen. Kleurentekeningen met magneten op de deur van de ijskast. Jongens, allemaal van verschillende vaders.
La Jogar kijkt ernaar.
'Ik wilde kinderen, weet je nog, en jij niet...'
De oudste doet een opleiding voor monteur, het bevalt hem matig, zegt Odile, maar hij doet in elk geval wat.
'Wilde hij geen kapper worden toen hij klein was?'
'Dat wil hij nog altijd.'
De foto van haar ouders, in een lijst. La Jogar herinnert zich hen nog. De vader is omgekomen bij een fietsongeluk, de moeder stierf twee jaar later van verdriet. Odile is in hun huis blijven wonen.
Ze doet een la open en haalt er krantenknipsels uit.
'Ik heb alles uitgeknipt, bewaard... Ik weet nog hoe je hardop teksten leerde. Zelfs zondags! Ik ging op straat spelen, ik hoorde je door het open raam.'

La Jogar bladert de artikelen door.

'Ik hield van mijn ketenen, toen al...' mompelt ze.

'Jij was altijd anders... Ze zeggen dat je in het Mirande logeert... mooi zeker?'

Odile glimlacht. Ze blijft wel eens staan bij de ingang, probeert dan naar binnen te kijken, de fauteuils, de patio.

La Jogar geeft haar de stapel krantenknipsels terug.

'Het gaat wel vervelen, weet je, die luxe...'

'Ja, als je erin baadt, dan kun je dat zeggen!'

La Jogar excuseert zich. Ze zegt dat je daar gewoon binnen kunt lopen, rondkijken, een kop koffie drinken, zo duur is dat niet en dan vergaat de lust je wel.

'En dan wordt het gewoon.'

'Niet na één keer.'

Odile haalt haar schouders op.

Ze vertelt over haar kinderen, hun cijfers op school. De stommiteiten die de oudste uithaalt. En dan zegt ze niets meer. Ze steunt haar hoofd in haar handen, haar ogen schitteren.

'Wat had ik graag gewild dat je met mijn broer was getrouwd.'

Het komt er plompverloren uit.

La Jogar probeert te lachen.

'Je trouwt niet met de mannen van wie je houdt.'

'Dan had je toch samen kunnen leven?'

'Dat is hetzelfde.'

Ze wendt haar hoofd af, kijkt om zich heen, de keuken, het gerei aan de muur.

'Jullie waren een prachtig stel, het meest sexy stel van de stad!' zegt Odile.

La Jogar moet lachen.

'Het is ook maar een kleine stad.'

'Ben je getrouwd?'

'Nee.'

'Heb je kinderen?'

'Nee.'

Alleen met Odon had ze een kind kunnen hebben. Hij was de enig mogelijke vader geweest. Toen ze elkaar ontmoetten was het onweerstaanbaar. Pure extase.

'Dus alleen maar werken, werken...?'

La Jogar knikt. Hoe legt ze dat uit... Haar werk is haar voeding, constant, iedere dag, ieder uur. Liefhebben kost haar haar energie.

Ze praten over hun tienerjaren.

Op woensdag liep Odile met haar mee tot de deur van de muziekschool. Ze ging mee naar binnen, woonde helemaal achter in de klas, haar rug tegen de muur, de les bij. Na afloop maakten ze een omweg om een ijsje te kopen. Mathilde was dan laat en moest naar huis hollen.

Odile zet haar glas neer.

'Wat vindt je vader eigenlijk van al je succes? Die zal achteraf toch wel blij zijn!'

'Geen potsenmakers in de familie Monsols! Dat zei hij, weet je nog?'

'Hij zal toch wel veranderd zijn?'

'Dat is niet gezegd.'

Families zijn clans, zeggen ze, het gold in elk geval voor de hare, notaris van vader op zoon, alleen, er was geen zoon. La Jogar staat op, duwt het luik open, de binnenplaats is grijs, de muur aan de overkant, de hoge takken van de acacia.

Ze draait zich om, kijkt Odile aan.

De dag dat haar vader hoorde dat ze vriendinnen waren, belde hij naar de muziekschool. Een Monsols hangt niet rond in de Rue des Bains. Na de volgende les bracht de leraar haar tot de huisdeur.

Odile komt dichterbij, voelt aan La Jogars haar.

'Verf je het?'

La Jogar schiet in de lach.

'Wat denk je?'

Odile lacht ook.

Dat doet hun goed.

Ze praten over het weer, over de tijd die verstrijkt.

'Het schijnt dat er oude mensen sterven van de hitte,' zegt Odile.

La Jogar glijdt met een vinger over de ruit. Ze kijkt op haar horloge.

'Ik moet ervandoor.'

'Doe je niet mee aan de staking?'

Ze schudt van nee.

De vorige dag hebben de technici met zes stemmen voor en drie tegen besloten te staken en werd de voorstelling afgelast. Ze hoopt dat ze vandaag kan spelen.

'Ik hou te veel van het theater! Kom je een keer kijken?'

Ze legt twee vrijkaartjes op tafel.

'Waarom twee?' vraagt Odile.

Ze is alleen. De mannen die ze in haar leven tegenkomt, maken een kind en vertrekken weer.

Ze pakt de uitnodigingen, schuift ze toch maar onder de schaal.

'Ik kan niets beloven.'

Ze pakt de handen van La Jogar in de hare.

'Je moet terugkomen, je belt maar wanneer het uitkomt, ik zorg voor eten.'

Ze omhelzen elkaar.

'Ik kom terug...'

Esteban komt binnen met zijn zwemtas. Hij gooit die in een hoek en laat zich op de divan vallen, trekt zijn knieën op, uitgeput van zon en water.

'Dat is je jongste?'

'Esteban... Je was er nog toen hij geboren werd.'

Zijn broers zijn op de binnenplaats gebleven, spelen tafeltennis, je hoort het balletje stuiteren.

La Jogar kijkt naar de jongen, naar zijn merkwaardige glimlach.

'Heeft hij dat altijd, dat lachje?'

'Altijd.'

Ze hurkt bij hem neer. Hij kijkt haar aan, steekt zijn hand uit, zachtjes, en met een vinger raakt hij het opgemaakte ooglid van La Jogar aan.

Er blijft wat poeder op zijn vinger zitten.

JULIE EN DE jongens drinken wat op een terras. Er staat een zwart kruis door de titel *Nuit rouge* op hun T-shirt.

Ze hebben bij stemming besloten nog een avond te staken. President Chirac zal spreken, tot dat moment willen ze actievoeren.

Odon laat hen begaan. Ze strijden voor een goede zaak maar kiezen het verkeerde terrein.

Yann gluurt naar de meisjes, in de zomer zijn ze bijna naakt, ze koesteren hun bovenbenen in de zon. Ze spreiden hun armen, gladde oksels.

Op het plein scharrelen een paar zieke duiven rond, hun poten zijn aangevreten door een groeiend gezwel.

Een jongen danst tussen de tafels, de plugjes van zijn koptelefoon diep in zijn oren, hij zwaait woest met zijn armen, zijn voeten glijden over het plaveisel, zijn lichaam lijkt gewichtloos.

'Hij knalt zo tegen die muur,' zegt Julie.

Als hij tegen de muur knalt, schatert ze het uit.

Ze drinken hun glazen leeg.

Een immens strokengordijn moet aan het plafond komen te hangen als achtergrond van hun voorstelling. Smalle linten van glanzend metaal. Het hangt nog niet. Het ligt op de grond, in de war.

Ze gaan terug naar het theater. Ze installeren zich in kleermakerszit en halen de knopen eruit. De airconditioning kan nog niet aan.

De nooduitgang staat open.

Daar komt ze door binnen. Ze loopt de zaal in, kijkt om zich heen, de lege stoelen, keurig op een rij, het felrode fluweel. Het is de eerste keer dat ze in een theater komt. Ze zet haar rugzak in het gangpad.

'Ik ben de zus van PaulSelliès.'

Haar stem is gedempt, moeizaam bevochten op haar adem. Nauwelijks verstaanbaar. Iedereen kijkt op.

'De zus van wie?' vraagt Odon.

'Selliès,' herhaalt ze.

Ze gebaart met haar hand, wijst naar het affiche van *Nuit rouge*.

Odon komt overeind, loopt naar haar toe. Hij herkent het meisje van de wallekant. Hij daalt de drie treden af.

'Bent u Odon Schnadel?' vraagt ze wanneer hij bij haar is.

Hij knikt.

Ze bloost.

'Dat wist ik niet, vanochtend op het schip...'

Ze haalt een tijdschrift uit haar tas, een advertentie.

'Er lagen tijdschriften in het cultureel centrum...'

Ze was bij toeval op het artikel gestuit, ze was op zoek naar foto's, ze zag de naam van haar broer, Avignon, het festival... Ze keek op een kaart, ze hoefde alleen maar een rivier af te zakken.

'Ik wilde het graag zien,' mompelt ze.

Ze glimlacht vreemd.

'We staken!' zegt Julie.

Het meisje loopt naar het toneel.

Ze kijkt naar het decor, het immense gordijn van zwart en licht.

'Zijn jullie de spelers?'

'Ja...'

Ze raakt het gordijn aan. De zachte linten, het lijkt plastic.

'Waar gaat dat over, *Nuit rouge*?'

'Het is een filosofische vertelling,' antwoordt Julie, 'een soort fabel... Hoe het een paar mensen vergaat die dromen koesteren en ze opgeven.'

Greg bemoeit zich ermee.

'Zo eenvoudig is het niet....'

Hij komt dichterbij, hurkt neer en kijkt in de heel lichte ogen van het meisje.

'Het gaat over een meisje en vier jongens, ze kennen elkaar niet, ze ontmoeten elkaar op een plek buiten de stad. Ze komen bij elkaar, met nog honderden gelijkgestemden, om een andere wereld, een utopie te ontwerpen. Ze hebben maar een paar uur. Het is heel poëtisch. Het is ook heel wanhopig. Pessimistisch, de menselijke natuur krijgt geen enkele kans.'

Julie gaat weer zitten, zit alweer met haar handen in de stroken van het gordijn.

'Weet je hoe het met me afloopt?'

Ze ontwart twee stroken.

'Ik sterf door de bloemen van paars vingerhoedskruid te eten. Acht gram is genoeg, dan stopt je hart.'

Ze glimlacht.

'Dat is mijn lot.'

Het meisje staart naar het gezicht van Julie.

Ze wist niet dat haar broer dit verhaal had geschreven. Hij had haar er nooit iets over verteld. Of misschien ook wel en was ze het vergeten...

Ze voelt met haar tong aan de ring in haar lip.

Paul schreef in de bestelbus. Als hij naar woorden zocht, staarde hij strak door de voorruit, zijn ogen schoten vuur, ze werd er bang van. Misschien had hij er haar niet over verteld omdat het zo treurig was.

'Hoe ziet dat eruit, paars vingerhoedskruid?' vraagt ze.

'Een stengel met trossen hangende klokjes. Grote klokjes, je vinger kan erin. Heel mooi, maar vol gif, vooral de blaadjes.'

Het meisje pakt haar rugzak op. Bij ons had je geen vingerhoedskruid, denkt ze.

Ze wendt zich weer tot Odon.

Haar broer werkte niet met een computer. Zij tikte zijn teksten uit. Hij dicteerde. Hij zei dat hij te stijve vingers had voor het toetsenbord.

'Wanneer hebt u dat gekregen, *Nuit rouge*?'

'Weet ik niet... Vijf jaar geleden.'

'Met de post?'

'Ja, met de post.'

Het meisje fronste haar wenkbrauwen. Haar broer is vijf jaar geleden gestorven.

'Hij had u ook een andere tekst gestuurd...'

Die herinnerde ze zich nog heel goed. Die had ze een paar weken voor zijn dood met hem uitgetikt. Het ging over de wederwaardigheden van een man die de wereld wilde begrijpen door zijn eigen leven te bezien. Aan het eind spreekt hij zichzelf toe alsof hij een ander was en wordt gek. Ze hield van dat verhaal.

'Het had een vreemde titel... Dat zegt u niets?'

'Nee.'

Ze schudt haar hoofd.

Paul had uitgeverij Schnadel gekozen vanwege Avignon en de naam van het theater, de Dolle Hond. Hij zei dat het Zuiden hem geluk zou brengen.

De deur staat nog altijd open, zwaait wat heen en weer in de wind.

Het meisje wijst naar haar rugzak van legerstof; veel zit er niet in.

'Ik dacht dat u me niet op straat zou laten slapen.'

Odon steekt zijn hand in zijn zak en haalt er een pakje sigaretten uit.

'Je denkt te veel,' zegt hij.

Zijn toon is te hard. Ze bloost.

'Ben je echt de zus van Selliès?' vraagt hij.

Ze knikt bevestigend.

Hij zegt: Het spijt me van je broer.

Ze slaat haar blik op naar het affiche.

'Hij zou hartstikke blij zijn geweest... En waar vind ik een niet te duur hotelletje?'

Hij aarzelt. Ten slotte pakt hij een flyer uit zijn zak en krabbelt een adres op de achterkant.

'Ga naar de Rue de la Croix, naar Isabelle, een vriendin van me, zeg dat je van mij komt...'

Ze neemt de flyer aan, houdt die in haar hand. Ze loopt het gangpad uit.

'Hoe heet je?' vraagt hij als ze bij de deur is.

Ze draait zich niet om, alleen haar hoofd, half, en profil.

'Maria...'

Ze gaat naar buiten. De zon beukt op het plein, het is of ze wordt verzwolgen door het licht.

'Zo, nu alleen nog maar hopen dat er iemand komt,' zegt Damien en hij tilt het grote gordijn op.

'Alleen nog maar...'

'We kennen de tekst door en door.'

'Dacht je dat dat genoeg was, je tekst kennen?'

'Zo kan hij wel weer,' zegt Julie.

Ze bevestigen het gordijn aan de haakjes van de roe, maar het lukt niet het tussen de andere decors te hijsen.

OP HET PLEIN voor het Pausenpaleis wordt een geïmproviseerde algemene vergadering gehouden. Julie plakt een affiche van *Nuit rouge* naast die van de andere voorstellingen en zet er een kruis door. Het In en het Off trekken nog een avond schouder aan schouder op.

Theaterdirecteuren nemen de microfoon, hekelen voor de zoveelste keer het gebrek aan middelen dat hen dwingt salarissen te verlagen, contracten aan te vechten, gezelschappen uit te knijpen.

Odon houdt zich afzijdig. Het gaat al jaren de verkeerde kant op met het festival. Te veel amateurs. Te veel, soms banale, gemakkelijke voorstellingen, het leken wel tv-programma's. Het kan hem niet meer bekoren.

Julie hekelt de staat die zijn verplichtingen niet nakomt. Ze verlaat de groep, razend. Gaat terug naar haar vader.

'Ze willen amateurs en professionals tegen elkaar uitspelen. Verdeel en heers…'

Uit de menigte klinkt verbijsterd gefluit.

Actievoerders werpen barricades op onder het oog van politiemensen die hen laten begaan.

Tegelijkertijd zijn er groepen die besluiten te gaan spelen en te proberen te redden wat er te redden valt van een festival dat gesmoord dreigt te worden.

MARIA IS AANGEKOMEN in de Rue de la Croix. Ze controleert het huisnummer op het papiertje. Het is een brede gevel, het heeft iets van een oud paleisje met aan de balkons bijna dode hangplanten, sommige zo uitgedroogd dat ze sinds lang vergeten lijken. De ramen op de bovenverdieping staan open, witte gordijnen klapperen in de wind als grote zeilen of als de tulen sluier van een bruid.

Achter een van de ramen staan een teddybeer en een pop met een porseleinen kop. Ze zijn vanaf de straat te zien. De stopverf laat los. Alle andere ruiten zijn bedekt met stof, alleen deze niet.

Geen bel, geen naam.

Maria duwt de deur open.

Een brede trap gaat naar boven. Het is er vochtig, geen verlichting. Twee mannen in overall komen naar beneden met een lang wollen tapijt op de schouder.

Maria gaat de trap op.

Een oude vrouw buigt boven over de leuning. Ze is gekleed in een blauw-turkooizen charlestonjurk, heeft een lange parelketting om en een zwarte hoofdband met gouden lovertjes.

Van dichtbij lijkt ze een tempelbewaarster.

'Bent u Isabelle?' vraagt ze.

'En wie ben jij?'

'Maria...'

'Ach, de Moedermaagd? Waar iedereen het over heeft?'

Maria laat de rugzak naar haar hand glijden.

'Ik weet niet waar ik moet slapen en Odon Schnadel heeft me hierheen gestuurd.'

'Als Odon Schnadel je stuurt...'

Ze gaat het appartement binnen. Maria volgt haar. Het eerste vertrek is groot en heel licht, een houten parket, een volle boekenkast en een oude schoorsteen.

Op het parket is de plek waar het tapijt lag nog duidelijk afgetekend in het stof. En op de muur nog duidelijker de plekken waar een paar schilderijen hebben gehangen.

Vijf grote ramen komen uit op de holte van de straat.

Maria zet haar rugzak neer bij de deur.

Isabelle loopt door naar de keuken, gaat aan de tafel zitten, pakt een notitieboekje, bladert.

'Ik ben zo bij je, vijf minuten.'

In haar sigarettenpijpje zit een Davidoff.

De hele tafel is bedekt met papieren en flessen. In het midden staan pauwenveren in een vaas versierd met saters. De krant van de dag.

Door het raam komt een warme luchtstroom.

Een notitieboekje waaraan met een koordje van blauwe stof een klein potlood is bevestigd.

Isabelle schrijft: 'Een foto van Agnès Varda, een kleed, een houten marionet.'

Ze heeft de handen van een oude vrouw, met donkere vlekken en dikke aderen. Aan haar middelvinger draagt ze een dikke, vierkante amethist.

'Het was een foto van Gérard Philipe in het kostuum van Perdican.'

Een omslagdoek met goudlamé hangt over de rugleuning van haar stoel.

Ze zegt: Ik schrijf het op, anders vergeet ik het.

De asbakken zijn vol, het ruikt naar oude tabak. In een hoek van de keuken staat een overvolle doos met lege flessen, blikjes, proppen papier, een pizzadoos.

Isabelle is klaar met schrijven, ze doet het boekje dicht.

Ze zat in een café in Parijs toen een man binnenkwam en vertelde dat Gérard Philipe dood was. Het was november 1959, het regende, ijskoude druppels, en de mensen liepen verloren rond, iedereen was ontroostbaar.

Ze bergt het notitieboekje op. In die beweging stoten de witte parels van haar halssnoer tegen het hout van de tafel. Ze zien eruit als paarlemoer.

Ze vertelt dat Gérard Philipe op een avond de *Cid* heeft gespeeld met een tapijtspijker in zijn hiel.

'Hij zei niets, maar naderhand, toen hij weer in de coulissen was, ging hij zitten, deed zijn schoen uit en gilde het uit.'

Maria luistert. Ze blijft staan, tegen de deurlijst.

Isabelle doet haar bril af en stopt die in het etui. Ze staat op, leunt met beide handen op de tafel.

'Dus je wilt een slaapplaats?'

Ze wijst naar een gang.

'Er zijn matrassen, lakens, kamers, sommige zijn in gebruik, andere niet, je kiest maar.'

Ze kijkt naar de magere armen van Maria. De doorzichtige huid, de lip met de ring erdoor, de spijker in de wenkbrauw.

'Wil je wat eten?'

Maria schudt van nee.

DE GANG NAAR de kamers staat vol met tassen, koffers met kleren erop, een paar hoeden, winterjassen aan spijkers.

Een jongen repeteert voor een open raam een tekst. Op een bed zit een meisje met een walkman naar muziek te luisteren.

Maria kiest een kamer waar niemand is. Een gietijzeren radiator, een stapel dekens. Het raam komt uit op de straat. Ze legt een matras tegen de muur, zet de rugzak erop.

Het fototoestel.

Op de muur zit dik behang. Witte paardjes.

Ze gaat op de rand van de matras zitten. Het is warm.

Ze voelt met een vinger aan de ring door haar lip, een piercing die ze in Barbès heeft laten zetten, de naam van Paul aan de binnenkant gegraveerd. De spijker in haar wenkbrauw, ook in Barbès gezet. Dan nog een rij ringetjes in haar oorlel. Een piercing voor elke verjaardag van zijn dood. Dat heeft ze zich heilig voorgenomen, haar hele gezicht vol, als ze doodgaat, wordt ze verbrand en zal het metaal worden teruggewonnen.

HET RAAM VAN de kleedkamer geeft uitzicht op de entree van het theater. Een smalle straat, zonder auto's.

La Jogar hoort de geluiden van buiten. De gesprekken, het gemompel. Ze voelt de bewegingen, de aanwezigheid van het publiek dat voor de deur staat te wachten. Haar gezelschap heeft niet voor staken gestemd, maar de meningen waren verdeeld. Ze werpt een blik door een kier van het luik. De festivalbezoekers zitten op het trottoir, ze eten broodjes en bladeren in het programma.

Ze gaat weer naar de tafel. Avignon is haar stad. Hier spelen is moeilijker dan elders.

Ze moet een paar minuten alleen zijn. Ze laat een druppel olie in de holte van haar hand lopen, een balsem die ze uit India laat komen, ze wrijft hals en armen in. Haar handen.

De lampen langs de spiegel verlichten haar gezicht. Ze neemt een slok water.

Een blik op de klok.

De eerste opkomst is altijd weer een marteling. Ze kent het allemaal, de black-out, de hapering, de extreme vermoeidheid. En hoe het na afloop is, in de kleedkamer.

Ze doet wat vocalises, een hand tegen haar keel gedrukt.

Pablo komt de kleedkamer binnen. Haar assistent sinds drie jaar.

'We zitten vol,' zegt hij en hij legt een armvol rozen op de tafel.

Hij masseert haar nek.

Phil Nans steekt zijn hoofd om de deur.

'Alles in orde, *cara mia*?'

Ze glimlacht. Hij is haar tegenspeler, haar reisgezel, even knap als Clint Eastwood.

Hij komt verder, kust haar hand.

'Zullen we?'

Op het toneel stellen de belichters de laatste lampen af. Het decor staat klaar, een tafel, vier stoelen, een transistor. Een karaf ijsthee en twee grote glazen.

Het gordijn is dicht. Ze hoort het diffuse geroezemoes aan de andere kant, het publiek dat zijn plaatsen zoekt. De spanning stijgt.

Ze wisselen een blik.

Dan hoort ze de drie slagen. Het bloed vloeit weer naar haar hoofd. Haar schoenzool beroert de vloer. Het geluid ervan dringt door tot de eerste rij. Het hoort bij de voorstelling. Net als de woorden, het geluid, het licht. Net als La Jogars ademritme.

Met haar hand verschuift ze de stoel. Ze wordt Meryl Streep, vier dagen lang, op weg naar Madison, bij de Roseman-brug, in de klamme hitte van Iowa.

'Er is 's avonds niet veel te doen in de stad, in Iowa...'

Haar stem is traag, schor, haar lichaam is zwaar, haar lippen zijn vochtig.

Vóór haar honderden gezichten in het donker.

'Ik ben een gewone huisvrouw ergens diep in de provincie, in mijn leven is nooit iets interessants voorgevallen.'

Alles staat in het teken van de klamheid van het verlangen. Deze weg is haar queeste.

'Als u wilt komen eten, kom dan op het uur waarop de spanrupsvlinders wegvliegen.'

Een zin als een huivering.

Ze speelt niet meer. Ze is daar voorbij. Het duurt ruim een uur.

Aan het slot pakt ze de hand van Phil Nans en vraagt of de zaalverlichting aan mag. Ze wil de gezichten zien. Ze zegt dat ook: Ik wil u zien!

Het publiek staat op en klapt. Vurige bravo's die tegelijk tranen zijn.

Ze grift zich in hun geheugen. Haar ogen doorvorsen de zaal, ze spaart zich niet. Dat is wat de mensen in haar waarderen. Later worden in de kranten andere dingen geschreven, dat ze mooi is, dat ze sexy is. En ook dat ze arrogant is.

Ze blijft nog een ogenblik staan, vlak bij het voetlicht, zweet in haar hals, haar haar is losgeraakt. Ze gaat de gezichten langs, ze zoekt iemand, zonder dat ze weet wie. Een buurman, een vriend. Haar vader misschien?

Er is niemand.

Ze draait zich om. Ze vertrekt voordat zij weggaan. Ze verlaat het podium zoals ze is opgekomen, bij open doek. Tot geen woord meer in staat.

Een paar mensen wachten haar op in de coulissen. Ze schudt handen, signeert foto's.

Buiten is het avond. De straten zijn stampvol en de cicaden hebben er eindelijk het zwijgen toegedaan.

VOOR DE DOLLE HOND is het de vierde avond dat de deuren dicht blijven. Er staat een zwart kruis over *Nuit rouge*.

De festivalbezoekers die hebben staan wachten, gaan woedend weg en vragen zich af wat voor zin het heeft iets te maken als je het niet laat zien. De theaters die openblijven, spelen voor een vol huis, vangen het publiek van de afgelaste voorstellingen op.

Maria wil geen andere stukken zien, ze zwerft wat rond. De stad is een en al licht, het lijkt er feest, maar het rommelt onder de muziek.

Er zitten toeristen op de terrassen en er wordt gedemonstreerd door actievoerende theatermakers.

Ze koopt een suikerspin, gaat op de trap zitten op de Place de l'Horloge. Ze kijkt naar een jongen die jongleert met fakkels.

Julie wilde dat de stad helemaal plat zou gaan, maar de solidariteit is halfbakken.

Ze heeft met de jongens gegeten op de Place des Carmes. Ze zitten na te tafelen, stellen voor te gaan dansen.

Damien omhelst Julie, fluistert dingen in haar oor. Ze ruikt naar talk, vanille.

'Mooi ben je ook...'

'Ook, wat nog meer dan?'

Hij fluistert andere dingen. Ze perst zich tegen zijn mond. Gloeiend lijf, klamme huid.

'Gaan we zwemmen?'

Hij duwt zijn gezicht tussen haar borsten: Zeg jij het maar!

Ze gaan met zijn tweeën weg.

Ze lopen tegen elkaar aan gedrukt. De straat, de nacht. Ze komen vrienden tegen. Ze zien Maria op de trappen zitten. Nog meer vrienden.

Plotseling staat Julie stil. Ze herkent een gezicht op een affiche.

Ze maakt zich los van Damien, loopt terug. Die ogen, die glimlach.

Haar gezicht vertrekt.

Het is La Jogar.

De tranen van haar moeder, de ruzies, het geschreeuw. Op een ochtend de koffers op het dek van de woonaak, de wachtende taxi. Ze was vijftien. Ze vervloekte haar vader, begreep maar niet waarom hij hen niet tegenhield.

Ze steekt haar hand uit, krabt met haar nagels aan de muurpleister, maakt een hoek van het affiche los. Trekt. Een snel gebaar. Het papier scheurt, dwars door het gezicht. Ze trekt de rest los.

Ze gaat naar een volgend affiche. Omstanders kijken naar haar.

Damien legt zijn hand op haar arm.

'Hou daarmee op...'

Ze luistert niet.

Haar moeder was ongelukkig en haar vader ook.

Damien pakt haar hand, trekt haar weg bij de muur.

Achter haar slingeren flarden gezicht op het trottoir.

ODON DOET HET licht uit in het theater, trekt de deur achter zich dicht en doet die op slot. Het is laat, het plein is stil. Het restaurant l'Epicerie is dicht.

Hij slaat de Rue de la Banasterie in. Hotel La Mirande is vlakbij, een van de meest luxe hotels van de stad, verscholen in een rustige wijk achter het paleis.

Odon volgt de muren om de tuin. Hij komt langs de ingang. Er staat een Range Rover geparkeerd. Een stel toeristen, Amerikanen, gaat naar binnen, een tikje aangeschoten. Hij staat stil, steekt een sigaret op.

De patio is verlicht.

Daarbinnen is La Jogar, ergens in een kamer, ongetwijfeld een kamer aan de tuinkant. Hij overweegt een briefje voor haar af te geven, een afspraak te maken, samen te lunchen. Misschien is ze niet alleen.

Hij strijkt over zijn gezicht. En als hij nu eens oud is geworden?

Hij gaat verder, door de passage Peyrollerie, de Rue de Mons.

Hij denkt aan hun eerste ontmoeting, in een theater een paar straten verder, ze speelde Tsjechov, een serie van vier voorstellingen, met een gezelschap uit Lyon. Ze bukte zich om haar veter vast te maken, hun blikken kruisten. Het was een verbouwde voormalige kroeg, hij zat op de derde rij. De volgende dag ging hij weer. Na de voorstelling wachtte hij haar buiten op. Ze was moe, ze wilde naar haar kamer, slapen. Ze wisselden een paar woorden, rookten een sigaret.

Hij sprak over de Rhône, over het fort Saint-André, over andere bezienswaardigheden. Ze lachte, ze kende het allemaal: Ik ben hier geboren, opgegroeid binnen de stadsmuren.

Ze spraken over de buurt.

Ze sliep in een hotel in de Rue des Lices. Hij liep met haar op. Het waaide, de mistral raasde.

Hij nodigde haar uit bij de Dolle Hond langs te komen, de volgende dag, voor haar vertrek, om samen koffie te drinken. Misschien, zei ze. Ze wist dat ze het niet zou doen. Ze schudden elkaar de hand voor het hotel.

Ze was nog geen dertig, hij tien jaar ouder, hij was getrouwd met Nathalie en Julie zou haar vijftiende verjaardag vieren.

Ze ging heel vroeg terug naar Lyon. Hij liep net het plein op toen ze naar buiten kwam. Hij bleef even staan en ging toen op haar af. Hij zei een paar woorden, dat haar tas zwaar leek, dat ze vast niet gewend was 's ochtends zulke zware dingen te dragen. Hij stak zijn hand uit. Hij droeg de tas naar haar auto. Legde die op de achterbank. Ze stonden nog even te praten en keken naar de stromende Rhône. Toen ze wegreed stak ze haar hand naar hem op. Als het verkeer meezat, zou ze voor tienen thuis zijn.

BIJ STEMMING WORDT de volgende ochtend besloten één avond weer te spelen, de opbrengst zou dan in het solidariteitsfonds van de stakers gestort worden.

Odon is opgelucht. Hij laat zich in een stoel vallen, nr. 103, op de laatste rij. Pal daaronder zit een luikje in de vloer. Hij kan zo zijn hand erin steken. De bergruimte is niet diep, er zitten boeken in, een flesje whisky en nog wat onbelangrijke spulletjes.

Hij steekt een sigaret op.

In deze zaal heeft hij Mathilde voor het eerst gekust. Hij dacht dat hij haar niet terug zou zien, een paar weken later kwam ze. Haar contract was afgelopen, ze had tijd, ze had de reis gemaakt. Rank en bevallig kwam ze aanlopen, haar tas schuin over haar schouders: 'Die uitnodiging om koffie te drinken, geldt die nog?' Ze brachten de avond samen door, een deel van de nacht. Haar mond was groot, een scheurwond. Hij kwam thuis, kuste het voorhoofd van Julie. Daarna de lippen van zijn vrouw. Hij sliep, liggend op de rand van het bed. De volgende ochtend zette Nathalie als gewoonlijk koffie. Ze ging vroeg weg, ze moest een artikel schrijven over een tentoonstelling van oude marionetten. Hij zat een hele tijd stil achter zijn kom koffie. Hij had Mathilde ontmoet en alles wat hij had opgebouwd, het vertrouwen van zijn vrouw en de glimlach van Julie, deed er ineens niet meer toe.

Hij liet twee dagen voorbijgaan.

De derde dag belde hij Mathilde. Hij gaf haar een rol in *Le Dépeupleur – De Verlorenen*. Daarna heeft hij haar nog laten spelen in een stuk van Georges Feydeau.

Hij zit rustig te roken, zijn nek tegen de leuning.

De technici komen het toneel op om het gordijn op te hangen. Ze praten hard, schelden elkaar verrot.

De groep die *L'Enfer* speelt, zet de staking voort.

Odon gaat weer naar zijn kantoor. De post ligt op tafel. Tijdschriften, een paar rekeningen. Een doos met flyers. Hij scheurt een zakje M&M's open, giet ze in zijn mond, maakt nog een zakje open.

Hij gaat naar boven. Het vertrek, een zit-slaapkamer, ligt en staat vol met hoeden, parasols, hobbelpaarden, zetstukken, bergen dozen en stoffen. Midden in die chaos een bed. Hij verfrist zijn gezicht bij de wastafel.

Trekt een schoon hemd aan.

Hij doet het raam wat open. De zon geselt het plein. Toeristen wandelen rond op zoek naar wat schaduw. Hij ziet Maria voor de deur van het theater, ze maakt foto's.

Hamerslagen doen de tussenmuur trillen. Vrolijke stemmen roepen naar elkaar.

Iemand fluit.

Odon doet het raam weer dicht. Hij gaat naar beneden. Een technicus zit op zijn knieën in de gang, zijn hoofd tussen de zekeringen. Een open gereedschapskist midden in de gang.

'In het theater wordt niet gefloten!' foetert hij.

De man kijkt op.

'Ik ben met de airco bezig...'

Odon moppert.

'Hoef je nog niet te fluiten. Dat brengt ongeluk, wist je dat niet?'

De man veegt zijn handen af aan zijn broek.

'Hoe dan ook, de hele installatie is verrot.'

Hij doet zijn gereedschapskist dicht.

Odon geeft de boksbal een oplawaai. Zonder handschoen, het doet pijn.

Op dat moment heerst in alle theaters diezelfde spanning.

Julie steekt haar hoofd om de deur.

'Moeilijkheden?' vraagt ze.

'Nee niks, een zak die floot.'
Hij blijft staan, tegen het bureau geleund.
'Over vijf minuten repetitie.'
Ze werpt een blik op de klok.
'Daar hebben we geen tijd voor.'
'We nemen de tijd. We moeten het begin doornemen, het is te traag, de loopjes kloppen niet.'
Hij kijkt naar zijn dochter.
Julie is slecht gekleed, rood, geel, geruite en gebloemde stoffen, ze koopt tweedehands kleren op eBay en dat resulteert in een nogal bizarre outfit.
'Roep jij de anderen...'
Ze verroert zich niet.
Odon is moe, hij heeft wallen onder zijn ogen. Zijn oogleden zijn zwaar. La Jogar is in de stad, hij weet het, hij denkt aan haar en dat is te zien.
Julie slaat haar armen over elkaar.
'Heb je d'r gezien?' vraagt ze.
'Hou op.'
'Hoezo hou op?'
Hij doet een stap naar voren.
'Hou op met dat gezeik, Julie.'
Ze slaat haar ogen neer. Hij heeft haar alles geleerd, hoe ze haar adem moet beheersen, haar stem moet plaatsen, haar lichaam. Het lichaam in dienst van de tekst, altijd.
Hij heeft haar geleerd eisen te stellen.
'Ik zeik niet, ik wil het weten.'
'Ik bemoei me ook niet met jouw leven.'
'Bedoel je Damien? Damien houdt van me en ik hou ook van hem.'
Hij drukt zijn sigaret uit. Gaat naar haar toe, drukt haar tegen zich aan.
'Je houdt niet van hem.'
Julie stribbelt tegen. Hij houdt haar vast. Haar haar ruikt naar zon, hij duwt zijn gezicht erin, het ruikt ook naar rook.

Op het plein trekt een theatergroep zingend voorbij, tromgeroffel, het lijkt het rollen van de donder.

Ten slotte laat Odon haar los.

'Over vijf minuten... Vier inmiddels.'

JULIE GIET DE kleipoeder in de teil, doet er water bij en roert. Het wordt een gladde pap.

Ze buigt zich over de teil.

'Het ruikt naar de rivier,' zegt ze.

Ze pakt een handje kleipasta en smeert het in haar nek. Ze smeert het ook over haar haar en haar benen.

Ze lacht naar de jongens.

'Jullie krijgen straks een heerlijk zacht huidje.'

Die klei is hun kostuum. Ze stoppen hun handen erin, bedekken hun huid ermee, hun kleren, de jongens hun broek en jasje, Julie haar jurk. De klei wordt grijs als hij opdroogt, hij wist hun trekken uit, vervormt hun gezichten.

Ze krijgen het nog warmer.

'We zien er onherkenbaar uit,' zegt Damien.

Odon kijkt toe.

'Als jullie klaar zijn, nemen we het begin door.'

De eerste minuten, de lange monoloog van Julie. De enscenering is heel precies. Er wordt grondig gerepeteerd.

'Waarom is het zo warm?'

'Problemen met de airco...' zegt Jeff.

Julie repeteert, alleen.

'Gaat het er in de buik van de goden net zo aan toe als in de mijne, net zo'n onverdraaglijk kabaal?'

'Je stem wat lager, schor.'

Ze gaat verder.

'Onschuld is vruchteloos, de steden zijn vol schuldigen... ik loop zonder te weten waarheen.'

Ze gaat door.

Steeds weer opnieuw, onvermoeibaar. Odon heeft grote

schrijvers op dit toneel gebracht. Met *Nuit rouge* eist hij perfectie.

Hij pakt Yann bij de arm, corrigeert zijn positie.

'Wat je zegt is ook afhankelijk van je blikrichting.'

Damien is het zat. Hij zegt dat al die moeite voor niets is, er is geen festival meer.

Odon wil daar niet van horen. Hij wil spelen, al is hij de enige en moet er gespeeld worden in een dode stad.

Hij verheft zijn stem niet.

'Ik vraag me af waarom we dit allemaal doen,' zegt Chatt'.

'Wat allemaal?'

'Dit, spelen, repeteren, elkaar helpen.'

Odon steekt een sigaret op, de vlam van de aansteker verlicht de diepe plooien aan weerszijden van zijn mond.

'Voor het geld natuurlijk, puur winstbejag... waarvoor anders?' zegt hij terwijl hij de rook uitblaast.

Julie schiet in de lach.

Ze doet het met kralen bestikte etui open dat ze als tasje gebruikt, haalt er citroenzuurtjes uit en deelt die rond.

De telefoon in haar tasje trilt. Een sms'je.

'Mama wil weten of we vanavond spelen...'

Ze tikt een paar woorden in, een snel antwoord.

Nathalie is chef van de plaatselijke redactie. Ze weet precies wat er omgaat in de stad, de stemming, de geruchten. Ze heeft in de loop der jaren een solide reputatie opgebouwd. Alles wat in de krant komt loopt via haar.

En ze is dol op haar dochter.

'Zo kan het ermee door,' zegt Odon. 'Ik zeg niet dat het geweldig wordt, maar het kan ermee door...'

ZE GAAN DE stad in, flyeren, het gezicht en het lichaam bedekt met klei. Greg loopt voorop, Damien, Yann, Julie en Chatt' volgen. De mensen gaan opzij om hen te laten passeren, ze kijken, maken foto's.

Het zijn aarden beelden.

Ze delen flyers uit. Twee uur lang, op straat en op de caféterrassen. Op hun slapen parelen kleikleurige zweetdruppels. Andere groepen zijn ook aan het flyeren, op dezelfde terrassen, drie clowns met brommers, monniken met blauwe pruiken, verderop acteurs in Molière-kostuums. De concurrentie is hard. Flyeren, informeren, jezelf verkopen, Damien houdt er niet van.

'We hebben geen keus,' zegt Julie.

Op de Place de l'Horloge ziet het zwart van de mensen. Ze worden belaagd door gezelschappen die staken. Er klinken bedreigingen. Julie is slecht op haar gemak, ze begrijpt hun woede maar ze wil ook erg graag spelen. Ze popelt om het toneel op te gaan, *Nuit rouge* te laten zien, ze probeert dat uit te leggen.

Als antwoord een oorverdovend tromgeroffel.

Ze besluiten terug te gaan.

Het gezelschap dat de klucht speelt, staat nog op het toneel. Slechts drie mensen in de zaal.

Als ze weggaan, laten ze hun decor in de gang staan, een huis van karton, een grote zon, een levende kip in een kooi. Van de kip komt een geur van veren en poep.

Maria ziet hen langskomen. Over een paar uur zal ze in de zaal van de Dolle Hond zitten. Zal ze horen hoe de woorden van haar broer tot leven komen. Daar wacht ze al weken op.

Paul zei: Je moet dromen hebben als oceaanstomers. Hij nam Maria bij de hand, ze had het gevoel dat haar nooit meer iets naars kon overkomen.

DRIE MANNEN VAN de stadsreiniging staan te roken in de steeg, in de schaduw van de muur. Grote Odile duwt het luik open, de demonstranten zijn niet ver, ze hoort de trommels. In de Rue des Bains komt nooit iemand, het asfalt is stuk, er is niets te doen, geen theater, geen winkel. Je komt er alleen als je er moet zijn. Of als je verdwaalt.

Odile zucht.

De acacia heeft dorst, het blad vergeelt, Jeff zegt dat er duizenden liters water nodig zijn om wat vocht bij de wortels te krijgen.

Ze draait zich om naar Odon.

Haar broer zit aan tafel met zijn onstilbare eetlust, hij heeft de aubergines uit de ijskast gehaald, de terrine. Ze kijkt hoe hij eet.

De jongens hangen tegen elkaar op de bank, in slaap gevallen van de hitte. De televisie staat aan zonder geluid. Alles wat Odile wil weten van het festival ziet ze op het scherm, of ze hoort het van Odon.

'Kom je vanavond naar ons kijken?' vraagt hij.

'Hoezo? Spelen jullie dan?'

'Ja, we beginnen weer.'

Dat verbaast Odile.

'De hele stad staakt en jij gaat open?'

Odon verstrakt. Het zijn maar honderd van de meer dan zeshonderd gezelschappen!

'Wij zijn de enigen niet.'

'Goed, maar jij...'

'Zeik niet!'

Hij trekt de terrine naar zich toe, steekt zijn mes erin en haalt er een flink stuk uit en smeert dat op het brood.

'Dus je komt?'
'Nee.'
'Waarom niet?'
'Dat weet je best, ik begrijp er nooit iets van, het is niks voor mij.'
Odon haalt zijn schouders op.
'Toneel is voor iedereen,' laat hij zich ontvallen.
'Voor sommigen meer dan voor anderen en bovendien heb ik geen jurk...'
De krant ligt open op tafel. Een potlood, gom. De kruiswoordpuzzel is gedeeltelijk ingevuld. 'Japanse verlichting', zes letters, Odile heeft *dharma* ingevuld.
Odon gumt het uit.
'Maling aan jurken,' zegt hij ten slotte.
Ze buigt zich over zijn schouder.
'Waarom gum je dat uit?'
'Japanse verlichting – dat is *satori*... Daarom ben je vastgelopen.'
Hij loopt de andere woorden na.
Hun woorden vermengen zich met de trage ademhaling van de jongens.
'Je zou op zijn minst naar het plein moeten komen.'
'Wat moet ik op het plein?'
'Een kop koffie drinken, mensen zien... Er is straattheater.'
Ze leegt de wasmand in de trommel van de wasmachine. Als alles erin zit, doet ze het deurtje dicht, start het programma.
Ze draait zich om, haar handen gekruist op haar buik.
'Waarom dram je altijd zo door?'
'Ik droom van een betere wereld,' zegt hij terwijl hij een sigaret opsteekt.
'Een wereld waarin we allemaal naar het theater gaan? Je kunt niet voor anderen dromen.'
Hij staat op, duwt het luik een beetje open.
Dat kun je wel, denkt hij.
Odile kijkt naar hem. Hij lijkt op hun vader, dezelfde brede schouders, het wat zware figuur.

'Jeff wil met een paar vleugels en zijn straatorgeltje het plein op,' zegt ze.

Odon blaast de rook door de opening van het luik. Sinds enige tijd kan Jeff niet meer tegen het alleen-zijn.

'Waarom neem je hem niet weer in huis?'

Hij hoort zijn zus zuchten.

Wat tussen haar en Jeff begon als een liefdesgeschiedenis, eindigde in een geldkwestie, een levenslange schuld die stamde uit de tijd dat ze samenwoonden. Odile verstopte haar spaargeld in een paar laarsjes, de laarsjes onder de trap. Op een dag maakte Jeff daar de boel schoon, het waren oude laarsjes, hij gooide ze weg. Toen Odile het ontdekte, was de vuilnisauto al langs geweest. Het scheelde niet veel of ze had Jeff vermoord. Sindsdien hebben ze afgesproken dat hij terugbetaalt, druppelsgewijs, briefje voor briefje.

Odon doet het luik weer dicht. Hij kijkt op zijn horloge. Hij heeft de pastoor een partijtje schaak beloofd.

Hij geeft zijn zus een kus op haar klamme voorhoofd.

Hij loopt naar het buffet. De ventilator staat aan, de bladen knarsen. Vandaag of morgen begeeft hij het.

Onder de schaal liggen twee uitnodigingen. Odon trekt ze eronderuit. Wit, bedrukt papier. Twee uitnodigingen voor *De bruggen van Madison County*.

Hij draait zich langzaam om, kijkt zijn zus vragend aan.

'Ze is langs geweest,' zegt Odile.

Haar hand op de rand van de tafel.

'Het gaat goed met haar...'

Mathilde is hier geweest. Hij kijkt het vertrek rond alsof er nog een spoor van haar te vinden zou zijn, een glas, een peuk, een geur.

'Ze heeft niet gebeld, ze is zo langsgekomen, zonder te waarschuwen, ik keek en ze stond op de binnenplaats...'

HET IS TIJD voor Jeff om de honden te halen, drie goedmoedige herders die de eerste vijf minuten van *L'Enfer* op het toneel zijn. Na het eerste bedrijf zijn ze niet meer nodig en dan neemt Jeff ze mee naar het park.

Hij wordt ervoor betaald.

Het geld geeft hij vervolgens aan Odile, om zijn schuld af te betalen.

Het gezelschap staakt door, de honden hoeven niet uitgelaten.

In plaats daarvan gaat Jeff zijn was doen in de wasserette in het voetgangersgebied.

Terwijl de machine draait, hangt hij wat rond in de stad. Odon en de pastoor zitten te schaken op het plein. Jeff neemt een douche in het theater. Hij vult twee flessen met water. Dan haalt hij zijn was en gaat terug naar de gevangenis.

Onder zijn bed heeft hij een kistje noten. Hij kraakt er een paar. Hij plet de noten in een pan, hij houdt van die warme oliesmaak met brood en rauwe ui.

Hij eet.

Dan gaat hij liggen, zijn handen in zijn nek.

Hij droomt van vertrekken, van treinen.

DE PRIESTER MAAKT een eind aan de schaakpartij met Odon.

Ze zitten nog in de schaduw van de muur, maar niet erg lang meer.

Meisjes stoppen om naar de schakers te kijken, jurken met schouderbandjes en gebloemde teenslippers; ze wisselen een paar woorden in een taal die Odon niet herkent.

Ze kiezen een tafeltje op het terras, met hun rug naar de zon. Glanzende schouders.

Odon zet zijn toren naar voren. Nog een paar vergeefse zetten en hij staat schaakmat.

Het is afgelopen voor vandaag.

Hij kijkt naar de meisjes.

'Je vraagt je af hoe ze die hitte verdragen.'

'Ze oefenen voor de hel....' zegt de pastoor.

Ze zetten de stukken weer op hun plaats. Achter hen is een citaat van Peter Brook aangeplakt: 'Verveling is de duivel.'

Een stel gaat de kerk binnen, gevolgd door een ander. Over minder dan een uur moet de pastoor de mis lezen.

Ze staan op. Het is brandend heet op het plein. Aan de overkant vinden ze koele schaduw onder het gewelf. De pastoor slaat een kruis, maakt een halve kniebuiging, zijn voorhoofd bij het wijwatervat. Een in het zwart geklede vrouw zit te dutten op een bank. De organist is aan het repeteren.

Het middenschip, Jezus aan het kruis, het altaar. Ze trekken zich terug in de sacristie.

De bidstoel staat bij het raam, naast een lessenaar met de Bijbel, het Oude en het Nieuwe Testament. Aan een knaapje hangen liturgische gewaden. Tegen de muur een ladenkastje.

Daarin liggen de pokerkaarten, in een la met een slotje.

De pastoor pakt twee glazen. Een fles die al open is.

Odon steekt een kaars aan, hij knijpt met twee vingers de vlam uit. Hij doet dat verschillende keren.

Ze spreken over het festival. Het ziet er allemaal slecht uit.

'Chirac gaat morgen spreken, we zullen zien wat die te zeggen heeft.'

'Het is niet goed voor de middenstand...'

'Het is voor niemand goed.'

De priester haalt de stop van de fles, ruikt aan de kurk. Dit jaar heeft hij moeten besluiten een zaal van de kapel te verhuren. Er wordt een stuk van Ivan Viripaev gespeeld. Met het geld laat hij de kerk opknappen. Voor iedere voorstelling hangt hij een wit laken over het gezicht van de Maagd, zij mag het godslasterlijke gezoen niet zien.

'Hoe verklaar je dat die Onbevlekte van je een kind heeft gedragen zonder dat ze het gedaan heeft?' vraagt Odon.

De pastoor vult de glazen. De wijn is mooi van kleur, rood dat naar karmijn neigt.

'Door de genade van de Almachtige, een goddelijk gunstbewijs. Maar dat begrijp jij niet, het idee reinheid zal jou altijd vreemd blijven.'

Hij walst de wijn in het glas.

'Goddelijk licht!' zegt hij als hij de wijn voor het raam houdt.

Hij neemt een slok, houdt die in zijn mond. De kracht van goede wijn lijkt op de kracht van God, ze hebben een goede invloed op de mens. In de juiste dosering verhelderen ze hun gedachten, scherpen ze hun gevoelens.

Odon haalt zijn schouders op. Hij heeft geprobeerd in God te geloven maar dat was lang geleden, hij was een tiener, zond zijn gebeden met gespreide armen naar de hemel, hartstochtelijk, wanhopig.

'Er worden oorlogen ontketend in de naam van jouw God, pastoor.'

Ze wisselen een blik.

Op de lessenaar ligt een opengeslagen boek, een gravure van

Dionysus. Odon trekt het boek naar zich toe. Dionysus is de god van de winter, van de doden en de onsterfelijkheid. Mathilde zei dat hij de god was van de wijn, de wellust en de seks.

Alcohol, sperma en bloed tegenover onsterfelijkheid?

De priester proeft genietend van zijn wijn.

'*Memento mori*...' Gedenk te sterven.

Hij neemt een slok.

'Er wordt in de buurt over Mathilde gepraat,' zegt hij terwijl hij zijn glas neerzet.

Odon weet wat er gezegd wordt: dat ze teruggekomen is, maar dat het wel even geduurd heeft, dat je niet zo lang van huis wegblijft. Ze verwijten haar dat ze overal elders heeft gespeeld voor ze terugkwam binnen de muren van haar geboortestad.

'Mag ik je eraan herinneren dat haar vader haar het huis heeft uitgezet. Ik weet niet wat er van haar was geworden als Isabelle er niet was geweest.'

'Isabelle is haar tante...'

'Ja en? Verder hebben ze haar allemaal laten barsten en toen ze beroemd was geworden, zeiden ze dat ze verwaand was.'

'Wind je niet op...'

'Ik wind me niet op.'

Hij schuift de knip opzij en doet het raampje open dat op het plein uitziet. Er zijn mimespelers gearriveerd, poppenspelers die met een lappenpop zwaaien, zich verbeelden dat ze poppentheater maken. Langs slenterende festivalgangers in shorts blijven staan, programmaboekje in de hand, weten niet goed wat ze daar doen. Ze vervelen zich, kijken. Later zullen ze ansichtkaarten sturen, dat alles goed gaat en dat het mooi weer is.

Odon loopt terug naar de tafel.

Hij pakt zijn glas, drinkt het in één teug leeg.

De pastoor z'n mond valt open.

'Weet je wel wat je gedronken hebt?'

Odon weet het niet.

'Een Gruaud-Larose 1993, Saint-Julien Grand Cru.'

Odon bekijkt het etiket.

‘En jij kunt je dit soort flessen veroorloven?’

De pastoor antwoordt niet. Een vrouw uit zijn parochie had veel zonden die vergeving behoefden…

MARIA GAAT DE Saint-Pierre binnen. De mis is net afgelopen, het orgel speelt nog. De muziek galmt. Het is of de noten over elkaar heen buitelen, of er verschillende instrumenten zijn. Het geluid is oorverdovend. Tussen de gewelfbogen hangen nog dikke wolken wierook. Een paar gelovigen staan na te praten met de priester.

Maria vindt een doorgang, een kleine houten deur die een beetje openstaat, rechts van de ingang. Daarachter een wenteltrap. Stenen treden. Een dik touw als leuning.

Maria klimt omhoog. Er zijn geen ramen. De organist is een jonge man, ze kan hem zien vanaf het bordes.

Ze klimt tot helemaal boven in de klokkentoren. Ze staat op het dak, houdt zich vast. Ze ziet de muren en de torens van het paleis. Ze buigt voorover. Ze is niet duizelig. Ze hoort gelach.

Ze gaat zitten.

Tussen de dakpannen zit rottend plataanblad, ze haalt het weg met haar hand. Haar nagels ruiken naar aarde. Onder haar hemd draagt ze een leren beursje. Daarin zit as van haar broer.

Ze denkt aan het verhaal van *Nuit rouge*. Mensen komen samen en dromen van een betere wereld. Ze krabt met haar nagels aan haar arm, altijd dezelfde plek, over de oude korstjes. Alsof krabben haar zou helpen te begrijpen. Op den duur laten de korstjes los. Het doet pijn, maar ze krabt door.

Paul wist waar ze heen moesten, hij was de gids. Al vanaf haar geboorte zwalkt Maria maar wat rond. Ze kwam op een herfstdag uit de buik van haar moeder, in dikke mist. Geboren in de bladeren. De eerste geur: die van het bos van Versailles. Niet ver weg het burlen van bronstige herten. Zij krijste in de nacht en haar broer bukte zich. Zijn tere blik vol vertrouwen, zijn hoofdband. Hij pakte haar op.

Zolang Paul er was, heeft ze nooit meer gekrijst.

DE DEUREN GAAN open. De zaal loopt vol. Gebonk van schoenen op de houten trappen.

Julie dreunt binnensmonds haar tekst op.

Ze staat tegen het gordijn aan gedrukt. Er is nu nog niets aan de hand, maar over enkele ogenblikken moet ze voor de leeuwen.

Odon komt naar haar toe, het toneel kraakt onder zijn gewicht, hij kijkt naar zijn dochter. Haar gezicht van klei. Hij drukt haar tegen zich aan. Haar vingers zijn ijskoud, haar slapen zijn vochtig. Ze is lijkbleek onder de kleikorst.

'Je trilt, meisje...'

Haar hoofd verdwijnt in zijn grote hand. Hij wiegt haar zachtjes.

'Je weet wat Sarah Bernardt zei? Bij talent hoort plankenkoorts.'

Nathalie komt uit de coulissen. Ze maakt geen geluid. Ze kijkt naar hen, gunt hun dit moment.

Ze draagt een lange, wijde bloes van lichte gebloemde stof, een broek van kakikleurig linnen. De zon heeft haar zomersproeten tevoorschijn getoverd.

Julie is bedekt met klei, haar gezicht onherkenbaar. Haar benen, haar, jurk, alles in dezelfde kleur, alles grijs.

Nathalie komt naar haar toe.

Ze drukt een kus op het kleigezicht.

'Gaat het?'

Julie weet het niet. Ze is overmand door de zenuwen.

Nathalie kust Odon.

'Moest je haar nu echt zo grimeren?'

Hij spreidt zijn handen, een vage glimlach trekt kraaienpootjes. Hij is bruin geworden. De rimpeltjes zijn wit gebleven.

Ze gaat met haar vingers langs de stroken van het gordijn. De lamellen ritselen tegen elkaar, het geluid van regen. In de voorstelling worden op deze achtergrond beelden van een moderne stad geprojecteerd.

'Ik heb iemand van de krant in de zaal zitten,' zegt Nathalie.

Hij bedankt haar.

'Dat doe ik niet voor jou, ik doe het voor Julie.'

Ze wisselen een blik. Hij weet niet of ze meent wat ze zegt. Ja, ongetwijfeld wel. Ze zijn al meer dan vijf jaar uit elkaar, maar tot een officiële scheiding is het nog steeds niet gekomen. Ze hebben het onderwerp een paar keer aangeroerd. En daar bleef het bij. Ze zeggen dat ze er niet klaar voor zijn.

Nathalie veegt met de achterkant van haar hand het zweet van haar voorhoofd.

'Is het hier niet veel te warm?'

'Als ik de airco hoger zet, slaan de stoppen door,' zegt Jeff met zachte stem.

Hij komt met het boeket vingerhoedskruid en zet het tegen het gordijn, opzij op het toneel.

Hij komt weer terug.

Jeff is erg op Nathalie gesteld. Hij kijkt naar haar met een verrukte blik. Zo heeft hij altijd naar haar gekeken. Toen ze nog bij Odon woonde, nodigde ze hem soms uit voor het eten, bij hen op de aak, en voor hem waren dat heerlijke avonden.

En toen kwam La Jogar. Nathalie vertrok. Ze huilde.

Daarom heeft Jeff zo de pest aan La Jogar.

Odon werpt een blik op zijn horloge.

'We gaan beginnen...'

Yann, Chatt', Greg, Julie en Damien verzamelen zich. Hun handen, vingers grijpen in elkaar. Hun ogen stromen vol plankenkoorts. Die omslaat in bezieling. Dat is het enige licht dat van hen over is, hun blikken in de gezichten van aarde.

Het spelen maakt hen niet beter, rijker of sterker. Sinds maanden leren ze koorddansers te worden. Zichzelf meester blijven en toch loslaten, dat is de draad waarop ze moeten lopen.

Odon raapt de *brigadier* op, de met rood fluweel omwikkelde stok waarmee hij driemaal zal stampen om het begin van de voorstelling aan te kondigen.

Nathalie gaat naar haar plaats in de zaal.

Julie loopt het toneel op.

Het doek is nog dicht. Ze staart ernaar als naar een muur. Daarachter klinkt nog gemompel. Mannen, vrouwen, een paar ouderen, geen kinderen.

Maria zit in de zaal, een fauteuil op de zesde rij, zonder iemand naast zich. Ze kijkt om zich heen, dan voor zich, naar dat grote gordijn dat in soepele plooien neerhangt. Haar handen trillen, ze knelt ze tussen haar dijen.

Vlak bij haar pakt een vrouw een snoepje en vouwt met trage geluiden het papiertje open. Een stel komt op het nippertje binnen. Al die mensen zijn gekomen voor de woorden van haar broer. De woorden die hij 's nachts schreef in de bestelbus. Schrijlings op de maan, zei hij. Maria bracht hem koffie, tikte tegen het raam. Hij deed het portier open, zij nestelde zich naast hem. Een stoel met stoffen bekleding, nattehondenlucht, doorgezakt. Er lagen pennen op de grond, papieren, hij at broodjes. Hij vertelde wat hij aan het schrijven was.

Als ze een short aanhad, prikten de kruimels in haar dijen.

DE LICHTEN GAAN uit. Nog wat geritsel van jurken, ruggen die zich rechten, gefluister. Iemand hoest.

Odon stampt met de stok op de vloer, elf keer, heel snel.

Eén keer voor elke apostel.

Behalve Judas.

Hij laat een stilte vallen en stampt dan nog drie keer, langzamer nu, een keer voor de koningin, een keer voor de koning, de derde keer voor God.

Het doek gaat op.

Maria beweegt niet meer. Haar hart slaat snel. Hiervoor is ze gekomen, voor deze voorstelling. Ze zit rechtop, ze wil alles zien, alles horen. Haar handen trillen niet meer.

Julie staat rechtop, ze lijkt een standbeeld, haar stem stijgt, trilt een beetje. Op de achtergrond moderne flatgebouwen. Julie spreekt over de schoonheid van de wereld en over al het mysterieuze, de maan, de sterren, de hemel boven die zo groot is, zegt ze. Ze spreekt over eenzaamheid. Ze lijkt mager en leeftijdloos onder die huid van klei. Nog altijd menselijk, maar ook al mineraal.

Dan komen de jongens op. Ze zijn daar met anderen samengekomen, een gemeenschap voor één avond, allemaal gehuld in hetzelfde kleigewaad.

Ze spreken over de tijd van leven die zo kort is.

Odon volgt de voorstelling vanuit de coulissen. Hij registreert iedere huivering, een stoel die kraakt, een verveelde geeuw. Een paar keer wordt een tekst vergeten, de stem van Chatt' struikelt over een repliek – 'Ik zou alles willen vergeten wat ik weet...', een rommelig begin, maar hij vangt het soepel op.

Het is warm in de zaal. Toeschouwers waaien zich koelte toe

met hun programma. Af en toe klinkt er een geïrriteerd sst, maar de verbinding komt tot stand, krachtig en voelbaar. De blikken dwalen niet meer af van het toneel.

Julie stamelt. Ten slotte bukt ze zich en verzamelt de bloemen van het vingerhoedskruid die verspreid over de vloer liggen. Haar bewegingen zijn langzaam. Je hoort muziek en Julies stem: 'Ik ben alleen en ga gebukt onder het leven.'

Ze gaat op de kartonnen rots zitten. Het vingerhoedskruid op haar knieën. 'Wat moet ik met de dagen die me resten?'

Ze eet een bloem, nog een bloem. Ze praat tegen het stof.

De klei maakt haar leeftijdloos. Ze spoort de dood aan. Een verwarde monoloog.

Ze brengt een laatste bloem naar haar mond. Die blijft aan haar lippen kleven. Het lichaam rolt van de rots af. Her en der liggen bloemen.

In de zaal heerst stilte.

Greg raapt het stoffelijk overschot op en neemt het mee. Je hoort zijn voetstappen op het plankier en dan op de trap, achter het gordijn.

Maria rilt, zo mooi is het.

Damien blijft aan de rand van het toneel staan. Uitgelicht door een spot. Hij blijft een paar seconden dwingend zwijgen en zijn stilte botst op de nog drukkender stilte van de zaal.

'Soms zijn er werkelijke redenen om te doen wat je doet en gedempte dingen die je alleen kunt overdragen door je dood. Maar nu is alles afgelopen en de onvervulde beloftes zullen eeuwig spoken in mijn herinnering.'

Zijn stem verandert, breekt. Hij wendt zich af. Een traag handgebaar.

'Laat nu het onweer maar losbarsten, laat de regen komen en de zwerver die ik ben verzwelgen.'

Jeff, verscholen in de coulissen, drukt op een knop, start de geluidsband, donderslagen klinken, het geluid van hevige regen op het theater, op de zaal, rondom, overal. Het is of het onweert in de zaal.

Damien blijft staan, de armen slap langs het lichaam, in een denkbeeldige regen. Het duurt een paar minuten. Het effect is aangrijpend. Dan gaat iedereen klappen en Julie komt weer op. Ze heeft de klei van zich afgespoeld. Een stralende verschijning.

Maria is niet in staat tot bewegen. Niet in staat te glimlachen. Ze staart naar hen, intens, gulzig. Als ze eindelijk weer kan bewegen, veegt ze met haar arm een traan weg.

Het doek valt.

Ze buigt haar hoofd, staart naar haar voeten, de stoffige schoenpunten, het rode tapijt.

Ze staat op.

Ze gaat weg. Ze wil niemands blik kruisen.

Geen blik, geen levend wezen.

Eenmaal op straat loopt ze.

Ze heeft niets herkend in de personages. Ze is niet teleurgesteld, het is iets anders. Een gevoel van grote eenzaamheid.

Zij was op de afspraak, haar broer is niet komen opdagen.

DE JONGENS GROETEN het publiek en gaan onder de douche. De klei lost op in het water en loopt groenig uit tussen hun voeten.

Ze zijn blij, het is best goed gegaan.

Een journaliste wacht Odon op in de kleedkamer. Hij is ook opgelucht. De plankenkoorts was wat hinderlijk, maar over het geheel genomen ging het goed.

'U ziet er doodmoe uit,' zegt de journaliste, 'het lijkt wel of u zelf gespeeld hebt.'

Hij antwoordt niet. Hij zoekt een fles water.

Ze vraagt naar het waarom van deze nogal sombere voorstelling. De vraag maakt hem meteen woedend, alsof het toneel er was om de dingen mooier te maken.

'Een mensenleven kun je samenvatten in vier kleinigheden: liefde, verraad, verlangen en dood. Daar gaat *Nuit rouge* dieper op in.'

Hij vindt een fles water, gaat zitten, drinkt een flink glas, zet het op tafel en schenkt het weer vol.

Het water kalmeert hem.

'Dat is alles wat er is, het leven, de dood, het onvermijdelijke! En het enige wat je dan nog kunt doen, is een utopie verzinnen, als ontsnappingspoging. Daarom sterft het personage van Julie, ze is niet in staat andere deuren te openen.'

Maar de journaliste vindt deze keuze voor een onbekende schrijver opmerkelijk.

'Is dat niet riskant?'

Hij buigt naar voren, zijn ellebogen steunend op zijn dijen, zijn handen tegen elkaar.

Hij vertelt dat Selliès op vijfentwintigjarige leeftijd is gestorven, slechts een paar maanden nadat hij deze tekst had geschreven, en dat hij niet eens de tijd heeft gekregen om te weten dat iemand hem gelezen had.

'Ik heb hem nooit ontmoet. Ik kreeg zijn manuscript met de post.'

Hij zegt dat schrijven niet voldoende is. Hij spreekt over de moeilijkheid om de adem, de ziel van een tekst te vinden, de essentie die maakt dat hij niet alleen gespeeld, maar ook overgedragen kan worden, boven zichzelf uit kan stijgen. Literatuur is niet meer dan een reeks woorden.

De journaliste komt terug op Selliès. Ze zegt dat het bijna taboe is om een dode schrijver uit te brengen. Weinig regisseurs zouden zo'n risico nemen.

Odon grijnst.

'Taboes zijn er om te omzeilen.'

'Heeft hij meer geschreven?'

'Nee, niets.'

Tot slot stelt ze nog wat vragen over de stakingen, er zijn directeuren in het Off-circuit die hun deuren gesloten hebben, ze weigeren te spelen, zij wil zijn standpunt weten. Hij antwoordt kort.

Ze noteert wat hij zegt. Bedankt hem met een glimlach.

Ze zegt dat haar stuk morgen in de krant komt.

JULIE EN DE jongens hebben een tafel gereserveerd onder de platanen langs de kleine Sorgue. Het is een smal, betegeld straatje, een van de oudste straatjes van de stad. Vroeger waren hier ververijen. Ze drinken een Antilliaanse punch met guave, kokosmelk, stukjes ananas en als versiering een papieren parasolletje.

Ze klinken op de toekomst.

Alle tafeltjes om hen heen zijn bezet.

Het is te warm, in de Sorgue staat alleen wat drab.

In de bomen hangen slingers van brandende lampen. Er stroomt een bonte menigte langs, schouder aan schouder. Groepen meisjes, vrouwen uitgedost in bonte stoffen. Men likt aan ijsjes, kiest een flensje, eet onder het lopen, bekijkt de anderen.

'Het ging best, voor een première,' zegt Yann.

'Odon zegt dat we de personages niet strak genoeg in de hand hebben gehouden.'

'Odon moet niet zeiken…'

'Zo praat je niet over mijn vader.'

Damien excuseert zich. Hij laat het parasolletje tussen zijn vingers draaien.

'Hij geeft je met dit stuk geen kans om te schitteren.'

'Hoeft voor mij ook helemaal niet.'

'Ik heb meer ego,' zegt Chatt' en niemand begrijpt goed waarom hij dat zegt.

Julie doet er verder het zwijgen toe.

Nuit rouge is te complex als stuk, het zou een wonder zijn als het veel bezoekers trok. Toen Odon hun deze tekst vorig jaar presenteerde, wilde hij er niet over discussiëren. Dit doen we voor het festival, dat was alles wat hij zei. Een sombere, tragische inhoud onder een schijn van luchtigheid.

Vanachter een zwarte deur barsten de tonen van een flamenco naar buiten. Een man in een geruit kostuum komt langs, zingt a capella.

Ze krijgen reusachtige entrecotes opgediend, frietjes, een mand brood. Ze praten over de stad, het feest, ze praten over de stakingen en over muziek.

Met de avond komt het festival ook de straat op. Meisjes gaan dansen op het trottoir, ze hebben naakte schouders, lichte jurkjes van soepele stof, gemakkelijk uit te doen.

Yann wil op zoek naar liefde. Chatt' zegt dat het een illusie is, dat liefde niets poëtisch heeft, dat ze wetenschappelijk gezien neerkomt op een afscheiding van hormonen en louter de overleving van de soort tot doel heeft.

'Het meest vervreemdende en energieverspillende dat er bestaat.'

Er wordt geglimlacht rond de tafel.

Julie pakt haar telefoon, ze stuurt een sms naar haar vader: zijn @ Bilbo, = leuk kom.

Het is zijn pokeravond, maar soms is die vroeg afgelopen.

Ze houdt nu het eind van de straat in de gaten. Damien kijkt naar haar. Even kruisen hun blikken elkaar. Zes maanden wonen ze nu samen, probeert ze iets met hem, het lukt niet echt.

Cannabisgeuren drijven voorbij.

Greg wijst.

'Moet je zien...'

Ze kijken om. Maria staat aan het eind van de straat, verloren in die bontgekleurde drukte. Ze volgen haar met hun blik.

'Waar is haar broer aan gestorven?' vraagt Greg.

'Geen idee, kan me niet schelen ook,' zegt Yann.

'Een ongeluk op een bouwplaats, ik geloof dat hij kraandrijver was,' zegt Julie.

Greg vindt haar wel leuk om te zien.

Yann zegt dat ze iets spookachtigs heeft.

LA JOGAR KOMT het plein op. Ze komt Jeff tegen, loopt naar hem toe, groet hem.

Hij reageert niet.

Ze steekt haar hand uit. Hij pakt die niet. Mompelt wat. Draait zijn hoofd weg, volgt met zijn blik een ijsventer. De man duwt een handkar met een wiebelende parasol erop.

'Tot ziens dan maar,' zegt La Jogar.

Ze verdwijnt in de kerk.

De biechtstoel. Een oude vrouw stapt eruit. Vader Jean zit er nog in.

La Jogar trekt het gordijn open. Glipt naar binnen. Het ruikt naar viooltjes, muffe biechtlucht.

Van haar is alleen nog de onderste rand van haar jurk te zien en de blote voeten in espadrilles. De gouden ketting om de enkel.

Ze zegt: Vader, ik heb gezondigd.

Ze zegt: Deze stad verstoot me.

Ze praat door met die bijzondere stem van haar.

Nog een paar woorden en de pastoor herkent haar. Ze verlaten de biechtstoel, omhelzen elkaar. De oude vrouw is helemaal aan het eind van het schip, ze staat stil en draait zich om.

'Ik wist dat je er was, ik heb de affiches gezien, je gezicht is overal!'

Hij pakt haar handen.

'Je bent nog mooier dan vroeger.'

Zijn stem galmt onder het gewelf.

Ze schiet in de lach.

'*Non semper erit aestas*.'*

* Het zal niet altijd zomer zijn.

Dat was een spel tussen hen, gesprekken in het Latijn. Voor haar vader was die taal even essentieel als eten en drinken. Eén keer per week kwam er een leraar thuis, 's avonds leerde ze de verbuigingen.

'Verhuur je de kapel?' vraagt ze, wijzend op het affiche dat op de deur is geplakt.

'*Omnia mutantur… nos et mutamur in illis.*'*

Hij neemt haar mee, ze staan voor het fresco, de geschilderde tafel, Jezus en de apostelen. Er staat een steiger voor met blikken, kwasten, een paar lappen. Op het hoogste plankier staat een meisje in schilderskiel.

Hij vertelt over het schilderwerk dat gedaan moet worden, over afgerukte dakpannen.

'De kerk heeft geld nodig.'

'Poker je niet meer?'

'Jawel, maar ik verlies meer dan ik win.'

La Jogar laat haar hoofd tegen zijn schouder rusten, ze ruikt de geur van naftaleen.

Hij neemt haar mee naar de sacristie, slaat een kruis aan de voeten van Jezus.

Op de tafel staat een ruitvormige witte doos. Erin drie lagen amandelkoekjes, negen per laag. Ze neemt er een. De korst is glad, het ouwelpapier kleverig. Ze proeft de bitterzoete amandelsmaak weer.

Hij gaat zitten.

'Ik wil alles weten van de afgelopen vijf jaar. Wat heb je gedaan? Wie heb je allemaal ontmoet?'

Ze denkt na.

Hoe vat je vijf jaar leven samen?

Ze heeft rollen geleerd, ze heeft opgetreden en het publiek wilde steeds meer en ze heeft andere teksten geleerd en die ook gespeeld, en de ene tekst was nog mooier dan de andere en de dagen gingen voorbij… Ze is in vliegtuigen gestapt, heeft ge-

* Alles verandert en wij veranderen mee.

reisd, ze werkt vijftien uur per dag. Ze heeft minnaars, geen liefdes, en een klein appartement in Parijs.

Ze geeft de ruwe feiten, zonder details, en peuzelt ondertussen amandelkoekjes.

'Ik heb je op de televisie gezien toen je de Molière kreeg, je was schitterend. De volgende dag had de hele buurt het erover. Ze vertelden allemaal dat Pierre Arditi je had gekust.'

La Jogar zucht. Een stomvervelende avond was dat...

'*Parva leves capiunt animas.** Wat zeiden ze verder?'

'Dat je mooi was en je succes verdiend.'

Hij wordt weer serieus, zijn stem bijna ernstig.

'Het is goed dat je hier komt spelen. Het is belangrijk voor de mensen hier, ze keken naar je uit.'

Ze dacht dat vrienden naar haar zouden komen kijken, dat ze vertrouwde gezichten zou terugzien.

Ze likt aan de bovenkant van een amandelkoekje.

'Ik heb het gevoel of ik in een vreemde stad ben.'

Er ligt een bijbel op tafel. Ze legt een hand op het warme, oranjegele leer.

Ze praten over de buurt, de mensen. Over de tijd die voorbijgaat.

Over een kwartier begint de mis. De pastoor moet zich klaarmaken. Onder het praten vult hij de ciborie met hosties, de miskelk met wijn. Hij doet de kazuifel aan.

La Jogar volgt al zijn bewegingen.

Hij kruist de stool over zijn borst. Hangt het houten kruis om zijn nek.

Ze gaan samen naar buiten en staan op het kerkplein.

Ze volgt zijn blik naar de Dolle Hond.

Er staan mensen voor de deuren, voor de aanplakbiljetten die ook aan het hek hangen. De artiesteningang. Op de verdieping de ramen van de zit-slaapkamer, de kartonnen decorstukken die tegen de ruiten geschoven zijn en nog weer hoger, op de bo-

* Kleinigheden houden lichte geesten bezig.

venste verdieping, een bijzonder vertrek, onder de hanenbalken. Het plafond hangt vol gloeilampen, meer dan vijfhonderd, dicht tegen elkaar aan. Odon deed ze aan, niet meer dan een paar minuten. Het plafond straalde als in een verhaal uit *Duizend-en-een-nacht*. Soms sloegen dan alle stoppen door en dan moesten ze lachen.

'Hoe gaat het met hem?' vraagt ze.

'Nog altijd even ongelovig.'

Ze glimlacht.

'Dan gaat het dus goed...'

’S AVONDS WORDEN de stakingsacties grimmiger. In de nacht worden affiches afgerukt. Stakers kalken IN STAKING op de deuren van alle theaters.

Op de grijze luiken van de Dolle Hond schrijven ze: ‘Verraders! Bourgeois theater!’

De verf trekt in het hout.

Odon ontdekt het als hij ’s morgens komt. Hij maakt alles schoon met zeep en schuurspons, zonder een woord te zeggen.

Julie kijkt toe met een somber gezicht.

‘Zie je wat je kameraadjes doen?’ zegt Odon.

‘Dat zijn mijn kameraadjes niet.’

‘Je gaat wel met ze demonstreren.’

Tijdens de oorlog hebben de acteurs doorgespeeld onder de neus van de Duitsers! En in 1968 zijn de theaters niet dichtgegaan.

Hij zegt het met vlakke stem.

Julie vindt het rot.

‘Het is nu geen oorlog, papa.’

Hij duwt de spons plat op de deur. De letters stromen eronder weg over het hout.

‘Er bestaan maar twee oneindige verschijnselen: het universum en de menselijke domheid... maar van het universum weet ik het niet zeker... Einstein beweert het. Denk daar maar eens over na.’

Julie slaat haar ogen neer.

Een overdekte doorgang verbindt de Place des Châtaignes met de Place Saint-Pierre. De grond is betegeld, het is er donker, door die gang komt Maria.

Ze ziet Julie en haar vader voor de deur van het theater. Ze blijft staan, in de schaduw.

De hand houdt de spons nog vast, de letters stromen erachter weg, over het hout.

Ze maakt een foto van de hand. Dan pas loopt ze naar hen toe.

ODON LEEST HET artikel hardop. 'Een rode nacht in de Dolle Hond' is de titel die de journaliste heeft gekozen. Een artikel in een kader, op een goede plek, met een foto.

Jeff luistert.

'"Goede acteurs in een gedurfd stuk. Odon Schnadel knoopt weer aan bij het veeleisende archaïsme waar hij in het begin van zijn carrière naam mee maakte." Is dat nou lovend? "Kleding en lichamen van klei, een origineel decor dat een poëtisch tegenwicht vormt voor de zwarte tekst." Volgt een samenvatting van het stuk. Een paar zinnen over Selliès: "Wat de schrijver betreft, hij hoort tot het ras der gedoemde dichters die op hun vijfentwintigste worden weggerukt door de dood. Gelukkig voor ons heeft Odon Schnadel de conventies getrotseerd en met dit stuk eer betoond aan de herinnering en het talent van een ware schrijver."'

Odon zwijgt een moment. Hij vouwt de krant dicht, het geluid van ritselende pagina's. Eindelijk, en al is het dan te laat, erkenning voor Selliès.

Hij moet dit aan Maria laten zien.

Jeff zit met zijn rug tegen de muur en lijmt stukken aluminiumfolie op zijn laarzen. Op de vloer liggen twee grote engelenvleugels bedekt met watten.

'Wat moet al die troep?' vraagt Odon.

'Mijn kostuum...'

'Ga je daarmee het plein op?'

Jeff knikt.

Vorige zomers hulde hij zich in een pierrotkostuum en een wit masker. Het lukte hem niet stil te blijven staan.

'Je laat hier niets van die rommel liggen, oké?'

Hij knikt.
Maria komt stilletjes binnen. Ze blijft in de deuropening staan.
'Mooi, die vleugels...'
Jeff glimlacht.
Ze komt dichterbij.
'Het zal warm zijn.'
'Ik heb er gaten in gemaakt voor de ventilatie.'
Hij laat het zien, aan de zijkanten. Hij laat ook zien hoe hij het glimmende folie op zijn laarzen plakt.
Ze gaat naar Odon in zijn kantoor.
'Ik heb het stuk gezien, gisteren... Het was best goed.'
Hij knikt. Geeft haar het artikel.
Ze ziet de naam van haar broer in druk. Een gedoemde schrijver... Gedoemd, is dat iets als gestraft? Ze weet het niet.
'Mag ik het houden?'
Ze stopt de krant in haar tas.
'En zou ik ook vrijkaartjes kunnen krijgen?'
Hij loopt achter zijn bureau, zet een bril op met kleine ronde glazen, trekt een la open.
'Hoeveel wil je er?'
'Een soort pasje zou fijn zijn.'
Hij kijkt over zijn bril. Trekt een andere la open, haalt er een visitekaartje uit, krabbelt er iets op en zet er een stempel op.
Hij reikt haar het kaartje aan.
'Maar er zijn ook andere voorstellingen te zien in de stad.'
'Andere voorstellingen interesseren me niet.'
Ze vouwt het pasje dubbel.
Ze strijkt met haar vingertoppen over het bureaublad. Haar nagels zijn kort, helemaal afgekloven. Er gonst een vlieg, ze botst met droge tikjes tegen het raam.
Maria loopt naar het raam, kijkt naar buiten, naar het plein.
Haar gezicht in het licht.
'En hoe gaat het bij Isabelle?' vraagt hij.
'Goed...'
Hij staat op.

Hij bestudeert haar gezicht, de zachte lijn van de oogleden en de lip die verminkt is door de ring.

'Is er nog iets?'

De vlieg botst nog steeds tegen de ruit.

'Ik kwam gewoon langs,' zegt ze.

Ze kijkt om zich heen. De chaos, de dozen, de papieren. Scheefgezakte stapels boeken. Onder de boekenrekken is een stuk linoleum geschoven. Een foto van een rossige kat tegen de muur. Over een oude stoel ligt een zwarte sjaal. Een spin heeft een web gemaakt tussen de sjaal en de muur.

'Nog erger dan bij mij thuis,' zegt ze.

Ze zucht, doet het raam dicht.

'Normaal typte ik zijn teksten uit.'

Ze zegt het op vermoeide toon. Haar vingers vouwen zich in haar handpalmen.

'*Nuit rouge* moet hij dan zelf getypt hebben. Of hij heeft het door zijn sletje laten doen...'

Ze grinnikt zachtjes.

'Mijn moeder zei dat, dat hij een sletje had in de stad... Maar misschien heeft hij het in handschrift gestuurd?'

Ze kijkt Odon aan.

'Weet u dat niet meer?'

Odon spreidt zijn handen.

Hij schudt van nee.

Marie draait zich om.

Op de treden van de trap naar boven liggen zware enveloppen. Boven een vertrek zonder deur.

'Mijn broer had een kriebelpootje, er was geen wijs uit te worden... Als hij het met de hand had geschreven, zou u het zich wel herinneren.'

Ze glijdt met haar vingers over de boeken, toneelstukken, een paar bundels op velijnpapier. Een biografie van Samuel Beckett.

Daarnaast kleine witte boekjes, uitgeverij O. Schnadel. Een stuk of twintig in totaal.

Ze loopt terug naar de deur. Haar vingers beroeren de gladde porseleinen deurknop.

'Toch best een treurig verhaal, *Nuit rouge*... Ik moest er de hele dag aan denken.'

Odon antwoordt niet. Hij zit stil achter zijn bureau. Wacht tot ze klaar is.

De vlieg is op zijn papieren neergestreken. Hij volgt haar met zijn ogen.

'U hebt het vijf jaar bewaard voor u het liet opvoeren. U hebt wel de tijd genomen...'

'Alles heeft zijn tijd nodig, Maria.'

Daar denkt ze over na. Ja, zegt ze, uiteindelijk heeft hij waarschijnlijk gelijk, dat geeft hoop voor dingen die vergeten zijn.

Het licht door het raam valt ook op de dozen en het stof.

'Waar hebt u het al die jaren bewaard?'

'In een la.'

In een la, dat is beter dan in een doos.

Ze blijft daar staan. Ze lijkt in staat daar nog lang te blijven staan, om zich heen te kijken. Op haar huid verschillende lange, dunne schrammen, dat doet ze met haar nagels of met mesjes. Haar arm lijkt opengereten. Ze trekt er een korstje af.

'Wat doet je moeder?' vraagt Odon.

'Ze verzamelt gewicht, zit nu op 120 kilo, heeft minder klanten dan vroeger.'

'En die dingen,' hij wijst op haar piercings, 'daar heb je geen hinder van?' vraagt hij.

MARIA GAAT WEG. Niet ver. Op het plein is het warm en dus gaat ze de kerk in, ze gaat zitten, haar knieën opgetrokken, haar voeten op de bank voor haar. Een oude vrouw zit te bidden op een paar rijen van het altaar. Op haar knieën, gebogen, in zichzelf gekeerd, de rozenkrans tegen haar mond, ze heeft geen gezicht meer, alleen nog een zwart lichaam.

Een gids loopt door het middenschip, een vermoeid gezelschap achter zich aan. Hij wijst aan wat er allemaal te zien is, houdt stil bij het *Laatste Avondmaal*, wijst met zijn vinger.

'Dat is Judas Iskariot.'

Maria hoort de naam.

'Een verrader,' zegt de gids.

Het woord weergalmt onder het gewelf.

Het oudje knikkebolt. Ze bidt of ze slaapt. Toen Paul stierf, was er geen mis, alleen een treurig gezang in een wit zaaltje. Zijn vrienden waren er, de jongens van Chez Tony en die van de bruggen. Na afloop, in de auto's, galmden ze 'Toen de dichter stierf' van Bécaud, de raampjes open, iedereen zong mee.

Maria glipt achter de oude vrouw. Ze buigt in dezelfde houding, handen tegen het voorhoofd. Buigt haar nek. Oude vrouwen kennen de weg naar de goden, ze zijn er vertrouwd mee. Maria legt haar gebed in het kielzog, zo gaat het recht omhoog, denkt ze.

Ze bidt hard, tanden op elkaar.

Haar broer heette Paul, als de Paul in 'Redeviens Virginie' dat haar moeder, hoogzwanger, zong onder de bomen. Marie neuriet 'Pour un jour une nuit redeviens Virginie...' 'Word weer Virginie, voor een dag, voor een nacht...' Haar stem wordt harder in de hoge tonen, schiet al snel uit in valsheid.

Een zeer witte hand wordt op haar arm gelegd. Ze tilt haar hoofd op.

De oude vrouw is verdwenen. Net als de gids met zijn gevolg.

'Ik ben de pastoor.'

Maria kijkt hem aan.

'Ik ben de pastoor,' herhaalt hij.

'En ik ben Maria.'

Hij denkt dat ze hem in de maling neemt.

'Moet ik de klokken luiden en roepen dat er een wonder is geschied?'

Maria haalt haar schouders op.

Ze buigt voorover, haar armen op de bidstoel. De mouwen van haar hemdje zijn opgekropen.

De priester registreert de schrammen, de korsten op de huid, de lijnen van de littekens.

'U mag er wel aan voelen als u wilt,' zegt Maria.

Ze zegt het zonder woede.

Hij voelt niet.

Ze staat op, loopt naar het grote fresco en steekt twee grote kaarsen aan onder het droevige gezicht van Judas.

DE WAS SMELT, druipt langs de kaarsen. Maria kijkt naar de vlammen. Ze houdt haar handen erbij, haar gezicht. Ze streelt de korsten op haar armen. Ze weet niet waar dit alles op uit zal draaien. Dit alles, het leven, opgroeien. Ze weet niet wat er voor haar ligt, in de tijd die ze toekomst noemen en die ook morgen is. Wat moet ze met al die tijd? Soms kijkt ze hoe anderen leven.

Misschien kan dat de uren vullen.

Ze wendt zich af van de vlammen.

Odon hoort haar niet komen.

Als hij opkijkt staat ze daar, op de drempel.

De geur van de kerk heeft zich aan haar huid gehecht.

'Kan ik nog iets voor je doen?'

Ze stopt haar vingertoppen in de nauwe zakken van haar jeans.

'Hij had u daarvoor een andere tekst gestuurd. Voor *Nuit rouge*... Daarvoor of erna, dat weet ik niet...'

Ze buigt haar hoofd, trekt haar schouders samen, haar lichaam is plotseling te groot.

'Die had ik getypt,' zegt ze.

Ze zaten samen in de bestelbus, beestenweer, overal plassen. Paul deed het handschoenenkastje open, pakte een stapel blaadjes en zei: Dit gaan we typen! *Dernier monologue* zou het heten, 'Laatste monoloog'. Die titel heeft hij later veranderd.

Ze loopt naar het raam, haalt een hand uit haar zak en legt die op de boksbal. Een hand met slanke vingers, een fijne, witte huid.

Er trekt een reeks beelden door haar geest. Fragmenten. Ze was veertien jaar, haar broer had een laptop gekocht die op een accu werkte. Maria zette de laptop op haar bovenbenen. Hij dicteerde. Zij typte met twee vingers. Een capaciteit van twee uur, de accu. Het dashboardlampje brandde door, hij lichtte het toetsenbord bij met zijn aansteker. Later parkeerden ze onder een lantaarnpaal, langs de autoweg.

Maria draait zich weer naar Odon.

'Hij vond uw naam in een tijdschrift, iemand in het Zuiden die stukken publiceerde en een theater had. Dit zal hem bevallen! zei hij. Hij wist het zeker, hij geloofde erin... Dat was u, die iemand in het Zuiden.'

Ze probeert te glimlachen, maar het resultaat is eerder treurig. Er is stof aan haar vingers blijven zitten. Het was een flinke stapel, al die blaadjes bij elkaar, er was een grote enveloppe voor nodig. Hij plakte hem dicht met tape. Hij kocht postzegels, een hele rij, die deed hij erop, het was zwaar. Als dit lukt, ben ik gered! zei hij toen hij de enveloppe in de bus stopte. Vanaf de volgende dag begon hij te wachten.

Ze komt naar het bureau.

'U kunt het zich niet herinneren?'

'Wat bedoel je?'

'Dat andere manuscript...'

Odon neemt een lange trek van zijn sigaret. Hij laat de rook langzaam ontsnappen. De rook blijft om hem heen hangen. Hij ademt in de wolk.

Hij herinnert het zich.

Dat tweede manuscript dat Selliès hem stuurde heette niet *Dernier Monologue* maar *Anamorphose*. De postbode had het afgegeven met de rest van de post. Er zat geen brief bij, alleen een adres en een telefoonnummer. Hij legde de enveloppe op zijn bureau, bij een paar andere. Er gingen een paar dagen voorbij voor hij hem opende. Hij begon te lezen. Een lange, bittere monoloog, geschreven met een soort urgentie die hem diep trof.

'Ik krijg zoveel dingen toegestuurd...' antwoordt hij.

Dat begrijpt Maria.

'Teksten die u niet publiceerde, wat deed u daarmee?'

'Die stuurde ik terug.'
'En krijgt u ze nog steeds?'
'Ja, soms.'
'Wat doet u ermee?'
'Ik stuur ze ongeopend terug.'
Ze knikt. Ze treuzelt, bekijkt de boeken. Hij duurt lang, die blik die langs de boeken glijdt.
'Ik heb werk te doen, Maria.'
Ze excuseert zich, ze bloost, haar handen ineengeklemd. Ze loopt naar de deur. Draait zich om.
'Meneer Schnadel...?'
'Hm...'
'U hebt gebeld, een paar dagen na de dood van Paul... Mijn moeder nam de telefoon op. Ik weet het nog, want de naam Avignon had altijd een speciale klank voor haar en aan de telefoon zei u dat, dat u een theater had in Avignon.'
Ze draait naar het raam. Kleine vogeltjes scheren langs de ruiten, op jacht naar insecten.
'Wat wilde u tegen mijn broer zeggen?' vraagt ze zonder haar ogen van de vogels af te houden.
Hij neemt een laatste trek, drukt de sigaret uit in een asbak die al vol is.
'Ik wilde met hem praten over zijn tekst. Er moest nog wat aan gesleuteld worden, dat wilde ik met hem overleggen.'
'Wat zou u tegen hem gezegd hebben?'
'Dat het stond als een huis.'
'Stond als een huis, cool...'
Ze buigt haar hoofd opzij, wrijft over haar armen alsof ze het koud heeft.
'Als u eerder gebeld had, zou hij nu misschien niet dood zijn... Dat is ook iets om bij stil te staan.'
'Waar wil je bij stilstaan?'
Haar ogen zijn blauw, ongehoord lichtblauw.
'Bij het noodlot,' zegt ze.
Hij staat op, loopt naar het raam. Hij wil niet meer schuldig

zijn. Hij is het al te lang geweest. En voor niets. 's Nachts vergiftigde het zijn dromen.

Hij strijkt over zijn gezicht.

'Ik had al eerder naar je broer gebeld, maar er werd niet opgenomen. Dat was een paar dagen voor hij zijn ongeluk kreeg. Een paar dagen later heb ik weer gebeld en toen nam een vrouw op...'

'Mijn moeder.'

Hij kijkt haar aan.

'Ik heb haar gezegd dat ik het manuscript van Paul had en dat ik het wilde publiceren. Ze antwoordde dat hij dood was, ze had het over een ongeluk met een kraan, een ketting die zwaaide, hij zou in zijn lendenen zijn geraakt, ik kon het niet helemaal volgen.'

Ze glimlacht zwakjes.

'Als Paul zijn tekst een dag eerder op de post had gedaan, zou u een dag eerder gebeld hebben en dan waren de dingen misschien anders gelopen.'

'Als de man met de zeis langskomt, dan maait hij ook.'

Hij kijkt door de hoogste ruit. De zon, achter de daken. De schoorstenen tekenen zich af tegen de hemel, de tv-antennes, de droge dakpannen.

Hij denkt aan Mathilde.

Op een avond kwam ze bij hem op het schip, ze trok het manuscript uit zijn handen. Je werkt te veel... dat mompelde ze terwijl ze haar armen om zijn hals sloeg.

Ze droeg een grote wollen trui, ze had net gespeeld in *De bruiloft van Rosita*, in het theatertje Les Amuse-Gueules. Er hingen mistbanken boven de rivier, ze bleven rond het schip aan de takken hangen.

Ze kroop tegen hem aan. En waar gaat dat over, *Anamorphose*?

Hij vertelde haar de vreemde geschiedenis die hem maar niet losliet. Ze murmelde tegen zijn mond: Het leven is een tranendal, mijn lief...

'Ze zullen het nu dus eindelijk inzien,' zei Maria.

'Wat zullen ze inzien?'

Ze legt beide handen plat op het leer van de boksbal. Wijkt achteruit. Haar handen tot vuisten.

'Dat het een kanjer was, mijn broer! *Nuit rouge* zal volle zalen trekken.'

Ze slaat. De boksbal beweegt niet.

Odon komt naar haar toe.

'Je stoot terwijl je aan iets anders denkt. Als je wilt dat hij beweegt, moet je het willen, erbij zijn met je hoofd. Ik wil, ik sla, hij beweegt.'

Hij slaat, een harde stoot. De boksbal zwaait uit.

'Maar het is stom om het zonder handschoenen te doen...'

De boksbal veert terug, Maria stopt hem. Houdt haar voorhoofd ertegen.

'In de tijd dat u erover nadacht is mijn broer overleden.'

'Dacht je dat ik dat niet wist?'

Odon spreekt hard, schreeuwt bijna.

Maria verbleekt.

Hij gaat terug naar zijn bureau. Laat zich in zijn stoel vallen.

'Ik ben niet verantwoordelijk voor ongelukken met kranen.'

Maria gaat met haar hand langs haar hals, een snelle beweging, haar nagels krassen over haar vel. Er blijft een rode striem achter op de witte huid.

Op het bureau staat een glazen bal. Er zit een Eiffeltoren in. Maria pakt de bal, schudt, het gaat sneeuwen. Ze wacht tot de sneeuw is neergedaald en schudt opnieuw.

Paul las hardop voor, dat klonk vreemd, soms stapte hij de bestelbus uit, schreeuwde. De moeder zei dat hij de klanten bang maakte. Ten slotte kwamen ze niet meer en ze zei dat het zijn schuld was. Toen hij dood was heeft ze al haar verwijten ingeruild voor tranen.

'Zo onwijs veel uren opgesloten in die bus, het enige wat hij had willen weten was dat het niet voor niks was geweest...'

De zin eindigt in gemompel.

Odon draait een potlood tussen zijn vingers.
'Het was niet voor niks.'
'Dat had hem dan verteld moeten worden...'
'Jij weet nooit van ophouden?'
Hij draait zijn hoofd om.
Er klinken voetstappen in de gang, ze komen dichterbij. Het is Julie. Haar blik glijdt over Maria, blijft dan rusten op haar vader. Ze heeft een merkwaardige hoed op met brede strepen.
'Vergeet je niet het restaurant te bespreken voor vanavond?'
'Met hoeveel zijn we?'
'Acht.'
Hij noteert het op een Post-it.
Maria draait de glazen bal om en om.

DE DEUREN VAN het Minotaure-theater zijn open, maar op het affiche van *De bruggen van Madison County* staat een zwart kruis. De technici hebben besloten mee te doen met de actie, ze hebben voor staken gestemd en zonder hen kan de voorstelling onmogelijk doorgaan.

Phil Nans gaat weg, razend.

Het publiek zit al in de zaal en wacht. Festivalbezoekers raken in verwarring, staan op en gaan weg. Anderen besluiten te blijven.

La Jogar zit in haar kleedkamer.

Ze doet een turkooizen jurk aan, die haar volmaakte lichaam nauw omsluit. Ze gaat het toneel op, laat het doek optrekken.

Ze loopt naar voren. Het publiek volgt haar met de ogen. Ze gaat niet *De bruggen van Madison County* spelen, maar ze wil wel wat zeggen.

'Mijn knappe toneelminnaar is de straat op, revolutie maken, en we moeten het ook zonder onze waardevolle technici stellen... en zonder caissière.'

Een pauze.

'Maar wij hadden een afspraak...'

Dat zegt La Jogar.

Ze zijn gekomen om die stem te horen.

'Ik zal een kort gedicht van Josean Artze voor u zeggen... Dat gaan we doen, ik schenk u dit gedicht en dan gaat u weg.'

Ze kijkt het publiek aan.

'Dan gaat u weg, nietwaar?'

Hier en daar schalt gelach in de zaal.

Ze steekt haar hand op naar de spots. Bij afwezigheid van de technici zorgt Pablo voor de belichting. Hij is het niet gewend. De lichtbundel trilt, onzeker.

Ze zegt: Dit zijn de woorden van Josean Artze. En dan staat ze daar in haar naakte kwetsbaarheid.

Haar stem met de diepe klank, de naam van Josean Artze. De zaal huivert.

Ze draagt voor:

Als ik zijn vleugels had afgesneden,
Was hij van mij geweest,
Zou hij niet zijn gevlogen
Maar dan was hij geen vogel meer geweest,
En ik
Hield van de vogel.

Ze denkt dat ze zullen opstaan, weggaan. Ze wacht een paar minuten. Ze gaat terug naar de tafel. Ze zegt dat de stad mooi is op dit uur, dat er terrassen zijn waar je kunt gaan zitten en gekoelde drankjes kunt bestellen.

Ze wacht. Niemand gaat.

Het wordt een soort spel.

Ze krijgt er aardigheid in.

'Wat zullen we dan eens doen?'

Ze geeft een teken aan Pablo. Hij komt een boek en een hoge kruk brengen.

Ze fluistert iets. Hij verdwijnt, komt terug met een pakje sigaretten, haar aansteker.

In de stilte die volgt, klinkt het klikken van de aansteker.

Ze gaat op de kruk zitten, slaat haar benen over elkaar.

Ze neemt een trekje, begint te lezen.

'Tegen vijf uur werd het frisser; ik deed de ramen dicht en ging weer schrijven. Om zes uur kwam mijn grote vriend Hubert binnen; hij kwam terug van de rijschool.'

In de zaal mompelt iemand: Dat is *Paludes*.

La Jogar glimlacht.

'Ja, het is *Paludes*...'

Ze leest verder, onbeweeglijk, rechtop, blote armen in haar

turkooizen jurkje. Uitgeblazen rook vermengt zich met de woorden, het geklik van de aansteker als ze een volgende sigaret opsteekt.

Het omslaan van de bladzijden.

Het duurt een uur.

Zij leest *Paludes* en de peuken vallen op de vloer, tussen de poten van de kruk en de schaduw van haar lichaam.

Terug in haar kleedkamer borstelt ze haar haar. Ze doet blauwe lotion op een watje, verwijdert de make-up van haar gezicht.

'Ik hoop dat we morgen kunnen spelen. Ik ben niet van plan elke avond *Paludes* voor te lezen...'

Pablo doet het luik een beetje open. Het publiek is blijven hangen op het trottoir. Mensen praten na over de wat vreemd verlopen avond.

Pablo helpt haar haar jurk los te maken. Ze doet een spijkerbroek aan, een zwart T-shirt.

Pumps met hoge hakken en een goudkleurige gesp opzij.

'Wat doe jij vanavond?' vraagt ze.

'Ik ga naar de Cid.'

'Ik heb geen zin om alleen te zijn. Kan ik mee?'

'Dat is geen bar voor jou.'

Ze lacht hard.

'Omdat het een homobar is?'

Hij ruimt de schminkspullen op, doet de poederdoos dicht, verzamelt de potloden, laat alles in een etui glijden.

'Ik ben je kapper, je psych, je fysio – mijn liefje wat wil je nog meer.'

Hij kijkt op zijn horloge.

'En mijn dienst zit erop...'

La Jogar pakt haar tas, zet die op schoot, doet hem open en pakt haar telefoon.

Ze kijkt naar Pablo.

'Heb je een afspraakje? Ken ik hem?'

Hij glimlacht.

Ze bestudeert zijn gezicht.

'Het is de pianist van de voorstelling van twee uur, die mooie jongen met die donkere ogen? Die is het hè, Pablo, zeg op!'

'Hoe vind je hem?'

'Een jonge god! Vreselijk jammer dat die...'

'Ja, erg jammer voor je...'

Hij gaat weer naar het raam, trekt het gordijn opzij.

'Mooi, ze breken op, we kunnen gaan.'

LA JOGAR DUIKT de wirwar van smalle straatjes in. De weg naar school. De trottoirs van haar kinderjaren, muren van woede. Haar handje in de hand, de handschoen van haar moeder. Winter, de mistral blies, ze droeg haar onberispelijke geruite manteltje.

Rue de la Croix. Ze heeft Isabelle vijf jaar niet gezien. Ze heeft een paar keer gebeld. Ze heeft vaak aan haar gedacht.

Ze kijkt omhoog. De vetplanten hebben de warmte op de balkons goed doorstaan. Het raam van de keuken staat open. Ze legt haar hand tegen het hout van de deur. Hoe vaak ze die niet heeft opengeduwd, in haar blauwe manteltje, met haar viool. Ze ging de trap op, maakte haar vlechten los, kleedde zich om, alles in vliegende vaart, Isabelle hielp haar. Dan stormde ze de trap weer af, holde naar het theater Les Trois Colombes. Ze had zich stiekem ingeschreven, onder een valse naam. Daar werd ze, voor de duur van twee uur, eindelijk een ander. Als ze terugkwam moest Isabelle haar vlechten weer doen. Zo ging het ettelijke weken.

La Jogar loopt door. Haar pop en de bruine beer staan nog altijd veilig achter het raam. Het lijken twee wachters die de straat bewaken.

Ze zal Isabelle later gaan omhelzen.

Ze volgt het trottoir, slaat links af, de smalle Rue du Mont-de-Piété in. Hier wordt het een doolhof. Een kronkelend straatje tussen twee hoge stenen muren. Helemaal aan het eind een toegangspoort van gevernist hout. Hier is ze geboren, een mooi pand met een tuin. Anduze-potten met citroenbomen. 's Winters haalde de tuinman ze naar binnen, ze mochten niet bevriezen.

De voorgevel ligt pal op het zuiden, de luiken zijn dicht.

De klimroos bedekt een stuk muur, kleine witte roosjes met kreukelige bloemblaadjes.

's Nachts vochten ratten en duiven om dezelfde vuilnisbakken. 's Ochtends vond ze bloed op de tegels, veren, sporen van strijd, soms ook een lijkje.

Haar vader wilde dat ze notaris werd. Hij deed haar op een internaat, voor haar bestwil, ze zou hem later dankbaar zijn. Drie jaar geen toneel. Een even zware als nutteloze ontwenningskuur. Ze leerde Latijn, ze leerde logisch redeneren. Ze las Seneca, Voltaire en de rest. Leerde veel uit het hoofd, ontwikkelde haar geheugen. Op haar achttiende trok ze de deur achter zich dicht.

Ze haalt diep adem.

Ze belt.

Ze wacht.

Geen enkele beweging. Het is eind van de middag. Insecten gonzen tegen de warme stenen van de muur. De cicaden zingen. Het ruikt naar honing, naar lavendel.

Ze belt nog een keer.

Vijf jaar is ze hier niet binnen geweest. De laatste keer kwam ze zeggen dat ze wegging. Ze had haar eerste contract om *Ultimes déviances*, 'Uiterste Aberraties', te spelen, in Lyon, in de beroemde zaal van de Corbeille. Haar vader had vetbolletjes voor het raam gehangen, de vogels kwamen eropaf, de kat lag op de loer, ving ze en bracht ze naar de salon. Dat vond hij leuk.

Ze hoorde zijn lach nog steeds.

Haar moeder bleef bij de deur staan.

Ze belt nog één keer. Het geluid schalt door het huis. Ze werpt een laatste blik op de ramen.

Haar vader zal laat thuiskomen nu het huis leeg is.

ODON HEEFT EEN tafel achter op de patio gekozen, een rustig plekje, door twee hoge planten aan het zicht onttrokken.

Hij bestelt een Schotse whisky, een Glenfarclas. Een coupe met vijf ijsklontjes. De krant. Het café-restaurant zit bomvol. Hangend aan de bar verslaan journalisten de woorden van Didier Bezace. Het gaat over niets anders, de noodzaak van een levende cultuur, de terugkeer van theater dat dichter bij de mensen staat. Ariane Mnouchkine is ook van de partij, ze spreekt over de lange uren, over de volharding die nodig is om een stuk te produceren.

Odon wacht op Mathilde.

Hij wacht op haar zonder te weten of ze in haar kamer is of buiten, of ze binnenkomt of weg zal gaan, alleen of in gezelschap.

Zijn whisky heeft een geur van noten en chocolade. Een smaak van turf. Hij drinkt met kleine slokjes. Een journalist komt hem begroeten, ze wisselen een paar woorden. De ijsblokjes smelten.

Een Engelse dame loopt door de zaal, een klein puffend hondje achter zich aan.

Buiten is het een sauna.

Odon wacht al bijna een uur als er geroezemoes opstijgt bij de ingang. Hij draait zijn hoofd om. De journalisten zetten hun glas neer. Het gaat heel snel. Fotocamera's klikken.

Ze komt van de straat, van buiten.

Ze loopt de patio op. Odon weet dat zij het is, al gaat ze schuil, al zwijgt ze.

Ze wordt omringd door de meute, ze is onzichtbaar.

De eerste vragen barsten los.

Duras, Pirandello, ze heeft alles gespeeld, maar altijd elders, in andere steden, en nu is ze teruggekomen. Ze willen weten waarom ze daar zo lang mee heeft gewacht.

Waarom? Steeds weer waarom. Alsof dat de enig mogelijke vraag was.

Waarom bent u hier?

Ze antwoordt dat alleen het werk van belang is. Het leren van de tekst, dat ongehoorde gezwoeg dat tegelijk een genoegen is. Eén leven is niet genoeg, zegt ze. Ze vragen hoe het is om nu zo beroemd te zijn.

Ze lacht, antwoordt dat beroemd zijn niet helpt tegen onzekerheid.

Ze loopt verder de patio op. Odon ziet haar gezicht. Hij hoort weer die stem met de warme ondertonen.

'Men zegt dat u gesloten bent, discreet. Bent u eindelijk gelukkig?'

Ze is vlak bij de planten.

'Succes vergroot de eenzaamheid, geeft er een onontkoombaar karakter aan.'

Ze zegt dat mompelend, en laat haar hand over de bladeren glijden. Ze geeft hun La Jogar, het personage dat ze verwachten. Ze maakt een theatraal wegwuivend gebaar: Dat moet u vooral niet opschrijven!

In het geroezemoes dat volgt hoort Odon de vragen niet meer, alleen het gelach dat opklinkt.

'U heeft *Ultimes déviances* geschreven en gespeeld, dat stuk is heel belangrijk voor u geweest, het heeft u bekend gemaakt, het heeft u succes gebracht… Hebt u plannen om weer iets te schrijven?'

'Nee.'

'Maar u hebt met die tekst blijk gegeven van echt schrijftalent… U wilt niet antwoorden?'

Ze duwt de journalist met haar hand weg.

'Omdat er geen vraag is.'

De journalist houdt vol.

'Beperkt u zich voortaan tot teksten van anderen?'
Ze blijft staan, neemt de spreker van hoofd tot voeten op.
'Ja, en met veel genoegen.'
'Wat is uw volgende rol? Er wordt gesproken over Verlaine… Men zegt dat u alleen op het toneel zult staan.'
'Ja, helemaal alleen. Ik ben onverdraaglijk gezelschap.'
Ze barst in lachen uit.
In de spiegel ontmoet Odon haar vlammende ogen. In de snelle blik die ze wisselen ligt hun hele geschiedenis besloten.
Odon glimlacht naar haar.
Ze is mooi. Opwindend. Nooit heeft hij zo'n intens verlangen gevoeld naar een andere vrouw.
Ze vlijde haar handen op zijn rug, een enkel woord: Ik heb zo'n zin vanavond, schandelijke zin… Ze duwde haar mond tegen zijn oor: Weet je hoe ze het laatste stadium van opwinding vóór het orgasme noemen? De plateaufase.
Dat soort dingen zei ze.
Ze lachte.
Ze bracht weer passie in zijn leven.
Het was gemakkelijk om van haar te houden.
Ze beantwoordt zijn glimlach.
Dan ontsnapt ze, maakt zich los van de meute, gaat naar boven, naar haar kamer.

MARIA HANGT WAT rond op het plein voor het paleis. Voor haar neemt een jongen in een T-shirt een aanloop, rent dertig meter en knalt tegen de muur. Anderen doen hem na. Ze zijn met meer dan vijftig. Ze doen het keer op keer, op het plein onder de verzengende zon.

Maria maakt foto's. Het is een merkwaardig tafereel. Een camera filmt het gebeuren voor het avondjournaal.

Een meisje zakt uitgeput neer. Op haar knieën, haar handen tegen de stenen. Er zit bloed op de muur. Het licht is fel, de schaduwen zijn zwart. Het gezicht van het meisje doodsbleek.

Maria komt dichterbij.

Het meisje heeft haar ogen open; lang zwart haar. Ze blijft zitten, te uitgeput om overeind te komen, met gestrekte arm, de handen plat tegen de muur.

'Spelen is geen werk, het is een passie en ze maken ons kapot.'

MEER DAN HONDERD gezelschappen zijn al uit de stad vertrokken. Bij Isabelle wordt een geïmproviseerde vergadering gehouden van acteurs en technici; een paar festivalgangers voegen zich bij de groep. Er zijn niet genoeg stoelen voor iedereen, de laatsten gaan op de grond zitten.

Maria is in haar kamer en hoort het rumoer. Ze staat op.

Isabelle zit wat terzijde op de sofa bij het raam, in een mauve en goudkleurige glitterjurk. Franje onder aan de jurk, een ceintuur op de heupen, jaren dertig, een kralenband om het voorhoofd.

Ze gebaart naar Maria.

Zo ging het al in de tijd van Vilar, toen was haar huis al een trefpunt. Iedereen kwam onaangekondigd binnenvallen, Gérard Philipe met zijn Anne, Agnès Varda, René Char, iedereen.

Ze maakte gigantische paella's, basilicumsoep, het rook naar ansjovis, olijven, ze smeerden tapenade op brood, dronken geweldige wijnen, iedereen was uitgelaten vrolijk.

En toen overleed Gérard Philipe en toen Jean Vilar en René Char. Isabelle bewaart zijn mooie kleren in haar kast.

Greg spreekt Maria aan.

'Ik leef in mijn bedenksels,' zegt hij zachtjes.

Ze weet niet waarom hij dat zegt.

Zij probeert te bedenken hoe ze moet leven.

Julie is er ook, ze zit aan de andere kant van het vertrek. Acteurs die op straat of in kelders moeten spelen, eisen een podium voor iedereen. Voor anderen is het geld niet belangrijk, gaat het om het praten, het uitwisselen van ideeën, het samen zijn. Een groep uit Bretagne gaat weer naar huis. Ze zijn een jaar in touw geweest, hele avonden gerepeteerd, geld gespaard, in het dorp is gecollecteerd om hen in staat te stellen hier, binnen de muren van Avignon, te kunnen spelen. De garagehouder heeft hun een auto geleend. Ze hebben niets meer. Mimespelers uit China vertrekken ook. De festivalgangers willen niet als loutere consumenten gezien worden. De emoties lopen hoog op, een vleugje hysterie, iemand huilt.

Odon komt binnen, loopt om het gezelschap heen, kust de handen van Isabelle.

Hij moppert omdat hij shit ruikt.

'Je moet dat niet goedvinden, dat ze die troep roken.'

'Hoe moet ik weten wat ze roken?'

Hij haalt zijn schouders op.

Het enthousiasme ebt weg. De fanatieksten stellen voor morgen om vijf uur weer bijeen te komen, op straat te demonstreren om te laten zien dat ze er nog altijd zijn, wakker en alert.

Er wordt gestemd.

Maria maakt een foto van de opgestoken handen.

'Jullie schieten jezelf in de voet, dat is wat jullie doen,' zegt Odon.

'Zolang het in de voet is...' zegt een meisje met rood haar.

Hij draait zich om.

Ze heeft groene ogen. Ze heeft tientallen kettingen om haar hals, glazen kralen.

'Ja, lach er maar om.'

'Weet u wel wat onze arbeidsvoorwaarden zijn? Weet u wat een technicus verdient?'

Een jongen met bijna wit haar klimt op een stoel.

'Niet de cultuur is in gevaar, maar wij, de kunstenaars! Ze laten ons creperen!'

Hij zwaait met zijn vuist.

Ze maken een afspraak voor 's avonds, op de Place Pasteur, iets voor achten, om samen naar de televisietoespraak van Chirac te luisteren.

Het toneel is het enig mogelijke strijdperk, dat gelooft Odon met de krankzinnige hoop dat het theater ooit vrede kan brengen in de wereld.

Het meisje met het rode haar heft haar glas. Ze kijkt hem uitdagend aan.

'Op de hoop, de opium van de komediant.'

Hij wendt zich af.

Isabelle pakt hem bij de arm.

'Ze zijn zo mooi, je moet het hun vergeven...'

ISABELLE PAKT EEN roze aardewerken karaf met citroenlimonade uit de ijskast. Ze droogt twee glazen af en zet ze op tafel.

Ernaast klinkt gedreun. De groep uit Rennes vertrekt met slaande deuren.

Ze glimlacht.

'Ik hou van hen, ik ben echt dol op hen...'

'Ik hou ook van hen, maar daar gaat het niet om.'

Ze slaat haar ogen op naar Odon.

'Nee, niet waar. Je houdt niet van hen.'

Ze schenkt limonade in.

'Jij houdt van het theater en van de artiesten die het dienen. Jij houdt van de teksten... Ik houd van henzelf. Het maakt mij niet uit of ze talent hebben of niet. Ik geniet van hun jeugd, hun energie.'

Ze neemt een slok limonade.

'Maar dat maakt geen beter mens van me, dat ik van hen houd.'

Ze drukt een tablet uit een strip medicijnen. Voor het hart en het geheugen, driemaal daags. Indien nodig viermaal. Ze slikt het in met wat water, zet het doosje op tafel, bij het brood en alle andere troep die daar staat.

Drie generaties van eenzelfde familie hebben achtereenvolgens in dit huis gewoond. Daarvan resten nog de sporen, kommen, kasten, lampen.

En Isabelle.

Er sijpelt zware warmte door het halfopen raam.

Ze kijkt naar Odon, ze kent hem door en door, zijn gezicht, zijn gevoelens.

'Je hebt haar gezien...'

Meer hoeft ze niet te zeggen.

Hij gaat zitten.
'Nauwelijks... In de lounge van het Mirande-hotel, het was er druk, we hebben elkaar niet gesproken.'
De ogen van Isabelle glinsteren.
'Hoe ziet ze eruit?'
'Beeldschoon.'
'Ik zou haar graag terugzien...'
'Ze komt wel.'
'Ze zal het erg druk hebben.'
Odon pakt haar handen en drukt ze zachtjes in de zijne.
'Voor jou zal ze tijd vinden.'
Ze praten over Mathilde, met zachte stem, over de tijd dat ze hier woonde, dat ze *Ultimes déviances* uit haar hoofd leerde, in de kamer boven.
'Ik kreeg haar die kamer niet uit...' zegt Isabelle.
Het licht bleef tot laat in de avond branden. Odon zat op haar te wachten op de aak. Als ze niet meer kon van vermoeidheid ging ze daarheen. Ze wierp zich tegen hem aan: Vrij met me! Voor het licht was, vertrok ze weer.
Ze vertelde hem niet wat ze deed, ik werk, was het enige wat ze zei. Als hij aandrong, vlijde ze haar hoofd tegen zijn schouder: Later...
Isabelle legt haar hand op de tafel.
'Op een ochtend kwam ze naar beneden, ging daar zitten, legde een stapel blaadjes voor mijn neus en vroeg of ze het helemaal voor me mocht opzeggen...'
Odon knikt.
Ze praten door over Mathilde.
Maria komt binnen. Ze blijft even staan op de drempel.
'Mag ik?'
Isabelle glimlacht.
'Ja Maria, kom binnen...'
Maria schenkt een glas water in en drinkt het staande op, haar rug tegen de gootsteen. Op een tafel tegen de muur staat een pc. Ze kijkt ernaar.

'Je kunt hem gebruiken als je wilt,' zegt Isabelle.

Maria trekt het krukje naar zich toe. Ze beweegt de cursor en er verschijnt een zeegezicht.

Ze haalt de geheugenkaart uit haar camera, doet die in de computer. Haar vingers glijden over de toetsen, het volgende ogenblik komt er een caleidoscoop aan foto's tevoorschijn.

Ze gaat van de ene foto naar de andere, vergroot er af toe een, wist sommige.

Het licht door het raam valt op haar nek, op de twee leren riempjes waar het beursje aan hangt. De wijde hals van het T-shirt tekent een schaduw op haar huid.

Isabelle komt naar haar toe.

'Mag ik kijken?'

Ze gaat naast Maria zitten. Op het scherm passeren voorwerpen, een wastafel, een oude lamp, een gebarsten glas... Maria zegt dat ze die dingen op straat heeft gevonden, afgedankt, kapot of verloren.

Andere foto's. Mensen, straten, affiches. Een technicus die aan een boom hangt, een zwart-witfoto van een eenzame toeschouwer, een demonstratie met rook op de achtergrond.

Het gezoem van de pc vermengt zich met hun gemompel, met het zachte geklik van de toetsen.

Odon voor zijn theater, een spons in de hand.

'Moet je zien!' zegt Isabelle.

Hij komt erbij.

Verf druipt langs de deur.

Marie laat andere foto's langskomen, een lantaarnpaal, een braakliggend stukje grond.

'Mijn broer werkte in de bouw. 's Ochtends wachtte hij onder dat afdakje met anderen, potiger dan hij, op een vrachtwagen. Als hij niet werd gekozen ging hij naar de bar van Tony.'

Ze klikt op een foto.

'Dit is die kroeg, de Aristos.'

Ze krabt met haar nagels over haar arm.

'Hij vocht ook wel eens, rare knokpartijen waren dat, mijn broer kreeg klappen, hij deelde niet uit.'

Ze krabt, steeds op dezelfde plek. Waarschijnlijk beseft ze niet dat ze het doet.

Odon loopt weer naar het raam, kijkt naar de lucht, hoort wat er gezegd wordt.

'Hij gokte, hij won, hij verloor. Als hij won, borg hij het geld weg onder de stoel van zijn busje. Hij wilde me meenemen naar Vietnam, daar is een plek, die moet je voor je dood gezien hebben, schijnt het.'

'De baai van Ha Long...' zegt Odon.

Maria draait zich om, een arm op de rugleuning.

'Ja, misschien wel.'

'Zeker! Een gladde zee, jonken en grote rotsen, iedereen wil daarheen.'

Isabelle legt haar hand kalmerend op de arm van Maria. De ene foto glijdt over de andere. Dan gaat de telefoon, Isabelle excuseert zich, gaat de kamer uit, neemt op in haar slaapkamer.

Maria laat nog meer foto's langskomen.

'Dat is de buik waaruit ik ben gekomen.'

Odon komt dichterbij.

Een vrouw in een roze kamerjas op een stoel, uitgelopen sloffen, de rok halverwege de enorme dijen. Het gezicht is niet te zien.

'Heb jij die genomen?'

'Als u hem mooi vindt, kunt u hem kopen.'

Hij lacht.

'Dat doet een fatsoenlijk meisje niet, een foto van haar moeder verkopen.'

Ze haalt haar schouders op.

Ze klikt op een andere foto. Het gezicht van Paul tegen een betonnen achtergrond. Dezelfde blauwe ogen. Treffende gelijkenis.

'Als hij 's avonds thuiskwam, vroeg hij of u gebeld had. Dat ging drie weken zo door. Ten slotte vroeg hij het niet meer en pakte zijn stomme gegok weer op.'

Ze haalt een zakboekje uit haar tas, gooit het op tafel.

Het boekje glijdt door, komt tot stilstand tegen de glazen.

'U kunt het inzien, hij heeft het ergens over u.'

JULIE EN DE jongens gaan naar de bijeenkomst op de Place Pasteur. Met meer dan honderd man drommen ze bij de televisie in afwachting van de toespraak van Chirac. Niemand verwacht er iets van. Terecht. Het is een teleurstellend praatje.

Na afloop zwelt de woede aan. Iedereen pakt wat hij kan vinden, een pan, een blik, en slaat erop zo hard als hij kan. Lawaai van blik en geschreeuw van mensen. Meeslepende razernij.

De deuren van de Dolle Hond staan open. *Nuit rouge* wordt niet gespeeld, er worden sketches opgevoerd en verhalen verteld. De toegang is vrij. Greg doet een oud kostuum aan dat hij boven uit een kist heeft opgediept.

Julie haalt twee poppen uit een doos en geeft een parodie op de toespraak van de president. Ze maakt hem belachelijk, de zaal lacht.

Damien komt het toneel op met een rode clownsneus. Hij zegt dat Jack Lang ergens in het publiek zit. Hij laat het zaallicht aandoen. Hij zoekt op de eerste rijen, 'Meneer de minister…' Alle blikken gaan naar een grote man op de tweede rij. Damien steekt dan zijn hand in zijn zak, haalt er een revolver uit, richt, het gaat heel snel, het schot verscheurt de stilte en de man valt.

'Nu kunnen ze ons niet meer negeren!'

Achter in de zaal wordt geschreeuwd. Gelach barst los. De man komt weer overeind.

Damien steekt zijn hand uit naar Julie.

'Jij gelooft daar niet in, in de woede van de clowns?'

Julie trilt zo dat ze niet in staat is te antwoorden.

LA JOGAR HOORT het lawaai van de pannen, het geschreeuw, het aanzwellende oproer. Ze doet het raam dicht en gaat op de rand van haar bed zitten. Het is een mooie kamer, de muren zijn behangen met linnen uit Jouy. Voor de ramen zware gordijnen, gevoerd met zijde, de plooien hangen tot op de vloer.

Boven het bed een Venetiaanse luchter.

Ze heeft met vrienden afgesproken om te gaan eten. Ze heeft geen zin om te praten.

Ze gaat op het bed zitten, masseert haar voeten. Ze gaat liggen, staart naar de luchter.

Ze leest een paar bladzijden van de tekst die ze voor het komende winterseizoen moet leren, *Verlaine d'ardoise et de pluie*.*

Ze slaat het boek dicht.

Bladert in tijdschriften.

Haar koffer staat open, de jurken hangen op standaards. De avond valt. De lampen in de tuin branden. Ze belt haar vrienden om te zeggen dat ze niet komt. Ze overweegt om naar buiten te gaan. Ze zou de Rhône over kunnen gaan, Odon opzoeken op zijn schip. Ze bestelt thee. Die komt op een blad met zoetigheden.

De kerkklokken luiden.

Ze denkt aan hem. Ze heeft hem gezien op de patio, ze wist dat hij zou komen, dat hij er op een bepaald moment zou zijn, voor haar, haar op zou wachten.

Ze drinkt haar thee.

De laatste zomer zijn ze naar Bretagne gegaan. Toen ze in Saint-Malo kwamen, kregen ze zin om naar Guernsey te gaan.

* Guy Goffette.

De heide, de rotsen waarop de golven stukslaan, de vuurtorens en de nacht. Hij schreef een regel van Baudelaire voor haar over: 'On ne peut oublier le temps qu'en s'en servant' – Alleen door de tijd te gebruiken kun je hem vergeten. Toen ze terug was heeft ze die tekst boven haar bureau geplakt, in de blauwe kamer bij Isabelle.

Liefde gaat voorbij. Het is een vlammende impuls, een uitslaande brand. Voor haar geen nostalgie, geen heimwee. Niet naar deze liefde, naar niets.

Ze drinkt haar thee op, zet het kopje weg.

Ze nestelt haar rug tegen de twee kussens.

Ze pakt *Verlaine d'ardoise et de pluie* weer op.

ODON SLAAT DE hoerensteeg in. Een wijnbar. Zijn handen in zijn zakken. Een jazzclub aan het eind van een donkere, doodlopende steeg. Hij is hier vaste klant. Een paar eenzame figuren aan de bar. Bollen van melkglas op de tafels verspreiden een grijsgroen licht. Aan de bankjes is al heel lang niets gedaan, het skai is versleten, gebarsten. Uit de jukebox klinkt een nummer van Ray Charles.

Een podium met een piano.

Hij leunt tegen de bar, bestelt een sterke koffie. Hij pakt het zakboekje, legt het naast het kopje.

Hij neemt een slok terwijl hij naar de piano kijkt. Hij kwam hier met Mathilde, na de avondrepetities, ze aten tapas en dronken wijn. Altijd aan hetzelfde tafeltje. Ze verstrengelden hun benen. Ze praatten over het theater en over schrijvers die hun dierbaar waren. Op een avond spraken ze over wat ze zouden doen als ze oud waren.

Odon drinkt zijn koffie op.

Hij doet het zakboekje open.

Boven aan de eerste bladzijde staat de naam van Selliès. Een onregelmatig, bijna stuntelig handschrift.

'6 uur 30 – De kou van het asfalt dringt door de zolen van mijn kistjes. Een oude vrouw in kamerjas komt naar buiten met een bak vol vreten, even dachten we dat het voor ons was, maar het was voor de katten. Daarna kwam de vrachtwagen met zijn grote gele koplampen door de nevel.'

Op de bladzijde ernaast een tekening in grijs potlood, krijgers van het terracottaleger van Xi'an. De volgende bladzijden zijn ook gevuld met tekeningen, een helm, het detail van een sabelriem.

Dan weer zinnen. ‘De mensen zeggen tegen me: Pas op jezelf, maar ik maak me geen zorgen, ik bepaal de regels van het spel.’

Op sommige bladzijden staan zowel tekeningen als zinnen, notities voor het begin van een verhaal. Onder aan elke pagina staan de plaats en de datum.

‘Ik zie het leven door de ramen van de bestelbus, de blik van de kleine Maria. Ze heeft haar mooie rode jurkje aan. Het is zeven uur. Ze klopt aan het raam, komt een kop koffie brengen. De dwaze droom! We gaan eindelijk weg! Ik fluister in haar oor: Onze zorgen verdwijnen als we dromen van vrijheid.’

Die zin heeft hij onderstreept: Onze zorgen verdwijnen als we dromen van vrijheid.

Achterin komt een bankje vrij. Odon bestelt een cognac, neemt zijn glas mee.

Hij leest verder.

‘Ik heb geen honden meer, geen vechthanen. Tony wil dat ik weer op het schild stap. Ik heb het twee keer gedaan, bij het loodje leggen, niemand komt verder dan drie keer.

Ik doe het alleen als het gaat sneeuwen.’

Nog meer bladzijden.

‘Ik ben het zat om de kleine Maria te zien opgroeien tussen de plassen. Ik heb zin om hem te smeren en haar mee te nemen naar het land van de jonken.’

Even verder:

‘Het is al bijna drie weken geleden dat ik *Anamorphose* heb weggestuurd, nog altijd geen antwoord. Toch heb ik nog hoop.’

Dan een bladzijde zonder tekening.

‘Vanochtend stond ik onder de bomen te pissen, het was niet erg koud, er was geen wind, er was niets, alleen de weg, nogal donker en de aarde die stonk. Ik stond met mijn lul in mijn hand toen ik ze zag, een handvol vlokken die niets leken te wegen. Het weerbericht had gezegd kou, geen vorst, en al helemaal geen sneeuw, ik dacht je kunt nergens meer van op aan en ik hoorde Mariaatje zingen.’

Odon legt het zakboekje neer.
Hij neemt een slok cognac.
Hij leest verder.
'De sneeuw bleef een paar uur liggen, we konden erin rondhollen en sporen maken. Maria kwam uit school en ze schaamde zich vanwege iets met bonnetjes. Ik wilde haar school platbranden. Moeder zei: Ga toch werken. Maria huilde.
Ik haal je daar weg, beloofde ik haar. Nog steeds geen nieuws over *Anamorphose*.'

HET WORDT LICHT. De pad moet ergens op het schip zijn. Odon hoort hem springen op het plankier. Het geluid van poten en een lijf.

Jeff is in de keuken. Hij is koffie aan het zetten. Hij heeft besloten het dek te schilderen, de eerste planken vanaf de boeg. Hij moet de potten opruimen, het stof en al het blad dat zich heeft verzameld.

'Ben je er morgen, als ik kom?'

'Weet ik niet.'

'Maar is er iemand op de andere boten?'

'Er is altijd iemand op de andere boten.'

'Niet altijd.'

'Probeer je mond eens te houden, Jeff...'

Jeff draait zich naar de patrijspoorten.

'Ik mag de mensen van de andere boten ook graag.'

Hij wrijft met zijn vinger over de ruit.

'En als er niemand is op de boten?'

'Er is wel iemand.'

En als met spijt voegt Odon daaraan toe: 'Ergens is er altijd iemand.'

DE ACTIEVOERDERS HEBBEN de veertien poorten van de vestingmuren gesloten. Voor een paar minuten is Avignon een eiland.

Niemand kan er meer in of uit.

Avignon, een gesloten stad.

Julie klimt op een barricade. Verscheurd tussen de zin om te spelen en het verlangen de confrontatie met de macht aan te gaan. Vijfhonderd seconden telt ze voor ze verdreven worden door de politie.

De fanatiekste actievoerders willen het Pausenpaleis aanvallen.

Odon ziet hen over het plein trekken. Hij probeert rustig te blijven, het lukt niet. Hij heeft teksten van Beckett geregisseerd, van Tsjechov, zijn theater is jarenlang een must geweest in het festivalaanbod. Hij weet dat scheppen niet genoeg is, wat je maakt moet ook getoond worden.

Er wordt een vergadering belegd in zijn kantoor. De groep die *L'Enfer* speelt komt er ook bij. Het is geen kwestie van het hoofd buigen, maar van pragmatisme. Een staking van het Off-circuit is niet meer aan de orde. Julie zegt dat sociale vooruitgang altijd met geweld wordt afgedwongen.

'Hoe wil je dat we leven? Rechtop? Of gebogen, op onze knieën?'

Odon haalt zijn vergunning tevoorschijn.

'Moet ik die dan maar verscheuren?'

'Dat heeft er niets mee te maken, papa!'

Ze heeft gelijk. Hij wendt zich af. Hij kijkt naar het affiche van *Nuit rouge*, naar de naam van PaulSelliès. Spelen betekent dat hij erkenning krijgt als schrijver, dat hij de kans krijgt gezien en gehoord te worden, dat hij eindelijk meer wordt dan een dode schim achter een tekst.

Er zijn altijd talloze redenen om iets wel of niet te doen.

'Er zijn andere wegen,' zegt hij, 'andere methoden.'

Julie geeft niet op.

'Opgeven is geen weg!'

Odon luistert niet meer naar haar.

Staken maakt geen indruk meer, ze zullen de strijd op een andere manier moeten voeren.

Julie geeft zich niet gewonnen.

'We moeten zorgen dat het In en het Off samen optrekken, zorgen dat Avignon een dode stad wordt! Dat zou de culturele actie van de eeuw zijn!'

Odon wuift haar argumenten weg.

De technici zijn moe. De jongens ook.

Julie zwicht.

Na nog wat heen en weer gepraat stemmen ze voor hervatting.

MARIA HOORT ALLES. Ze zit op de rand van het toneel. De zaal is leeg. De decorstukken staan opgeslagen in de gang, een kostuum, een stoel, een groot kamerscherm van stof.

De stoelen in de zaal zijn overtrokken met rood fluweel dat glanst in het licht.

Het ruikt naar stof, hitte.

'Nooit met dat poloshirt in een theater!' zegt Odon als hij haar ziet.

Ze draagt een los geweven, katoenen jersey shirt.

'Het is groen,' legt hij uit, op knorrige toon, 'en groen brengt ongeluk in het theater.'

Molière is in een groen kostuum dood gebleven op het toneel. Judas droeg een groene tuniek. De bestelbus van haar broer was ook groen... Dat gaat allemaal door haar hoofd.

'Alleen clowns mogen groen dragen, en jij bent geen clown...' zegt Odon.

Maria blijft zitten waar ze zit, op de rand van het toneel.

Hij loopt door de zaal naar haar toe. Kijkt haar van dichtbij aan. Hij heeft het dagboekje van haar broer in de hand. Hij reikt het haar aan.

'Loodje leggen, wat is dat?' vraagt hij.

'Een stom gokspel,' antwoordt ze.

'En het schild?'

'Een riooldeksel.'

'En wat houdt het dan in?'

'Niks.'

Hij geeft haar het dagboek terug en laat zich in een stoel zakken op de eerste rij.

De voeten van Maria bungelen ter hoogte van zijn ogen. Ze heeft basketbalschoenen aan; haar veters zijn los.

'En waar kwam zijn fascinatie voor de krijgers van Xi'an vandaan?'

'Van de buurtbibliotheek, hij was verliefd op een meisje, een intellectuele doos die zichzelf heel wat vond omdat ze boeken las.'

Hij steekt een sigaret op, blaast de rook uit.

'Doe niet zo vulgair, het staat je niet. Hoe oud ben je?' vraagt hij.

'Bijna twintig... En u?'

'Ietsje ouder.'

Hij strijkt door zijn haar. Hij is niet oud, hij heeft alleen minder jaren voor zich.

Maria zwaait met haar benen, haar hielen komen tegen het gordijn. Daarachter zitten planken, het bonkt.

'Zit niet zo te kloten, Maria.'

'Doe niet zo vulgair,' zegt ze.

'Dat is niet vulgair.'

'Wat dan wel?'

'Jij bent vulgair... Je haar, al dat ijzerwerk in je gezicht, je manier van praten.'

Ze antwoordt niet. Soms werkt ze mensen op de zenuwen, dat is nu eenmaal zo. Ze gaat achteroverliggen om te zien wat er boven het toneel hangt, de grote lampen en de decorstukken. Het lamellengordijn van *Nuit rouge* hangt er ook tussen.

Ze komt weer overeind. Installeert zich in kleermakerszit.

'Hoe doe je dat, goed spelen?' vraagt ze.

'Je heft je hoofd, je kijkt naar de kroonluchter en je spreekt duidelijk.'

Ze kijkt zoekend naar het plafond.

'Er is geen luchter.'

Hij grinnikt.

'Nee, je hebt gelijk. Maar vroeger heeft er een gehangen.'

Hij wijst. In het midden van de zaal zit een haak in het plafond.

'Prachtig Boheems kristal, allemaal geciseleerde traanvormige kralen, heel zwaar... Te zwaar. Midden onder de voorstelling kwam hij los. Er zaten drie bejaarden onder.'

Marie doet een schoen uit, buigt de voet naar haar buik, masseert de voetzool.

Ze staart naar de haak, naar de stoelen er pal onder.

'Waar is hij nu?'

'De luchter? Ergens op zolder.'

Odon slaat haar gade. Hij weet niet of ze echt gelooft wat hij haar heeft verteld. Het lijkt er wel op.

'Hij is niet uit zichzelf gevallen...' zegt hij ten slotte. 'We hebben hem weggehaald, de ophanging vertoonde tekenen van zwakte.'

Ze keek weer naar de haak.

'Dus die bejaarden waren niet dood?'

'Nee.'

Ze doet de schoen weer aan, knoopt de veter dicht.

'Hebt u alles gelezen?' vraagt ze en ze houdt het zakboekje op.

'Alles.'

'En?'

'Hij schreef goed...'

'Dat is alles?'

'Wat wil je van me horen?'

Ze staat op, pakt haar tas. Ze loopt weer naar de rand van het toneel, staat met haar tenen eroverheen. De camera stoot tegen haar zij.

'Het komt erop neer dat u mijn broer net gemist hebt, een paar dagen. Bent u daarom gestopt met het uitgeven van boeken, omdat u net te laat was?'

'Misschien...'

Ze gaat weg, verdwijnt achter het gordijn.

Hij hoort haar voetstappen die zich verwijderen, de deur naar de gang die opengaat en weer dicht.

Hij blijft een poos alleen zitten. *Anamorphose* was een obsederende tekst. Toen hij hoorde dat Selliès dood was, bleef hij verstard naast de telefoon zitten. Het manuscript lag voor hem, op zijn bureau, hij bladerde erin, wist niet meer wat hij moest doen. Publiceren was onmogelijk geworden. Je publiceert geen tekst van een dode schrijver. Hij overwoog het manuscript in een la te stoppen. Hij las het opnieuw. Hij kon zich niet met iets anders bezighouden.

Hij besloot het terug te geven aan de moeder. Hij belde haar. Het maakte haar niet uit, zei ze, wat haar betrof kon hij het verbranden.

Hij heeft het toch teruggestuurd. In een enveloppe gedaan, de enveloppe in de postbak uit, zij moest maar zien wat ze ermee deed, vergeten of verbranden, het was haar probleem.

DE VOORSTELLING IS een halfuur gaande als de demonstranten het podium van de Dolle Hond op stormen. Ze zijn met meer dan twintig man en eenzelfde aantal staat buiten.

Ze spreken van solidariteit.

Odon is razend.

'We zijn al solidair!'

Hij neemt het zichzelf kwalijk. Hij had de deuren op slot moeten doen, maar zijn theater is altijd een vrije, open plek geweest.

De emoties lopen op.

Toeschouwers fluiten. Sommigen staan op, willen weggaan, willen hun geld terug. Anderen blijven zitten, diep teleurgesteld, fatalistisch.

'Wat doen we?' vraagt Jeff.

'Wat kunnen we doen?'

Julie en de jongens gaan douchen.

'Voor vanavond is het gedaan, maar morgen spelen we met de deuren op slot,' zegt Odon als ze terugkomen.

Julie en Damien maken ruzie.

Damien gaat weg, zegt niet waarheen. Julie kijkt hem na.

'Voor vandaag is het klaar,' zegt ze.

Op het plein staat een meisje met lang haar op Yann te wachten.

ODON HEEFT EEN tafel gereserveerd in La Manutention. Maria heeft gezegd dat ze zou komen, ze is er niet, haar bord staat klaar aan het eind van de tafel.

'Een vreemd meisje,' zegt Julie terwijl ze naar de lege plaats van Maria kijkt.

Greg wil niet dat de ober haar bord meeneemt.

Yann telefoneert, hij vertelt hoe hij over toeval denkt, haalt een bericht op.

Damien is er niet.

Actievoerders lopen tussen de tafeltjes door, ze dragen zwarte armbanden. Julie zegt dat ze de volgende dag naar hun vergadering komt.

'Morgen gaan we proberen te spelen,' zegt Odon.

Flyeren, repeteren, en als er nog wat tijd over is, leven.

Dat is de reden dat ze ruziën. Het ergste is mogelijk op dit festival, uitstekende stukken worden een geweldige flop, treurige voorstellingen een even geweldig succes.

Ze proberen over iets anders te praten. Over de toekomst. De stukken die ze het volgende festival zouden kunnen brengen. Yann zegt dat porno het goed doet.

Maria arriveert stilletjes, ze gaat zitten. Ze bestelt een salade. Het gesprek gaat verder. Op het tafellaken bijt een bidsprinkhaan het ronde hoofd van haar mannetje af. Ze kauwt erop. Het mannetje zit nog altijd achter aan haar vast.

Greg walgt ervan.

Maria buigt haar hoofd erover.

'Het is het instinct,' fluistert ze. 'Als je je instinct volgt, ben je nooit schuldig.'

'Maar toch...'

'Ze doet het voor haar jongen, die krijgen zo proteïnes.'
Ze praat heel zachtjes.
'En hij vindt het goed dat hij opgevreten wordt, zodat zij aan hun trekken komen?'
'Hij vindt het goed... maar als hij de keuze heeft, neemt hij een vrouwtje dat geen honger meer heeft.'
Hij hoort het geluid van malende kaken.
'Het risico zit in het begin, de toenadering...' zegt Maria.
Ze lachen.
De anderen willen weten waar ze het over hebben. Greg vertelt het. Chatt' gelooft in reïncarnatie, hij zegt dat hij niet graag als insect zou leven.
De ober komt de salade voor Maria brengen.
Ze praten over *Nuit rouge*.
Odon zegt dat geen enkele filosofie liefde, gemis en hoop even goed kan vertolken als deze figuren van klei.
Yann zou willen dat het stuk gekocht werd door een impresariaat, desnoods voor een spotprijs, dan zouden ze in andere steden kunnen spelen. En in het buitenland, waarom niet, in São Paulo, Barcelona, New York...
Daar praten ze over. Ze beginnen te dromen.
Jeff zegt: 'Als jullie iets in Michigan weten te regelen, ga ik mee.'
Chatt' zit met zijn neus in zijn bord. Het idee dat ze zich zouden verkopen bevalt hem niet. Het idee dat dit festival een markt zou zijn. Toch is dat zo, het is onvermijdelijk.
'Een jaarmarkt van levend toneel, en wij zijn het vee...'
Odon vertelt dat tijdens een revolutie, hij weet niet meer welke, de theaters open bleven. Er werd elke avond gespeeld, terwijl buiten op straat overal het oproer woedde. Hij zegt dat dit zes jaar geduurd heeft.
'Dat bewijst dat je tegelijk kunt kankeren en spelen.'
'Schijt aan vroeger,' zegt Julie.
'Tja, als je het zo ziet.'
Chatt' krast met de punt van zijn mes over het tafelkleed, er ontstaan witte groeven en hier en daar scheurt het papier.

'In september, toen de repetities weer begonnen, had je solidair moeten zijn.'

'Hoe bedoel je?'

Odon weet het best, hij heeft hun *Nuit rouge* opgedrongen. Andere jaren sloten ze altijd weddenschappen af over het aantal bezoekers, dit jaar durven ze dat niet eens.

'Hoe dan ook, het is nu te laat, we zijn begonnen en we gaan door!' zegt Julie.

Odon prikt wat frietjes aan zijn vork.

'Wij zijn gedoemd tot de korte termijn, in het leven, in de liefde, in alles. Als je theater wilt maken moet je risico's nemen.'

'Risico's, daar gaat het niet om...' zegt Chatt'.

Odon aarzelt. Hij heeft gelijk, het is een kwestie van moed en moed betekent spelen.

Aan het eind van de tafel zit Maria haar garnalen te pellen.

'Beckett, is die dood?' vraagt ze.

Daar kijken de anderen van op.

Julie antwoordt. Ze zegt dat hij al jaren dood is.

Maria veegt haar handen af aan haar servet, ze zoekt in haar tas, haalt er een foto uit, een groene bestelbus met roestplekken.

Ze laat de foto rondgaan.

'Beckett is een kanjer, zei mijn broer.'

DE JONGENS VAN Grote Odile spelen op de binnenplaats rond het badje; bruine benen, korte katoenen broeken. Ze hebben de tuinslang tevoorschijn gehaald. Het bad is vol, eromheen staan teilen.

'Waar is jullie moeder?' vraagt Jeff.

Ze halen hun schouders op, ze weten het niet.

Jeff vraagt of ze een schuimtaartje willen en ze trekken hun T-shirts aan en rennen naar de bakkerij.

Het zijn grote witte schuimpjes. Ze gaan ze op het trottoir zitten eten, aan de schaduwkant tegenover de Dolle Hond.

De taartjes barsten open als ze erin bijten, stukjes vliegen weg als zeilen van een boot. Ze rapen de stukken op. Hun vingers kleven, ze krijgen dorst van de zoetigheid.

Daar zitten ze, alle vier op een rij, van groot naar klein, Jeff helemaal aan het eind.

GROTE ODILE LOOPT hotel La Mirande in. Verlegen, onbeholpen, ze durft niet verder te gaan.

La Jogar heeft haar gebeld: Ik wacht op je in het hotel.

Zonder te zeggen waarom.

Odile had net nog tijd haar mooiste jurk aan te doen. Ze heeft de jongens op de binnenplaats gelaten, waar ze met water kunnen spelen, en is zo snel als ze kon gekomen.

La Jogar zit op haar te wachten. Ze steekt haar hand op, glimlacht, neemt haar bij de hand mee naar de patio.

'Ik wou je dit laten zien.'

Odile kijkt om zich heen. Het is een gesloten binnenhof met een glazen dak, fauteuils, tafeltjes. Een ruimte vol licht, met zicht op het paleis dankzij de glazen opening.

Ze bekijken de eetzalen, bezoeken de keukens.

De tuinen, de gevel, de bloemen, de tafels met witte kleden onder parasols. Het is een stil moment, het is rustig in het hotel.

Odile kijkt om zich heen, de vazen, de boeketten.

'Je hebt geen idee wat er achter die muren zit...' zegt ze dromerig.

Ze vergaapt zich aan alles, een tikje bedremmeld, de fraaie entree die ze vaak vanaf de straat heeft gezien, zonder ooit verder te durven gaan.

'Nu zal ik je mijn kamer laten zien.'

Ze nemen de trap naar boven.

La Jogar doet de deur open.

Odile gaat als eerste naar binnen. Het raam ziet uit op het paleis en de tuinen beneden.

De deur van de badkamer is open, witte handdoeken, zorgvuldig opgehangen.

Even krijgt ze zin in dat grote bad, met al die schuimproducten, die crèmes en shampoos. Ze snuift de geuren op.

Op een tafel staat een vaas met lelies en gladiolen, op het kussen liggen bonbons.

Ze gaat op het bed zitten.

'Je bent beroemd,' zegt ze.

'Beroemd zijn betekent niet minder zorgen.'

Ze telefoneert, laat twee blaadjes snacks boven komen, zoet en hartig, en drankjes. Het blad op het bed. Ze zitten tegenover elkaar.

'Vijf jaar, het vliegt voorbij,' zegt Odile.

Ze doet een greep in de snacks en kijkt met grote ogen naar het plafond en de kroonluchter van gekleurd glas.

'Ik zou hier niet kunnen slapen, het is veel te mooi!'

Ze verslindt een petitfour.

'Betaal je de kamer zelf?'

La Jogar schiet in de lach.

'Zelfs dat niet.'

'Dit moesten mijn jongens eens zien! Waar ga je heen met vakantie?'

'Naar een Italiaans meer. Ik verveel me op vrije dagen, op vakantie en zo...'

'Hoe heet dat meer waar je heen gaat?'

'Lago Maggiore.'

Odile kijkt naar het gezicht, de ogen van La Jogar. Ze fronst haar wenkbrauwen.

'Weet je nog dat je op zondag altijd treurig was, en ziek met kerst?'

'Dat is niet veranderd.'

Odile knikt.

La Jogar steekt een sigaret op, ze rookt, kijkt naar het plafond.

'En mijn vader?'

'Wat bedoel je?'

'Zie je hem nog wel eens?'

'Nee, dat is alweer een hele tijd geleden.'

'Iets gehoord?'

'Ik heb niet gehoord dat het slecht met hem ging. Ga je hem opzoeken?'

'Ik ben bij hem langsgegaan, aangebeld, hij was er niet.'

Odile gaat op het bed liggen. Naast elkaar. Ze geven de sigaret door.

'Ik dacht dat het verboden was op de kamers te roken...'

'Is het ook.'

Ze gaan door met roken. Het is stil. De geluiden van de straat dringen nauwelijks tot hen door.

'Ik was in Amerika toen mijn moeder stierf...' zegt La Jogar.

'Daar hoef je niet over te praten.'

'Ik wilde het je alleen zeggen. Ik hoorde het toen ik terug was. Daarom was ik niet op de begrafenis.'

Ze denkt aan het bericht dat haar vader op het antwoordapparaat had ingesproken: 'Je moeder is vandaag overleden.'

Twee dagen later een nieuw bericht: 'We hebben je moeder vandaag begraven.'

Een kille, afstandelijke stem. Een telefoontje naar haar appartement. Hij had haar mobiel kunnen bellen, dan had ze opgenomen, dan had ze het geweten. Zou ze gekomen zijn.

'Odile?'

'Ja...'

'Ik denk dat hij het expres heeft gedaan... Hij moet vermoed hebben dat ik er niet was, dat ik het nieuws te laat zou horen. Ik acht hem daar heel goed toe in staat.'

Odile antwoordt niet.

La Jogar heeft haar hele leven van haar vader gehouden en hem gehaat. Ze heeft zich altijd schuldig gevoeld tegenover hem.

'Als ik ergens ver weg ben, voel ik me goed, het is alleen als ik hier ben...' zegt ze.

Ze blijven nog een tijd zo liggen praten, zwijgen, moeten ten slotte om zichzelf lachen en zingen vrolijk 'Lago Maggiore'.

En dan staat La Jogar op. Ze pakt haar tas. Het gezelschap heeft met algemene stemmen besloten weer te gaan spelen.

'Ik moet erheen!'

Ze loopt naar de deur, komt terug, omhelst Odile. Kust haar stevig.

'Neem een bad als je wilt, eet de rest op, er liggen drankjes in de ijskast... Neem ook wat snoep voor de jongens mee, en de bloemen! Zie maar waar je zin in hebt, je trekt gewoon de deur dicht als je weggaat.'

LA JOGAR SPEELT om zeventien uur.

Na afloop gaat ze terug naar het hotel.

De kamer is weer gedaan. Geen spoor meer van Odile.

Nieuwe bloemen in de vaas.

Ze vraagt een sterke borrel, kan niet schelen wat. De kelner komt met een blad. Een whisky, post.

Ze gaat op de rand van het bed zitten, haar blote voeten op de vloer.

Ze doet de tv aan, zapt van het ene kanaal naar het andere, doet de tv weer uit. Slaat een boek open, bladert was. Ze staat op, kan niet lezen, bekijkt haar naakte lichaam in de spiegel.

Ze neemt een bijna koud bad.

Ze slaapt. Als ze wakker wordt, is het donker. Ze doet een beige katoenen broek aan, een hemd met korte mouwen. In de lobby hangen een paar journalisten rond. Op straat is het druk. Twee clowns op de esplanade.

In dat theater, in Le Chêne Noir, zong Léo Ferré. Hij kwam het toneel op. Die stem. De piano. Ze kwam elk jaar naar hem luisteren. Daarna was er de begrafenis in Monaco, ze ging erheen met Isabelle, een graf naast dat van Josephine Baker. Ze huilden. Léo zong nu voor de doden.

Op de Place des Halles wacht ze op een taxi. De chauffeur tuurt naar haar in de achteruitkijkspiegel.

'Bent u actrice?' vraagt hij.

Ze ontkent het, ze is een toevallige voorbijganger.

'Toch lijkt u op iemand...'

'Iedereen lijkt wel op iemand.'

'Jawel, maar u...'

Ze draait haar hoofd weg.

Hij laat het erbij. Over de brug zet hij haar af. Haar armen langs het lichaam, de tas bungelend aan haar hand. Ze loopt de gele lichtkring van een lantaarn binnen. De aak ligt verscholen onder de bomen. Een strakke waslijn, er hangt een handdoek overheen.

Aan de oever van de rivier staat een bestelauto. Jongeren zitten in een kring om een vuur, een van hen speelt de aarzelende noten van 'Jeux Interdits'.

Ze loopt naar de oeverkant.

De matras ligt nog altijd op het talud. Voor ze afscheid namen hebben ze gevreeën, ze wisten dat het voor het laatst was, Odon bleef op haar liggen, met zijn hele gewicht, zij wilde dat, verpletter me...

De stroom wervelt wat slib op dat tegen de romp van het schip slaat. Het ruikt hier naar vochtige grond, een mengsel van kruiden en rottend blad, een geur die de herinnering aan hun nachten oproept.

De pad zit op de loopplank, van een afstand lijkt het een groenige steen.

'Meneer Big Mac...'

Ze pakt hem in haar handen.

De lamp boven in de deur brandt. Ze herinnert zich een zin die klonk als een belofte. Zou hij die echt, al die vijf jaar, niet hebben uitgedaan...

Ze zet Big Mac neer.

Odon zit in een gemakkelijke stoel op de brug. Zijn rug naar haar toe. Ze loopt op hem af. Raakt hem licht aan, streelt met haar vingertoppen over de kraag van zijn hemd.

'Het is warm aan jouw rivier, het lijkt Iowa wel.'

Hij glimlacht zonder zich om te draaien.

Hij pakt haar hand, drukt een kus in de warme holte van de palm. Zijn lippen vinden de smaak van haar huid terug.

'Maar ik ben Phil Nans niet...'

Ze laat haar vingers langs zijn schouder glijden.

'Noch Clint Eastwood. En ik ben Meryl Streep niet.'

Ze sluit haar hand.
Hij staat op.
Hij zegt: 'Ik verwachtte je, ik heb koffie klaar.'
Hij schenkt een gloeiend hete arabica voor haar in, zonder suiker. Hij pakt ook water en een plak chocola.
Ze bekijkt hem.
'Je bent niet veranderd.'
'Mijn uiterlijk past zich aan, maar vanbinnen...'
'Wat is er vanbinnen?'
'Daar huist mijn hel.'
Ze glimlacht.
'Mijn hel, dat ben jij.'
De lucht is warm en vochtig, de rivier is zwaar. Ze gaat op de divan zitten, legt haar hoofd tegen de leuning.
'Elkaar toevallig tegenkomen, dat kon niet... elkaar zomaar op straat tegen het lijf lopen...'
Twee zilveren ringen omsluiten haar pols. Als ze beweegt, schuren de armbanden langs elkaar. Blote armen, gebruind, met een gouden glans.
Hij steekt een nieuwe sigaret op. Er blijft een tabaksvezel op zijn lip plakken, hij veegt die weg.
Ze steekt haar hand uit, pakt zijn sigaret, neemt ook een trek.
'Ik hoor dat je alleen op je boot woont en hoertjes oppikt op straat.'
'En jij luistert naar dat soort praatjes?'
'Ik luister naar alles als het over jou gaat.'
Ze vraagt hoe het met Isabelle is. Ze zegt dat ze door de Rue de la Croix is gekomen maar niet naar boven is gegaan. Dat ze het eng vindt om mensen na zo lang terug te zien.
'Ik heb je zus ontmoet en de pastoor.'
Ze praten over Julie, over Jeff.
'Heb jij die foto nog? Van die vogel die tussen de kogels vliegt?'
'Die hangt er nog.'
'En het plafond met al die gloeilampen?'

Steeds weer een peertje erbij. Langzaam komen de details weer boven, de keren dat ze de slappe lach kregen.

Ze gooit haar hoofd achterover, spert haar ogen open, strekt een lange arm naar de hemel.

'Heb je die maan gezien, het lijkt wel of ze huilt...'

Ze herinnert zich dingen die hij is vergeten.

'Jij bent mijn mooiste deel...'

Dat zegt ze.

Tegen hem kan ze alles zeggen.

Over *Anamorphose* spreken ze niet. Maar *Anamorphose* hangt tussen hen in, vervlochten met het wezen van hun relatie.

Ze wisselen een lange blik.

Vijf jaar geleden heeft hij het manuscript in het postbakje gelegd en zij heeft het eruit gehaald voor de postbode kwam. Ze heeft niets tegen hem gezegd, ze wilde het hem later teruggeven, dan zou hij blij zijn dat hij het weer had. Nog de vorige avond had hij haar verteld over dat prachtige verhaal en over het lot van de schrijver die schreef en stierf. Hij was van zijn stuk, wist niet wat hij moest doen. Hij had een tekst maar hij had geen schrijver meer. De moeder van Selliès zou het allemaal een zorg zijn en hij had besloten het haar terug te sturen. Maar wat zou zij ermee doen?

Mathilde nam het manuscript mee naar de blauwe kamer.

Ze had het nog niet gelezen.

Het was een stevige, bruine enveloppe van dertien in een dozijn.

Ze legde hem op tafel.

'Neem je het me kwalijk?' vraagt ze.

Hij antwoordt niet.

Hij staat op, legt zijn hand in haar nek, streelt haar zacht.

'Ik ga iets voor je maken.'

Hij verdwijnt in het schip.

Zij volgt hem. Hij heeft vijgen uit een schaal gepakt en snijdt ze met een dun mes doormidden.

Ze gaat aan tafel zitten. Hij heeft de langzame motoriek van mensen die op boten wonen.

Hij laat boter smelten in een pan en legt de stukken vijg in de warme boter. In een andere pan verwarmt hij honing met citroen en dan daarop de vijgen. Het hoeft maar een paar minuten.

Twee bolletjes vanille-ijs, één per bord.

Ze gaan terug naar het dek. Ze eten zwijgend. De vijgen zijn lauwwarm, het ijs is koud. Even later staan er twee lege borden op de tafel, met twee lepels.

La Jogar leunt over de reling, ze kijkt naar de rivier, naar de stad aan de overkant, de lichtjes.

Odon heeft haar geleerd de sterren te herkennen, hun nauwkeurige positie in de zomernacht op het dek van de aak.

Ze wijst, noemt de namen.

'Ik ken je lichaam even goed als de hemel.'

Ze zegt het heel zachtjes.

Hij gaat vlak achter haar staan, ademt de zoete geur van haar nek in.

'De rivier was nog nooit zo mooi als dat jaar, omdat wij bij elkaar waren.'

Hij voelt dat ze glimlacht.

'Kan ik hier blijven slapen?' vraagt ze.

Hij legt zijn handen op haar schouders, slaat ze om haar heen.

Hij schudt van nee.

Hij maakt zich van haar los, zet de asbak op tafel, gaat achter de piano zitten, speelt een oude hit van Bob Dylan.

De tafel was tegen het raam geschoven in de blauwe kamer. Een lamp met een glazen kap.

Mathilde ziet het allemaal voor zich. Ze ging zitten, *Anamorphose* voor zich, ze las het begin.

De eerste zin sleepte de volgende mee.

Het werd donker. Ze deed de lamp aan.

Het was een meedogenloos verhaal, dat beviel haar. Het was ochtend toen ze het uit had.

Ze weet niet meer hoe ze ertoe kwam om te gaan corrigeren.

Op de gedachte kwam. Wanneer was ze daar precies mee begonnen? Had ze voor het eerst een potlood gepakt en iets doorgestreept? Bij welk woord?

En wat wilde ze daarmee?

Ze weet dat ze die eerste avond niets heeft veranderd. Dat begon pas de volgende dag.

Het grijze potlood lag in de la. Ze pakte het, rolde het tussen haar vingers. Het was nog bijna nieuw. Het papier was van slechte kwaliteit, het potlood pakte slecht.

Ze onderstreepte een eerste woord, verving het door iets anders. Toen ging het door. Dagenlang. Ze vroeg zich niet af of het goed of slecht was wat ze deed. Het was een soort noodzaak. Ze spitte de tekst uit, zag wat eraan ontbrak en voegde dat toe, de nuances, de ziel. Toen ze opkeek was het nacht aan de andere kant van het raam. Ze wist niet waarom ze deed wat ze deed, noch waartoe het zou leiden.

Overdag wachtte ze op de avond, als ze weer aan de slag kon gaan. Haar hele leven was nu hierop gericht.

Ze had wel eens overgegeven.

Ze zag de dagen voorbijgaan, de uren vervliegen. Ze viel uitgeput in slaap met het gevoel dat er nooit een eind aan zou komen.

Op een dag las ze de tekst weer over en wist dat het af was.

Anamorphose was geschreven.

Zoals het geschreven moest worden.

Ze stapelde de blaadjes op elkaar. Legde haar handen erop. Besefte dat de klus geklaard was.

En nu?

Ze deed er weken over om de tekst te leren. Ze las *Anamorphose* hardop, hele zinnen die ze herhaalde en herhaalde en aan elkaar verbond.

Dat gebeurde in haar kamer of buiten. Ze liep. Ze reciteerde, een sombere, treurige dreun. Het ging erom de woorden te onthouden. De toon zou later komen.

Er gingen dagen voorbij dat ze niemand zag. Ze verwaarloosde zichzelf, maakte zich niet meer op, droeg steeds dezelfde vormeloze jurken. Odon belde, hij wachtte op haar, ze kwam niet, of later.

Vergat het.

Op een avond kwam ze op de aak en legde het manuscript op tafel.

Ze zei niets. Had de kracht niet meer.

Ze was vermagerd.

Hij keek naar haar. Haar mond was vermoeid, haar armen hingen langs haar lijf.

Hij pakte het manuscript. De eerste pagina was blanco. Hij las de titel, *Anamorphose*.

Hij begreep alles. Meteen. Hij zag het postbakje, de bruine enveloppe.

Hij begon te lezen. Ze bleef staan aan de andere kant van het bureau, onbeweeglijk.

Zij verroerde zich niet.

Hij las door.

Zijn lippen werden kurkdroog. Hij herkende de woorden van Selliès. Al snel. Hij wist dat het zijn tekst was, maar het was iets anders geworden.

Mathilde bleef staan, al de tijd dat hij las. Hij zei niet dat ze moest gaan zitten. Ze had het ook uit zichzelf kunnen doen.

Het lezen nam meer dan een uur in beslag.

De laatste pagina was blanco.

Hij sloot het manuscript.

Hij keek op naar Mathilde. Door de open patrijspoort kwam wat frisse lucht naar binnen.

Hij bleef haar aankijken.

Ze hief haar hoofd op. Ze was doodsbleek.

En wat ga je nu doen?

Ik ga het spelen, is wat ze zei.

Hij wist dat dit haar antwoord zou zijn. Dat geen ander antwoord mogelijk was.

Hij pakte een sigaret uit zijn pakje.

Je moet de tekst leren voor je kunt spelen.

Ze legde een hand op haar buik, daar zaten de woorden, ze hadden zich al ingesponnen. De woorden, in haar vlees en in haar hoofd.

Ik ken de tekst.

Ze gaf hem de tijd dat goed tot zich door te laten dringen.

Je bent gek.

Gek van wat?

Hij schudde langzaam zijn hoofd.

Je had het recht niet... was alles wat hij uit kon brengen.

Ze maakte haar vingers los.

Deze tekst mocht niet vernietigd worden.

Dat ze hem uit het hoofd kende, was niet genoeg. Haar wachtte een nog zwaardere taak. Vergeten. De omgekeerde weg volgen, opdat de tekst niet meer iets ingeprents was. Alleen dan zou ze hem kunnen spelen.

Hoe moest ze haar voeten zetten, hoe haar stem plaatsen. Die weg kon ze niet alleen gaan.

Ze had hem nodig.

Ik heb je nodig. Dat zei ze.

Odon leerde het haar. Om haar niet kwijt te raken of om haar nog wat langer te houden. Een paar maanden. Een week.

Ze troffen elkaar 's avonds in het theater, alleen, als iedereen weg was. Er werd urenlang bezeten gerepeteerd.

Zij droeg voor. Als ze niet meer kon, dwong hij haar door te gaan. Want als ze uitgeput was, gaf ze het beste van zichzelf.

Soms waren ze te moe om naar huis te gaan, dan gingen ze naar boven, sliepen in de kamer daar. Een paar uur. Mathilde werd wakker, zette koffie, ging weer met de tekst in de weer. Ze was wanhopig over haar stem. Het was nacht of ochtend. Hij vond haar op het toneel.

Ze vreeën om hun vermoeidheid te vergeten.

Om te vergeten dat wat ze deden hen ook van elkaar zou scheiden.

Hij was haar leraar en haar minnaar. Als hij bij haar binnendrong, voelde hij *Anamorphose* kloppen.

Dat ging weken zo door. Hun repetities kregen de geur van zweet en sperma.

Zij onthield alles wat hij haar leerde. Ze begreep wat hij zei, zijn woedeaanvallen, zijn raadgevingen.

Ze werkte aan haar stem, alleen, als hij er niet was.

Toen hij op een avond in het theater kwam, stond ze op het toneel, voor de lege zaal, en droeg *Anamorphose* voor.

Hij kwam geluidloos dichterbij. Ze had hem niet binnen horen komen.

Hij luisterde, tegen de muur geleund.

Het was mooi, het bruiste van energie. Ze had hem niet meer nodig. Hij was haar kwijt. Dat besef drong met vlijmende zekerheid tot hem door. Ze ging weg.

Hij kwam uit het donker tevoorschijn. Hij spreidde zijn armen. Hij glimlachte om niet te kermen. Zij begreep wat hij begrepen had en leunde tegen hem aan en huilde.

Later zal ze de titel, *Anamorphose*, veranderen. Ze noemt het stuk *Ultimes déviances*. Uiterste Aberraties.

EEN GROOT PUBLIEK heeft de binnenplaats van het klooster Saint-Louis in bezit genomen. Odon staat te praten met Julie Brochen en Bruno Tackels. De eerste is actrice en regisseur, de tweede schrijver en dramaturg. Iedereen is hier bijeen om deel te nemen aan de generale staten van de cultuur. De inwoners van de stad, gewoonlijk nogal teruggetrokken, zijn erop afgekomen. De *intermittents* willen nieuwe ideeën opdoen en vooruitgang boeken met hun actie. Alles moet anders. De weg naar het theater moet herontdekt worden, opnieuw uitgevonden, volgend jaar een ander festival.

Maria voegt zich in de menigte. Trekt erdoorheen.

Op het grote plein weigeren woedende festivalgangers de pamfletten van een groep die speelt. Ze zwaaiden met borden, noemen zich *spect-acteurs*, gast-acteurs.

Maar het wordt routine. Het vuur is eruit. Gezelschappen zeggen het festival vaarwel en trekken langs de hoofdstraat de stad uit. In ballingschap. Maria neemt foto's, brengt de slogans in beeld. Ze luistert. De cultuur moet bruisen, iets levends worden waarin alles zich vermengt en tegenspreekt.

Ze verdwaalt in de stad.

Te veel mensen, te veel lijven. De gezichten glimmen, druipen. De lichamen die ze tegenkomt, laten sterke geuren achter in hun kielzog. Tranen en zweet, alles door elkaar. Een zittende man in gestreepte korte broek. Een sloffende vrouw met rode wangen, haar tas bungelend in haar hand.

Maria wil niet dat ze haar aanraken. Ze drukt zich tegen de muren, zoekt de schaduw.

Ze neemt foto's waarop het gewoel van lichamen te zien is.

Ze fotografeert ook het afval dat de stad op de trottoirs achterlaat.

RUE DES TEINTURIERS. De wijk van de schepraderen. Bloemen voor de ramen, houten luiken, gebeeldhouwde stenen banken.

Achter een gesloten raam hangt een rood hemd op een knaapje. Linnen schoenen hangen te drogen op een balkon.

De platanen hebben hier korte stammen.

De zaal Benedictus XII.

De kapel van de Broeders Penitenten.

Julie en de jongens zitten op de rand van een trottoir pizza's te eten. Ze hebben urenlang gefolderd. Julie heeft nog flyers over. Greg kankert op de troep die ze in de pizza's stoppen.

'Vlees van vechtstieren! Weet je hoe die beesten aan hun eind komen?'

Damien leunt over de balustrade en kijkt naar het miezerige stroompje water van de Sorgue.

Julie komt naast hem staan.

'Gaat het?'

'Jawel...'

Ze hebben weer ruzie gehad. Ze wil met hem praten, of een eind maken aan een gesprek dat de vorige dag is begonnen. De toon is afstandelijk. Julie is geërgerd. Ze gaan weg, ieder zijns weegs.

's avonds komt het publiek in groten getale naar de Dolle Hond. Odon doet de deuren op slot. Verspilde moeite, de stakers zijn elders.

De voorstelling begint.

La Jogar zit in de zaal, onopvallend, ze heeft een stoel achterin gekozen. Ze wil het werk van Odon zien. Ze weet ook dat zijn dochter speelt.

Twee mensen gaan weg en laten hun stoel klappen.

Aan het slot pakt Julie de hand van de jongens.

'Dit was een stuk van Paul Selliès!'

Dat zegt ze.

De hele zaal applaudisseert.

Maria huivert van geluk.

La Jogar verlaat het theater zonder dat iemand haar opmerkt.

De jongens gaan douchen.

Julie zoekt de bloemen bij elkaar, het vingerhoedskruid. Ze vouwt ze in een krant en gooit die in de vuilnisbak.

'Waarom zei je dat?' vraagt Odon als hij haar in de kleedkamer treft.

'Wat bedoel je?'

'Dat het een stuk van Selliès was.'

Ze haalt haar schouders op. Ze weet het niet.

'Het kwam zomaar bij me op,' zegt ze.

Maria komt naar hen toe. Ze heeft foto's gemaakt van de voorstelling, ze laat ze hun zien op het schermpje van haar toestel.

Odon buigt zich eroverheen. De jongens. Zelfs Jeff. De ouvreuse komt met een bos rozen voor Julie.

Het zijn verse gele rozen. Tussen de stengels zit een enveloppe. Dit is de eerste keer dat Julie bloemen krijgt. Ze maakt de enveloppe open. Haar gezicht versombert. Ze laat het boeket op tafel liggen.

Ze wijst naar de groene polo van Maria.

'Die had je niet aan mogen doen!'

Niemand begrijpt het.

'Weet ik...' stamelt Maria.

'Waarom doe je het dan, als je het weet?'

'Ik weet het nog maar pas...'

Julie haalt haar schouders op. Met een beweging van haar kin wijst ze haar vader op de bloemen.

'Als je bloemen wilt...'

Het visitekaartje is op de grond gegleden. Odon bukt zich en raapt het op.

Hij draait het om. Een paar woorden in blauwe inkt: Je was heel ontroerend, heel mooi, bedankt! Daarachter de handtekening van La Jogar, hoog en breed.

ODON HEEFT MATHILDE niet in de zaal gezien, maar de ouvreuse heeft hem verteld dat zij er was en dat ze bij de balie een boeket had afgegeven.

Hij heeft op het plein naar haar gezocht.

Hij gaat terug naar zijn aak.

Hij gaat de vijf treden af naar het ruim. De zesde heeft het begeven. Jeff had hem al lang zullen repareren.

Het ruim is zijn hol. Twee leunstoelen. Boeken.

Hij legt een plaat op de draaischijf, plukt het bolletje stof van de naald, gekraak in de luidsprekers.

Hij laat de arm zakken, een schurende stem, klaaglijke tonen, Maria Bethânia. 'Soledad'.

Een stem als een tweede huid.

Een lied van lijden en loutering. Schrijnende liefde.

Daar luisterden ze samen naar.

Op de deur zit met een punaise een foto van Mathilde. Ze zit op het bed, in het rode licht van kaarsen, de schoonheid van een bedelares. Alle andere foto's heeft hij weggehaald. Bij deze kon hij dat niet.

Hij laat zich in een stoel vallen. De rugleuning heeft in de loop van de jaren de vorm van zijn lichaam aangenomen, een brede afdruk in het versleten fluweel en schroeiplekken van sigaretten in de armleuning.

Hier hebben ze de laatste nacht op het schip samen zitten drinken, Mathilde en hij, ze dronken om uit elkaar te kunnen gaan.

En hij de volgende nachten alleen. Hij sloot de patrijspoorten af met karton. Ze had haar kleren meegenomen, haar lach, het licht. Ze had de aak beroofd van haar lichaam. Hij wilde zijn liefde verdoven met alcohol, een kater bezorgen, hij dacht dat het zo zou lukken, met alcohol, en dat hij dan verder kon leven.

Het lukte niet.

’s Nachts zocht hij haar. Zijn lichaam werd gek. Hij balde zijn vuisten, duwde die tegen zijn buik. Hij streelde zichzelf om haar strelingen terug te vinden, bezorgde zichzelf een orgasme, het was louter pijn, hij dacht dat hij eraan crepeerde.

Hij crepeerde niet. Hij werd een schim.

Een geamputeerde.

Een weduwnaar.

Op een dag ging de telefoon, zij was het. Ze zei: Ik zou graag willen dat jij *Anamorphose* zou publiceren.

TWAALF UUR OP de Place des Corps-Saints die blakert onder een loodrechte zon. De tafeltjes staan in de schaduw onder de platanen. La Jogar luncht met Phil Nans, de directeur van het Minotauretheater en drie andere acteurs.

Toeristen slenteren lusteloos in de nog altijd onverdraaglijke hitte.

Uit een deur duiken acteurs op, gehuld in zware mantels, handschoenen en mutsen, en ze smeken luid om regen, om sneeuw, als er maar eindelijk iets kouds uit de hemel valt. Ze halen zakken vol confetti tevoorschijn en gooien die omhoog.

Het water van de fontein wordt bedekt met confetti. Daartussen drijven een paar flyers en plastic zakjes. Voorbijgangers herkennen La Jogar en nemen foto's. Ze laat hen begaan. Een handtekening, een enkel woord? Wat kan ze schrijven? Groeten? Dat gaat niet. Bedankt kan ze schrijven. Bedankt dat ze hier kan zijn.

De mensen blijven om haar heen hangen. Wat zoeken ze in haar? Putten ze hun dromen uit wat zij hun geeft? Mannen begeren haar.

'Als ik buitenkom, ben ik van hen.'

Phil Nans buigt naar haar over, fluistert in haar oor: Misschien denken ze dat wij minnaars zijn...

Ze blijft ernstig.

'Maar dat zijn we ook, dat spelen we immers!'

Ze kijkt naar hem. Hij is knap, heeft een sensuele mond. Ze zou een keer met hem moeten slapen, hem één avond beminnen, luchtigjes, speels. Ze heeft het nooit gekund.

'En verder?' vraagt Phil.

'Wat verder?'

'Wat zijn we als we niet spelen?'

Ze gaat met haar nagel langs de schaduw op het tafelkleed. Haar nagels zijn roze gelakt. Een vod in de wind, dat is het beeld dat bij haar opkomt als ze wil zeggen wat ze is als ze niet speelt.

'Als ik niet speel, ben ik niets.'

Ze wendt haar hoofd af, kijkt naar de dikke nekken, de gekreukte hemden, een joch dat huilt bij de fontein.

Festivalbezoekers die staan te wachten voor de deuren van het theater Les Corps-Saints worden ongeduldig. Een acteur gekleed als een stalknecht komt een deur uit en stuit op de hitte. Een golf van woede zwelt aan in de menigte.

Onder de hitte zijgen lichamen op het trottoir, worden blikken leeg. Een man met een weke buik wandelt rond, zijn T-shirt tot zijn oksels opgerold.

La Jogar kijkt weg.

Ze staat op, excuseert zich.

'Ik ga terug naar het hotel.'

Een schamele stoet steekt het plein over. Stakers met een band over hun mond. Uit hun gesnoerde monden stijgt een naargeestig gezang op.

JEFF HEEFT EEN vis in een kom gevonden met een simpel etiket erop; Nicky heet hij.

Achtergelaten op de trappen van het theater.

De wanden van de kom zijn ondoorschijnend.

'Hij wil niet zwemmen,' zegt Jeff.

'Alle vissen zwemmen,' zegt Maria.

Deze drijft.

Jeff gaat met zijn vinger naar haar mond, raakt de ring door Maria's lip aan.

'Waar is dat voor?'

'Nergens voor.'

'Dus net als het raadsel van Einstein...'

Hij legt het uit, tekent met zijn vinger vijf huizen op haar bovenbeen, wijst de verschillende daken aan.

'Die vijf huizen hebben niet dezelfde kleur. In elk huis woont iemand van een andere nationaliteit. Iedere bewoner heeft een lievelingsdrank, een tabaksmerk en een huisdier. Niemand heeft hetzelfde huisdier, rookt dezelfde tabak of drinkt dezelfde drank.

Hij pakt een blaadje uit zijn portefeuille. Een bladzijde uit een ruitjesschrift.

Hij kijkt Maria aan.

'Doorgaan?'

Ze knikt.

Hij leest wat er op het papier staat.

'De Brit woont in het rode huis. De Zwitser heeft een hond. De Deen drinkt thee. Het groene huis staat links van het witte. De bewoner van het groene huis drinkt koffie.'

Hij leest langzaam voor.

Julie en de jongens arriveren en hurken om de vis. Odon leunt tegen de muur, zijn armen over elkaar.

Jeff geeft het ruitjesblad aan Maria.

Het raadsel gaat nog lang verder. Ze leest het voor zichzelf.

Degene die Pall Mall rookt heeft een vogel. De eigenaar van het gele huis rookt Dunhill. De bewoner van het middelste huis drinkt melk. De Noor woont in het eerste huis. Degene die Blend rookt, woont naast de eigenaar van een kat. De eigenaar van het paard woont naast de Dunhill-roker. Degene die Blue Master rookt, drinkt bier. De Duitser rookt Prince. De Noor woont naast het blauwe huis. Degene die Blend rookt heeft een buurman die water drinkt.

'Het gaat om de eigenaar van de vis, die moet je vinden,' zegt Odon met vermoeide stem.

Julie haalt haar schouders op.

'Hij heeft ons Luculus beloofd als we de oplossing vinden.'

Greg gaat naast Maria zitten.

Hij zegt dat Luculus een van de bekendste restaurants van Avignon is.

'Dat belooft hij dus, omdat hij weet dat niemand het vindt...'

Maria glimlacht en stopt het papier in haar zak.

MATHILDE KWAM IETS meer dan een uur geleden. Ze had van tevoren gebeld.

Isabelle perst sinaasappels uit in glazen. Ze heeft haar ogen opgemaakt; korreltjes mascarastof zijn op haar wangen terechtgekomen.

Het ruikt in de salon naar wentelteefjes, honing en suiker. De sneetjes liggen op borden met trossen aalbessen. Op de borden staan afbeeldingen van de zeven dwergen. Die gaan nu schuil onder de wentelteefjes.

Er staat een glazen schaal met fruit, perziken, abrikozen, mirabellen.

Ze praten zacht. Een traag gesprek, lange blikken en geduld. Weerzien.

Mathilde heeft haar haar los.

Alles hier is haar vertrouwd, de geuren, de dingen, zelfs het ouder geworden gezicht van Isabelle.

'Je huis was altijd mijn toevluchtsoord...'

Isabelle glimlacht.

'Toen je thuis wegging, ben je hier gekomen.'

Vervolgens is ze naar Lyon gegaan en tien jaar later kwam ze terug... Voor Odon. Ze was dertig.

'Jij hebt mijn eerste toneelkostuum genaaid.'

'Toen je vader dat ontdekte, wilde hij niet dat je hier nog kwam.'

'Maar ik kwam wel weer...'

Ze spreekt over de jaren op het internaat.

Isabelle wrijft haar handen tegen elkaar.

'Je moeder wist dat je op toneelles zat.'

Mathilde kijkt op.

'Hoe was ze daar achter gekomen? Heb jij het haar verteld?'

'Nee. Ze heeft het geraden. Volgens mij was ze nog trots op je ook, dat je je verzette tegen je vader.'

Mathilde zwijgt een hele poos. Ze ziet het gezicht van haar moeder voor zich, de afstandelijke blik, toonbeeld van eendracht met haar vader.

'Ik loog en zij wist het...'

'Je loog niet, je stelde je teweer,' zei Isabelle.

Moeders moeten dus eerst sterven...

Het was geen erg leuke moeder. Mathilde heeft nooit 'ik hou van je' tegen haar gezegd. Hield zij van haar? Op een avond kwam ze thuis, haar vader was in de salon. Over de leuning van een stoel hing een nieuw internaatsuniform. Hij zei niets. Wees slechts met zijn vinger. Hij keek niet op van zijn krant.

Het was niet gemakkelijk tussen die twee op te groeien. Dat moest wel een verlangen naar elders opwekken.

'Hij heeft me flink laten boeten voor die toneellessen.'

Isabelle legde haar hand op Mathildes arm.

'Toen je kwam, zette je daar, bij de deur, je tas neer en zwoer je dat je je nooit meer tot iets zou laten dwingen.'

Ze praten over de teddybeer en de pop. Isabelle heeft ze achter dat raam gezet toen Mathilde naar Lyon vertrok. Twintig was ze toen. Ze wilde dat Monsols zich zou schamen als hij door de straat kwam.

'Denk je dat hij hier ooit langskomt?'

Isabelle heeft geen idee.

Ze raakt haar hand weer aan, alsof dat helpt om verder te spreken.

'Ik hoorde je 's avonds lopen, tot laat in de nacht, ook in de gang, en je begon 's ochtends vroeg weer. De honger dreef je naar buiten.'

'Ik was helemaal mesjogge van die tekst,' zei Mathilde.

Mesjogge, ja, misschien, maar het werk sterkte haar. Het heelde haar wonden.

Isabelle beweegt haar hand naar haar gezicht.

Ze wil het over Odon hebben. Het zit in haar stiltes. In haar blikken ook, als ze haar ogen neerslaat. Tot in de aarzelende manier waarop ze haar glas streelt.

'Het gaat beter met Odon...' zegt ze ten slotte.

Mathilde glimlacht stilletjes.

'Ik heb hem ontmoet.'

Ze vertelt iets over de avond op het schip, de gebaren, de nog altijd diep verankerde tederheid tussen hen.

'Het was zo mooi, wat jullie samen hadden,' zegt Isabelle. 'Mis je het niet?'

Er glijdt een glimlach over Mathildes gezicht. Soms mist ze Odon, zijn tederheid, zijn liefde ook, de omhelzing van zijn zware lichaam.

Ze glijdt met haar lepel over het wentelteefje.

'Liefde is een eiland, ga je eenmaal weg, dan kom je niet meer terug.'

Ze staat op, loopt naar het raam. Insecten gonzen driftig in de planten op het balkon. De bladeren schroeien van al die zon.

Isabelle komt bij haar staan.

'En nu, is er nog liefde?'

'Jazeker... liefde voor mijn vak, voor de woorden, voor mijn vrienden. Ik hou van de aarde, de natuur...'

'En mannen?'

'Soms ook. Ik hou zo van mannen dat ik ze alleen met passie kan liefhebben... Maar ik heb er ook snel weer genoeg van. Ze kosten me te veel tijd en energie.'

Ze zucht. Hartstocht is een snel rijpende vrucht die gauw afvalt en... gaat rotten.

Dat zegt ze en ze lacht luid.

Ze pakt de kleine gieter, giet wat water in de potten. Het vocht wordt meteen opgezogen, het is of het van de aarde wordt afgerukt en verdampt.

Ze komt weer naar binnen, duwt het raam dicht om de warmte buiten te houden.

'Er liggen nog spullen van je boven....' zegt Isabelle.

‘Vind je het vervelend om ze nog even te houden?’

‘Nee… Wil je je kamer nog zien?’

‘Nee, later, een andere keer… Ik kom terug.’

Mathilde gaat de keuken rond, vindt terug wat ze kende, de dingen, sommige zijn verdwenen. De grote spiegel met de roestvlekken.

Ze kijkt naar het uitzicht over de daken.

‘Mag ik?’ vraagt ze als ze voor de slaapkamer van Isabelle staat.

Ze duwt de deur open. De meubels staan rond het bed, dicht opeen, een fauteuil, een ladekast, het tapijt, de tafel, alles vlak op elkaar. Een groot hemelbed. De rest van de kamer is leeg. Het naakte parket, zonder iets.

Boeken op het nachtkastje. Een leerboek Chinees.

‘Leer je Chinees?’

‘Ik ken al meer dan honderd tekens,’ antwoordt Isabelle.

Vlak bij het bed hangt een vogel aan een draad. Mathilde draait hem om in haar hand.

De mobile van Calder…

De kunstenaar heeft hem aan Isabelle geschonken toen hij een paar dagen bij haar logeerde, in 1961. Hij had een conservenblik van straat meegenomen. Hij zei dat er een vorm in het blik gevangenzat. Hij pakte een tang en ging aan het knippen. Een paar rode schijven, platte, afgeronde vormen, een volmaakt evenwicht. En in het witte ovaal van een vleugel had hij ‘voor Isabelle’ geschreven.

LA JOGAR BESTUDEERT haar gezicht in de spiegel van haar kleedkamer. Haar vochtige hals. Ze strijkt met haar hand langs haar nek, laat haar hoofd tegen de rugleuning van de stoel rollen. Odon spreidde haar dijen, tilde ze op, maakte sterke geuren uit haar los.

Pablo komt naar haar toe, steekt haar haar op en zet het vast met zwarte spelden.

'Waar denk je aan?'

'Aan niets...'

Over een paar minuten moet ze op. Het ziet ernaar uit dat de stakers er genoeg van krijgen en dat er vanavond gespeeld kan worden.

Pablo wrijft zijn handen warm en druppelt wat olie in zijn palmen. Eucalyptusgeur.

Hij masseert haar nek.

Ze sluit haar ogen.

'Pablo... geloof jij in liefde voor het leven?'

'Nee, schoonheid. Dat wordt ons van jongs af aan verteld, maar waar je gisteren van hield, is morgen saai.'

Schoonheid, zo noemt hij haar soms. Ze zucht. Het lichaam veroudert, gevoelens slijten en verschrompelen.

'Dus ons staat niets dan ellende te wachten?'

Hij doet haar kraag weer omhoog.

'Ja... De tijd gaat voorbij, we worden beklagenswaardige wezens en we gaan eenzaam op weg naar het einde. Als flikker leer je dat al heel vroeg.'

'Wat moet je dan?'

Hij masseert haar slapen, haar schedel.

'Neem minnaars, de een na de ander, en leef erop los zolang het nog kan.'

Ze denkt aan de minnaars die ze had kunnen hebben.
Ze denkt aan Isabelle.
'Ik heb vandaag een oude vriendin opgezocht, ik heb vroeger bij haar gewoond.'
'*Vroeger* is een sprookjesland,' zegt Pablo.
Hij veegt zijn handen af aan een doek, werpt een blik op de klok, ordent de poeders en crèmes waar de tafel vol mee ligt.
Komt het doordat ze in deze stad is? Ze heeft het gevoel dat niets haar meer lukt.
Ze denkt aan Jeff, die haar niet groet. Aan haar vader, die wacht tot zij de eerste stap zet.
'Pablo, zeg eens eerlijk... word ik een pathetisch geval?'
Hij leunt met zijn rug tegen de tafel, zijn armen gekruist voor zijn borst.
'Nog niet.'
Ze glimlacht. Pathetisch, dat zou ze onverdraaglijk vinden.
'En hoe is het met je schone schipper?' vraagt hij.
La Jogar staat op.
'Hij is geen schipper.'
'Maar wel knap?'
Ze rekt haar armen uit, eerst in de hoogte en dan achter zich, ze laat haar gewrichten kraken.
Ze slaakt een diepe zucht.
'Meer dan knap...'

MARIA DOET DE ijskast open, kiest een kuipje yoghurt en lepelt het staande tegen het aanrecht uit.

'U zou dat niet meer moeten doen,' zegt ze terwijl ze Isabelle aankijkt.

'Dat? Waar heb je het over?'

Ze haalt haar schouders op.

'U gaat 's nachts de slaapkamers binnen, u tekent een kruisje op hun voorhoofd...'

Isabelle grijnst.

'En waarom zou ik dat niet moeten doen?'

'Ze zullen u nog eens aan een paal binden en verbranden.'

Isabelle buigt geamuseerd haar hoofd opzij.

'Dat doen ze niet hoor.'

Er staat een naaidoos op tafel, naalden en draad. Haar jurken zijn oud, de zomen laten los. Soms de knopen. Ze zoekt in het doosje met garenklosjes, haalt er een grijze draad uit.

'Ik heb u gewaarschuwd,' zegt Maria.

Isabelle denkt dat de nachtkruisjes haar gasten in hun slaap beschermen.

Ze strijkt over de stof, er vliegen een paar pluisjes op. Haar handen zijn leeftijdloos. Ze zijn sinds enige tijd koud en vochtig.

'Hoe vond je het stuk van Odon?'

'Niet slecht.'

Isabelle kijkt haar aan over haar bril.

'Heb je hem dat gezegd, dat je het niet slecht vond?'

'Ja.'

'En?'

'En niks.'

Ze zegt niet dat het stuk van haar broer is. Daar praat ze niet over.

Isabelle zet de knoop weer aan. Ze bijt de draad door. Ze ruimt de naalden, de schaar en het garenklosje op. Ze doet alles in de naaidoos, de restjes stof in een tas.

'Odon is een vriend van me, wist je dat?'

'Ik weet het.'

Isabelle doet de naaidoos dicht. Haar handen liggen onbeweeglijk op de stof.

'Zul je dat nooit vergeten?'

Maria antwoordt niet.

Isabelle raapt de draadjes op tafel bij elkaar.

'Maar vertel me nu eens over je foto's. Fotografeer je al lang?'

'Een paar jaar...'

'Mag ik zien wat je het laatst gemaakt hebt?'

Maria aarzelt niet. Ze staat op, zet het scherm aan. Ze laat de foto's zien die ze gemaakt heeft bij de voorstelling van *Nuit rouge*, Julie alleen op het toneel, dan Julie met de jongens. Een beeld van de lege zaal.

Een actrice met een sjaal als muilkorf, een draad waaraan pamfletten zijn opgehangen: 'Het publiek is ook kunstenaar', 'Het In is Off'...

'Deze vind ik mooi,' zegt ze en ze wijst op het meisje dat uitgeput tegen de muur van het paleis zit.

Isabelle kijkt aandachtig.

'Je moet de beste foto's afdrukken en laten zien. Het heeft geen zin om te fotograferen als je het niet met anderen deelt.'

MARIA ZET HET scherm uit. Isabelle gaat weer aan tafel zitten.

Het is warm, ondanks de dichte luiken.

Maria heeft geen zin met deze hitte naar buiten te gaan. Ze blijft in de keuken, leest het Einsteinraadsel nog eens over.

Elk woord telt, altijd, zei haar broer, je moet ze aandacht geven en er de tijd voor nemen.

'Odon heeft beloofd iedereen mee naar Luculus te nemen als iemand de oplossing vindt...'

Isabelle begrijpt niets van raadsels. Zij prefereert verhalen, maar ze wil best mee naar het restaurant.

Ze bedekt haar nagels met een laag rode lak.

'Foto's, Willy hield van foto's... Ken je Willy? Willy Ronis?'

Maria kent hem niet. Ze hoort het kwastje over de nagelbollingen glijden.

'Wie ken je op fotogebied?'

'Niemand. Doisneau, een beetje, door de postkalenders in de caravan.'

'Willy was leraar aan de kunstacademie in Avignon,' zegt Isabelle. 'Hij was net als jij, zwierf altijd op straat met zijn camera.'

Ze doet het flesje nagellak dicht. Nu ruikt het in het vertrek naar aceton en oplosmiddel.

'Ik heb drie foto's van hem. Er wordt tegenwoordig veel betaald voor het werk van Willy, maar ik zal ze nooit verkopen.'

Ze gaat de keuken uit en komt terug met een boek dat ze voor Maria neerlegt. Kroegtaferelen, straatjongens, het Parijs van Belleville en Ménilmontant.

'Als je belangstelling hebt voor fotografie, moet je Willy absoluut bestuderen. De anderen natuurlijk ook, maar Willy...'

Achter in het boek liggen de drie originelen. Een oude man

op straat, een kind dat aan het knikkeren is, en ten slotte een kat opgerold voor een kachel.

Isabelle wijst de handtekening aan.

'Die foto's zijn voor mij, ze hebben allemaal een opdracht.'

Een laatste foto zit in zijdepapier. Isabelle wikkelt het eraf.

'Mijn dochter,' zegt ze zachtjes.

Maria buigt zich over de foto.

'Ze is mooi.'

Isabelle streelt het gezicht.

'Ze is omgekomen bij het ongeluk van Japan Airlines, tussen Tokio en Osaka, het vliegtuig is tegen een berg gevlogen, dertig jaar was ze.'

Ze slaat het zijdepapier terug, doet het boek dicht.

Drukt het tegen zich aan.

Maria denkt aan de nachtelijke kruistekens op de voorhoofden.

Ze steekt haar hand uit, ze wil Isabelle aanraken, haar hart horen kloppen. Daar is ze altijd op uit, het kloppen van het bloed door de huid van anderen heen. Al op het schoolplein werd ze gewantrouwd. De andere meisjes gingen haar uit de weg, ze beklaagden zich over haar bij hun moeders, er kwam gedoe van. Haar broer legde het haar uit: Je mag alleen maar dicht bij het hart komen als je heel erg van iemand houdt.

Toen hij dood was, heeft ze haar hand op zijn borst gelegd, alleen maar stilte. Ze heeft overal gezocht, langs zijn hals, in het zachte vlees van de arm, ze heeft zijn buik gekrabd.

Stilte, louter stilte.

MARIA HEEFT NEGEN foto's uitgekozen en laten afdrukken, 24 bij 30, in zwart-wit. Ze legt ze voor Isabelle op tafel, eerst een voor een, vervolgens allemaal samen.

Een straat met theateraffiches waar een zwart kruis overheen is gezet, het woord 'Interluttants' geschilderd op golfplaat, foto's van voorwerpen en het plein voor het paleis met stakers die op de grond liggen.

Er zijn ook drie foto's van Julie en de jongens in de voorstelling, met het grote lamellengordijn en de moderne stad op de achtergrond.

Isabelle kijkt.

Ze buigt zich over de foto's.

Maria geniet van die tijd met haar. Ze geniet van haar stiltes, van haar geur, de geur van een wat vermoeide oude dame.

Soms vraagt Isabelle waar ze de foto genomen heeft, in welke wijk. Ze probeert een straat, een passage thuis te brengen. Ze vraagt zelden waarom. Het antwoord op waarom is altijd het moeilijkst.

De laatste foto, de beer en de porseleinen pop, de spijlen van het raam.

Isabelle kijkt er langer naar dan naar de andere.

Dan zet ze haar bril af.

Ze kijkt Maria aan alsof ze haar al heel lang kent.

'Al je foto's verwijzen naar een groter verhaal, een heel intiem verhaal.'

Ze staat op, zet het raam een beetje open. Uit een woning aan de overkant komt het geluid van een klopboor. Ze draait zich om.

'Je moet ze aan Odon laten zien; als hij ze goed vindt, kun je ze misschien in de hal van zijn theater exposeren.'

Ze komt weer naar Maria.
'En je moet ook meer rechtop staan, dat is belangrijk.'
Maria strekt haar rug.
Isabelle glimlacht: 'Dat is beter.'

JULIE EN DE jongens zitten samen in de kleedkamer; ze luisteren naar het persoverzicht dat de regisseur Jacques Rebotier elke middag verzorgt. De samenkomst duurt niet zo lang, maar ze zijn eraan gehecht.

Odon gaat naar buiten. Daar treft hij de pastoor aan het schaaktafeltje. Hij gaat tegenover hem zitten.

Hij kijkt somber.

'Waar denk je aan?' vraagt de pastoor.

'Aan alles wat ik zou willen doen en niet zal doen.'

'En?'

'En niks... Het stemt me treurig.'

Hij heeft ruzie gehad met Julie. Ze zegt dat hij rechts is. Dat steekt hem. Hij is niet rechts. Eerder links. Zij is echt links, idealistisch, sentimenteel, ze denkt dat de mens goed is.

Sinds enige tijd irriteert het hem, de goede bedoelingen, de broederschap. Soms denkt hij zelfs dat de mens inslecht, onbeduidend en jaloers is.

Wordt hij oud?

Dat zegt Julie ook.

Ze zetten de stukken klaar.

Ze spelen zonder te praten.

'Ik heb Mathilde gezien,' zegt de pastoor. 'Ze was in mijn kerk.'

Hij trommelt met zijn vingers op de rand van de tafel.

'We hebben amandelkoekjes gegeten in de sacristie. Ik ben met haar meegelopen het plein op, de hele stad heeft ons gezien.'

'IJdelheid...' gooit Odon eruit.

De pastoor beroert een pion, aarzelt, maakt zijn dame vrij. Een spottend lachje om zijn lippen.

'Je hebt gelijk... het heeft me trouwens een paar pittige onzevaders gekost en een aantal Ave Maria's. En jij?'
'Wat, ik?'
'Heb jij haar ontmoet?'
'Gaat je niks aan.'
'Dus je hebt haar ontmoet... Waar? In het theater?'
'Op de boot.'
De ogen van de pastoor lichten op.
'En?'
'Niks, we hebben koffiegedronken, gepraat.'
De pastoor zet een pion naar voren.
Julie komt het theater uit, haar handen diep in de zakken van een tuinbroek met waanzinnige kleuren. Ze komt vlak achter hem staan, slaat haar armen om zijn nek.
'Weet dat je met een oude rechtse bal zit te schaken?' vraagt ze.
'Weet ik...'
Ze werpt een blik op de partij. Ze speelt ook wel eens. Ze verliest vaak. Ze is niet voldoende op haar hoede, ze laat het ene stuk na het andere slaan.
'Weet je dat het weinig scheelde of we waren het enige theater in de stad dat open was?'
'Galilei stond ook heel erg alleen in zijn tijd, maar hij had ondertussen wel gelijk.'
Ze maakt haar armen los.
'Galilei, ja, dat de aarde rond was terwijl iedereen zei dat ze plat was...'
Nu komen ook de jongens naar buiten.
En Jeff, met de vis in de kom. Hij zet hem op de trede.
Hij hoopt dat er iemand langskomt en hem meeneemt.
Er stijgt applaus op van het aangrenzende plein, bijval dat gefluit overstemt.
Julie holt weg.
Odon moppert.
'Die gaat op geluiden af als een vlieg op honing...'

ODON VERVOLGT ZIJN schaakpartij met de pastoor. Maria komt met haar foto's, ze wil ze hem laten zien.

Ze wacht binnen.

Een regelmatig komen en gaan van toeschouwers, sommige kopen een kaartje voor de avondvoorstelling, andere komen alleen schuilen voor de hitte.

De caissière heeft verzorgde nagels, ze draagt een overhemdbloes met grote ruiten, een bril met dikke glazen. Het is of ze enorme ogen heeft.

Twee Japanse dames staan te wachten bij de deur. Ze hebben een witte huid. Ze kijken naar de zon zoals mensen naar stromende regen kijken. Durven niet naar buiten. Ze wisselen een paar woorden in een taal die op muziek lijkt. Plotseling zetten ze het op een lopen, met ingetrokken nek, een dun katoenen vestje ter bescherming over hun schouders geslagen. Ze steken het plein over, de zon is overal en hun voeten rennen door wat een gigantische plas lijkt.

Ze verdwijnen in de overdekte passage.

Maria gaat de vestibule weer in.

Rechts onder aan de trap is de plaats waar Isabelle het over had, een houten paneel waarop een paar foto's van eerdere voorstellingen en krantenknipsels zijn geprikt.

Maria gaat op de bank zitten.

De vloer is bedekt met rood tapijt. Haar schoenzolen zijn dun.

Isabelle zei: Meer rechtop, dat is belangrijk.

Ze recht haar rug.

Eindelijk komt Odon. Hij heeft haast. Hij wijst haar de plek voor de foto's. Hij weet ervan, zegt hij, Isabelle heeft hem gebeld.

Maria prikt haar foto's op en dan is er nog plaats over.
De caissière komt uit haar hok, ze vindt het jammer om gaten te prikken in zulke mooie beelden.
Maria bloost ervan.

DE DRAAIMOLEN OP de Place de l'Horloge draait leeg zijn rondjes. Hij voert alleen de paarden en de koetsjes mee, en de zon die brandt op de zadels en de paardenborsten.

Greg is daar, met Jeff en zijn grote vleugels.

'Je zou denken dat je op de pampa was!' zegt hij lachend.

Daar komen de jongens van Grote Odile, ze klimmen op de houten paarden, zonder kaartje.

'Heeft toch niemand last van!' roepen ze lachend.

Een processie van nepmonniken trekt psalmen zingend over het plein.

Maria gaat de McDonald's in. Ze bestelt een Big Tasty met bacon en een flesje Evian. Ze zoekt een tafeltje boven. Airconditioned.

Het is daar druk.

Ze eet en kijkt naar de gezinnen en de kinderen.

Ze drinkt het water.

Ze bladert in een tijdschrift dat iemand op een stoel heeft laten liggen.

Ze voelt aan de zwarte korstjes op haar armen. Al twee dagen heeft ze zich niet opengekrabd. Ze gaat naar buiten. Loopt de Rue de la Republique af, aan de schaduwkant, tot aan het Saint-Louisklooster. Platanen beschaduwen de binnenplaats. Ze zijn meer dan honderd jaar oud. De schors komt er in stukken af. In het water van de fontein staan flessen te koelen, de halzen steken erbovenuit.

Maria doopt haar handen in de fontein. Het water is fris. Ze steekt ze erin tot haar armen, haar vingers raken het groene mos op de bodem.

Ze laat haar armen drogen in de zon.

Een groepje schilders komt een lokaal uit, ze hebben witte bloezen aan en tekenportefeuilles onder de arm.

Maria loopt verder.

Onder de bogengang is een boekwinkel ingericht. Er staan tafels met boeken.

Tegen de muur een poster van Beckett en de paarden van Bartabas.

Ze leest de krantenstukken, recensies van voorstellingen, interviews met acteurs die ze niet kent.

Ze bladert door een fotoboek van Nan Goldin, naakte lichamen, blikken, nachtscènes, een man zittend op de rand van een bed in het harde licht van een spot. Het is genadeloos, maar het bevalt haar. Ze vindt het veel beter dan Willy Ronis.

Een standaard met de witte boeken van uitgeverij O. Schnadel. Het zijn allemaal toneelteksten die gespeeld zijn in de Dolle Hond. Een twintigtal in totaal. Binnenin zijn foto's afgedrukt. In een van de boeken herkent Maria de gevel, de kleedkamers, in een ander het toneel, de zaal. Odon Schnadel in de deuropening. Acteurs die de voorgaande jaren in de stukken speelden.

IN DE KEUKEN ruikt het naar olie en peper. De paprika's zijn gemarineerd in een kleine blauwe slabak. Groene en rode, die geserveerd worden met tomaten die ingelegd lijken.

Grote Odile gaat aan de andere kant van de tafel zitten, steunt haar hoofd in de handen.

'In augustus gaan de jongens naar de vakantiekolonie, de oudste twee gaan naar hun vader.'

Dat zegt ze.

Odon kijkt op. Zijn zus heeft een treurige trek om haar mond.

Ze heeft een man nodig, een man die genoeg van haar houdt om voor haar te zorgen, een ankerpunt in haar leven.

Odile krabt met haar nagel over de tafel. Komende winter gaat ze een advertentie zetten, vrouw met kinderen zoekt... Het zal niet gemakkelijk zijn, een nieuwe man in deze meute.

Esteban ligt te dutten op de divan. Hij heeft het warm, zijn wangen zijn rood, zijn nat gezwete haar plakt in zijn nek.

'De anderen zal het een zorg wezen, maar hij heeft werkelijk behoefte aan een vader,' zegt ze.

'Dat is niet waar, dat het ze een zorg zal wezen.'

Odile zucht, ze staat op, doet het buitenblind een beetje open.

'Bij wijze van spreken...'

Odon vist met zijn mes een rode paprika op. Er blijft een trage druppel olie aan kleven, vol met licht.

'Wat zijn dat voor bloemen?' vraagt hij.

Ze draait zich om. De lelies en gladiolen die ze uit hotel Mirande heeft meegenomen staan in de grote arcopalvaas. Een tikje verwelkt.

Ze heeft ook het snoepgoed meegenomen, voor de jongens. Ze heeft geen bad genomen. Ze is nog even op het bed blijven zitten. De bloemen waren aanlokkelijk.

Ze wil het er niet over hebben.

'Gewoon bloemen,' zegt ze.

Odon kijkt zijn zus aan.

Toen ze klein waren, hadden ze altijd ruzie, soms heftige knokpartijen. Toen volgden er jaren waarin ze totaal geen belangstelling voor elkaar hadden. In de loop van de tijd zijn ze weer nader tot elkaar gekomen.

Odile wendt zich af.

'Ik kende Mathilde lang voor jou.'

'Waarom zeg je dat.'

'Ik denk aan onze tienertijd.'

Ze gaat weer naar het aanrecht, laat de spoelbak vollopen met koud water.

'Ze kwam me afhalen, soms was jij er dan ook, kan niet anders, je zag haar niet...'

Esteban ligt nog altijd opgerold op de divan. Ze gaat naar hem toe, pakt hem op, zet hem op de rand van het aanrecht, zijn voeten in het koude water. Ze maakt kommetjes van haar handen en laat het water over zijn kuiten lopen, over zijn bovenbenen. De druppels glijden eraf.

Ze verfrist ook zijn gezicht.

Ten slotte doet ze zijn T-shirt uit, dompelt het in het water, wringt het uit en trekt het hem weer aan.

'Soms zeg ik bij mezelf dat ik me ook best had kunnen inschrijven voor een cursus, in plaats van naar haar te kijken als ze bezig was of bij de deur op haar te wachten.'

Haar stem is zwaar en traag.

Odon is verbaasd.

'Had jij op vioolles gewild?'

Ze droogt haar handen af aan haar schort.

'Op vioolles, of op dans, theater... Je weet toch niet wat je wilt zolang je het niet geprobeerd hebt?'

Esteban laat zich van het aanrecht glijden. Hij loopt naar Odon, drukt zijn vingers tegen elkaar, fluistert dat er vogels in zijn handholtes vliegen.

Odon zegt dat er niets is, dat de vogels die hij ziet er alleen voor hem zijn.

Het kind lacht. Zijn T-shirt kleeft aan zijn vel, er glijden druppels langs zijn naakte dijen.

Het gesprek verzandt.

Odile schenkt een glas water in. Ze zegt dat ze de verwarmingsketel moet laten nakijken voor de herfst. En ze moet schooltassen kopen voor het nieuwe jaar.

De wijkvereniging heeft een uitstapje naar de Camargue georganiseerd, misschien gaat ze mee.

MARIA HEEFT EEN grote doos op het trottoir gevonden.

Naast de vuilnisbakken. Een doos van dik karton, met een klapdeksel en een metalen sluiting. Het lijkt wel een hoedendoos. De binnenkant is glad, gecapitonneerd met donkere bloemenstof.

Maria neemt hem mee naar haar kamer. Ze zet hem op de matras.

Ze weet niet wat ze ermee moet.

Ze laat de doos maar staan.

De korsten op haar armen zijn opgedroogd. Ze heeft geen neiging meer om ze weg te krabben. Sommige zijn afgevallen. Als ze er met haar vinger overheen gaat, voelt ze het zachte spoor van de littekens.

Ze zegt bij zichzelf dat het afgelopen is, dat de behoefte verdwenen is.

De doos is rond, ze zou er dingen in kunnen stoppen. Geen voorwerpen maar iets als waardevolle woorden, die zou je bijvoorbeeld in die doos kunnen stoppen zodat ze niet wegraken.

Ze gaat naar de doos. Ze bekijkt hem nauwkeuriger.

Op de tafel in de zitkamer ligt een groot schrift met viltstiften. Ze scheurt er een bladzijde uit. Dan schrijft ze, met grote letters: GEDACHTENBUS.

Ze bevestigt het papier met plakband op de doos.

Met een schaar knipt ze een gleuf in de deksel.

Ze knipt ook vierkante papiertjes.

Ze zet de doos op de bank op het plein, naast de telefooncel. De papiertjes legt ze ernaast, een steen erop zodat ze niet wegwaaien. Een pen.

Ze laat alles zo staan.

Ze steekt het plein over, draait zich om

Aan het eind van de dag komt ze terug. De doos staat er nog. Ze gaat op de bank zitten, neemt de doos op schoot. Ze schudt, er beweegt iets binnenin.

Ze doet voorzichtig de deksel open.

Er zit een tiental papiertjes in, opgevouwen, een plataanblad, een paar flyers.

Het eerste papiertje: 'Morgen hou ik van je.'

Ze vouwt een volgende open: 'Vandaag heb ik aardbeien gegeten, ik heb een oude steen gevonden om een bank van te maken en ik heb een tafel in de tuin gezet.'

Ze leest ze allemaal.

Ze neemt ze mee naar haar kamer. Ze doet de luiken open zodat het licht naar binnen kan. Het licht van buiten is te zwak.

Ze neemt de papiertjes mee naar de badkamer. Het neonlicht is wit, fel, bijna agressief.

Dat is wat Maria zocht.

Ze legt de papiertjes op de tegels en neemt een foto.

JEFF STEEKT HET plein over met de honden; zij zitten in de openingsscène van *L'Enfer*.

Esteban staat al voor de poort te wachten. Hij zet hem op de rug van Ethiopie, een teefje van drie jaar met een rustige gang. Een jongetje met korte broek en witte polo, voorbijgangers verbazen zich over de glimlach van dat kind, over zijn vollemaansgezicht.

Maria ziet hen aankomen.

Ze zwaait. Jeff zwaait terug en het groepje verdwijnt in de gang.

Maria heeft drie nieuwe foto's bij de andere opgehangen. Twaalf zijn het er nu, en er kunnen er nog een paar bij. De mensen die wachten tot de zaal opengaat, komen kijken.

Ze heeft de gedachtenbus op de bank achtergelaten. Aan het eind van de ochtend heeft ze de boodschappen eruit gehaald.

Ze gaat de zaal in. Ze kiest een stoel op de vierde rij.

Het gordijn is opgehaald. Op het toneel ligt aarde. In het midden een tafel met een wit tafellaken.

De voorstelling begint. Een man gekleed in een dierenjas gaat een ladder op en klimt dan boven op wat een rots lijkt.

De honden komen op, luid blaffend, het duurt maar een paar seconden. Het toneel is te klein voor zo'n groot decor. De honden doen wat ze kunnen. Ze blaffen, rennen, springen, happen naar de man op de ladder.

Dan komt Jeff ze weer halen.

Maria verveelt zich.

Het publiek om haar heen ook.

Maria zakt onderuit in de stoel, trekt haar benen op. Ze doet haar ogen dicht. Door het geluid van de stemmen soest ze weg. Sluimeren gaat over in diepe slaap.

Ze wordt wakker van jammerklachten. Ze doet haar ogen open. De acteurs staan allemaal op het toneel, ze strekken hun armen, hun handen en ze jammeren. Sommigen kruipen. Het lijken verdoemden, ze willen elkaar aanraken, strelen, het wordt hun verhinderd.

Ze draaien rond als boetelingen, dragen op hun rug de letters van het woord hel. Maria huivert. De greep van de dood. Ze ziet haar broer in het voorgeborchte, ook met zulke uitgestrekte handen. Net zo eenzaam als deze zielen. Net zo gedoemd.

De lichamen op het toneel blijven maar kronkelen. Het duurt lang. Het is onmogelijk je ogen af te wenden van dit verschrikkelijke beeld dat maar voortduurt.

Maria slikt, het speeksel is bitter, zout. Klappen lukt niet. Ze klapt dubbel van misselijkheid. Ze komt overeind, haar handen aan de stoel geklauwd. Ze sluit zich op in het toilet, een wastafel, een nauw hok. Ze drinkt water. Maakt haar gezicht nat. Aan een spijker hangt een handdoek. Een versleten vod dat stinkt van het vocht. Ze ruikt eraan om te kunnen overgeven.

Ze geeft niet over.

Haar gezicht in de spiegel is lijkbleek. Ze kijkt zichzelf diep in de ogen.

Een twee drie, een hinkelspel, aan het eind de hemel maar terug is het hellevak, met aaneengesloten voeten. Dat speelde ze vroeger, Maria.

Ze gaat naar buiten.

Op het kerkplein doet de zon haar pijn.

DE DEUR, NAUWELIJKS een licht gepiep. Niemand in de salon. Maria sluit zich op in haar kamer. Ze hoort de geluiden van buiten, gelach op straat, het theater La Condition-des-Soies is vlakbij.

Ze vindt in haar zak de papiertjes die ze uit de gedachtenbus heeft gehaald.

Ze wacht met lezen tot het donker is.

Een gezelschap komt thuis, dan nog een. Gesmoorde woorden uit de aangrenzende kamers, gezucht, deuren die opengaan, mensen gaan douchen.

En dan stilte.

Het gelach heeft plaatsgemaakt voor de geluiden van het huis, het gekraak van een vloer, het knarsen van een luik.

In haar slaap hoort ze haar broer kermen. Ze droomt van vervloekingen.

Ze rolt zich op.

Ze huilt zilte tranen.

Ze mist Paul en er is niets wat hem kan vervangen.

Ze wacht op de ochtend.

Ze draait haar hoofd naar het raam. Achter de ruiten ligt nog veel nacht.

Ze likt aan haar arm, aan de wonden. Ze likt als een dier dat zich verzorgt en ze krabt zachtjes, met het scherp van de nagel. Ze krabt zich open op de plekken waar ze zich eerder al heeft opengekrabd.

LA JOGAR STEEKT langzaam het toneel over, tot de rand van het voetlicht. Gevlochten ballerina's aan haar voeten, met soepele zolen. Ze sluit haar armen als in een omhelzing, omstrengelt haar lichaam. En het is alsof ze dit nooit eerder heeft gedaan. Alsof ze daar niet de vorige avond ook had gestaan, dezelfde gebaren had gemaakt.

'Ik zal verder leven alsof deze dagen een droom waren...'

Ze hoort ademhalen, geritsel van textiel, benen die over elkaar geslagen worden.

Ze veegt met haar mouw een traan weg. Iemand huivert.

'Mijn god wat is ze mooi...'

De laatste woorden.

Er wordt geklapt.

Er worden bloemen op het toneel gegooid.

'Rode rozen voor uw mooie ogen!'

Een heel boeket.

Ze bukt zich, raapt het boeket op, drukt de rode rozen tegen haar borst. De bloemblaadjes zijn koud.

De vloer trilt van de toejuichingen. Ze glimlacht, tussen huilen en lachen, stralend staat ze daar voor hen. Ze verleidt hen vanaf de hoogte van het toneel.

De verrukte gezichten.

Ze buigt nog een keer.

Ze komt niet terug.

Ze komt nooit terug.

Dan, in de kleedkamer, gooit ze de bloemen neer, laat zich in de stoel vallen, zit even met het hoofd in de handen, uitgeput.

Pablo legt een hand op haar schouder.

'Er is iemand voor je.'

'Ik ben er voor niemand.'

Ze schopt haar ballerina's uit, tilt haar benen op, legt haar voeten op de rand van de tafel, sluit haar ogen.

Er zit wat bloed op haar boezem, op de plaats waar ze de rozen tegen zich aan heeft gedrukt.

Pablo dringt aan, duwt nog wat krachtiger op haar schouder.

Ze zucht, zet haar voeten op de grond en draait zich om.

Odon staat in de deuropening.

Ze staat op, strijkt haar haar goed.

'Je zat in de zaal?'

'Ja...'

'Hoe deed ik het?'

'Schitterend...'

'Ik geloof je niet.'

Hij wijst naar de rode krassen in haar hals.

'La Jogar de gekruisigde.'

Ze kijkt in de spiegel. Ze doet wat desinfectans op een watje. Hij komt naar haar toe, pakt het watje uit haar hand.

'Je moet die bloemen niet zo hard tegen je borst drukken.'

Hij dept haar hals.

Om haar nek heeft ze de sjaal die hij haar heeft gegeven toen ze in Schotland waren. Het had de hele week geregend. Ze brachten hun dagen door in pubs.

Hij prikt een vinger door de mazen.

'De zus van Selliès is hier...'

'De zus van wie?'

Ze slaat haar ogen naar hem op.

En dan wendt ze zich af. Er komt een lichte blos op haar wangen.

'Ik wist niet dat hij een zus had...'

Hij gooit het watje in de prullenbak.

Ze maakt haar gezicht schoon. Op de vochtige tissue blijven zandkleurige sporen achter van de poeder. In de borstel zijn een paar haren achtergebleven. Op een stoel liggen een jeans en een T-shirt. Een brede ceintuur van gevlochten leer. Ze pakt de kleren en glipt achter het gordijn. Odon hoort hoe ze de jurk uittrekt, het geritsel van de stof. Hij kan haar bewegingen vermoeden, de benen die in de jeans glijden, de ritssluiting en het T-shirt. De gesp van de ceintuur.

Ze komt weer tevoorschijn. Ze is gebruind, ze heeft een gespierde buik en gespierde armen. Ze buigt haar gezicht naar de spiegel, brengt een licht vleugje poeder op.

Odon volgt haar bewegingen.

'Ze weet dat haar broer *Anamorphose* heeft geschreven...'

Hun blikken kruisen elkaar.

'En?'

'Niks... Ze weet ook dat hij mij het stuk heeft toegestuurd.'

Ze steekt een sigaret op. Die tekst zou weggeraakt zijn. Meer dan tweehonderd pagina's, losse blaadjes.

'Ik heb niets verkeerds gedaan.'

'Dat zeg ik ook niet.'

'En dus!?'

Ze brengt lipgloss op, steekt haar voeten in sandalen met hakken en gekruiste bandjes.

'De tekst van Selliès bestaat niet meer... Ik heb hem bewerkt, ik heb hem vervangen, het is iets anders geworden.'

Ze kijkt op, haar zwarte ogen zijn als kooltjes. Ze wilde altijd sterker zijn dan haar angsten, sterker dan haar begeertes, en zo is ze La Jogar geworden.

Ze ontspant. Zucht en glimlacht naar hem.

'Gaan we iets drinken?'

'Ze zullen ons samen zien...'

Ze pakt haar tas, een rode reiszak die ze over haar schouder draagt.

Even strijkt ze langs Odons arm.

'Ik ken een discrete tent, hier vlakbij.'

JEFF LOOPT AL twee dagen rond met zijn vis. Hij kan het creperen niet meer aanzien en dus gaat hij de brug over met de kom en dan naar de oeverkant waar meneer Big Mac gewoonlijk gaat zwemmen.

De rivier is breed, te groot met al te duistere wateren. Hij zet de kom aan de rand van het water en keert hem voorzichtig om. Het water van de kom vermengt zich met dat van de rivier.

Jeff houdt de kom nog schuiner en laat hem dan uit zijn handen glijden en naar de bodem zakken. De vis blijft erin, het is of hij niet weg wil.

Jeff gaat onder de platanen zitten en krabt met een stok in de aarde.

Hij denkt aan wat hij moet doen, de brug verven en de slaplanten water geven. De potten zijn te klein, de plantjes hebben te weinig ruimte. Eerst zaten er geraniums in de potten, maar hij hield niet van de geur en hij gaf ze geen water meer. En hij moet de greppels schoonmaken.

De vis zit nog altijd in zijn kom.

Jeff besluit weg te gaan.

'S AVONDS KOMEN de stakers terug en slaan op de deuren, een hels kabaal, Odon ziet zich genoodzaakt de voorstelling te onderbreken. Hij gaat naar buiten, probeert de discussie aan te gaan. Hij vertelt over *Nuit rouge*, over de tijd die nodig was om deze voorstelling tot stand te brengen.

'Wie geeft jullie het recht om te verhinderen dat een tekst tot leven komt?'

De stakers van hun kant zijn niet van plan zich in alle stilte te laten afslachten. Odon maakt hen uit voor charlatans. Selliès, zegt hij, die is echt gestorven.

De gemoederen lopen op. De stakers dringen de vestibule binnen, stormen de zaal in.

Julie en de jongens proberen hen te kalmeren.

Dan gaat Jeff zich ermee bemoeien. Hij komt als een waanzinnige aangestormd en hij slaat. Klappen die hard aankomen en die hij zich in de gevangenis heeft aangeleerd. Het duurt niet lang. De politie komt en ze nemen Jeff mee naar het bureau.

Dan blijft iedereen staan waar hij staat, de armen langs het lijf. De pastoor gaat naar buiten.

Damien is er doodziek van. Hij zegt dat hij zich gaat terugtrekken uit de wereld, dat hij kluizenaar wordt, nooit meer van de bank komt.

Het groepje gaat rustig uiteen.

Odon duikt de gang in, een donkere, wat zware figuur. Julie heeft gehoord hoe woedend hij was, wat hij zei om *Nuit rouge* te verdedigen.

Ze leunt tegen de deur.

'Hoe zit dat nou eigenlijk met jou en Selliès?' vraagt ze.

'Niks speciaals.'
'Kende je hem?'
'Nee.'
'Wat is er dan?'
Hij pakt zijn jasje.
'Hij heeft mij zijn vertrouwen geschonken.'
'Daar heb je dozen vol van, schrijvers die jou hun vertrouwen hebben gegeven.'
Hij kijkt zijn dochter aan met een ernstig gezicht.
'Ja, maar deze had talent.'

ODON STEEKT HET plein over en treft de pastoor in de sacristie. Hij vraagt zich af wat de goden van de mensen begrijpen, hoe zij hen werkelijk zien.

Hij steekt een kaars aan en de vlam verlicht de muur.

'Jouw God is ons vergeten, pastoor…'

'Je moet gaan slapen, Odon Schnadel.'

Odon haalt zijn schouders op. Hij wrijft met zijn hand over de houten tafel.

'Ze hebben Jeff opgepakt!'

'Ach, een knokpartijtje,' zegt de pastoor, 'mensen zijn prikkelbaar door de hitte, morgen is hij weer vrij.'

Boven de bidstoel hangt een kruisbeeld. Spijkers dwars door de polsen van Christus, bloed, gescheurde spieren.

Odon beent heen en weer in de te kleine ruimte.

'Ik zou wel eens willen weten wat die God van jou van de mensen verwacht.'

'Hij verwacht niets.'

'Waarom heeft hij ons dan geschapen? Om ons dat alles te laten verduren!'

'Hij heeft veel meer te verduren dan wij.'

Odon komt maar niet tot bedaren.

'In die missen van je eet je vlees, je drinkt bloed, je bidt op je knieën voor een vent die zich op een plank heeft laten spijkeren!'

De pastoor duwt hem opzij met zijn hand.

'Op een kruis, niet op een plank…'

Hij gaat de kerk in, hij knielt en bidt, alleen voor het Kruis, zijn voorhoofd naar de grond, hij bidt in de nacht voor het heil van de levenden.

MARIA HEEFT OP de Place des Châtaignes een vrij tafeltje gevonden in de schaduw van de platanen. Ze bestelt een groot glas frisdrank.

Voor ze de deur uit ging, heeft Isabelle een boek in haar tas gestopt. Rechtop blijven, en je moet iets aan je ontwikkeling doen, dat zei ze.

Regain, van Giono.

Maria is verdiept in het boek als Damien het plein op komt. Hij laat zich op de stoel tegenover haar vallen. Hij zegt dat de politie Jeff heeft vrijgelaten. Hij kijkt om zich heen.

'Ik zoek iemand, of iets om me mee bezig te houden.'

'En Julie?'

'Julie?'

Hij haalt zijn schouders op.

'Hé, daar heb ik wat.'

Er is niets, een oude man op een bank. De gedachtenbus op de bank. Maria denkt dat hij het over de oude man heeft, maar hij doelt op de bank die in de warmste uren in de schaduw staat, naast de telefooncel.

Het volgende uur plakt hij tekeningen op de ruitjes van de telefooncel, stukjes slinger, een paar plastic bloemen die hij op straat heeft gevonden, een pop die een arm mist.

Op een stuk karton schrijft hij met grote, duidelijke letters: Ik hou van je, Julie. Toeristen lopen langs en lezen de tekst. Ze halen hun schouders op en lopen door.

Maria bestelt nog een limonade. Ze leest verder in *Regain*.

Ze belt haar moeder uit de telefooncel. De telefoon gaat lang over, er wordt niet opgenomen. Ze stelt zich de caravan voor in de hitte.

Wat later belt ze opnieuw, haar moeder zegt dat ze in slaap was gevallen in de leunstoel.

Maria weet niet wanneer ze thuiskomt. Ze hoort een vliegtuig overkomen aan de andere kant van de lijn.

Ze haalt de berichten uit de gedachtenurn. Meer dan dertig. Ze leest ze niet.

Ze stopt ze in haar zak.

Ze gaat op de bank zitten.

Ze trekt haar mouwen naar beneden, ze wil niet dat Damien de krabben op haar armen ziet.

'Wat is dat?' vraagt hij en hij wijst op het leren beursje onder haar hemd.

'Mijn broer,' zegt ze.

Ze legt het uit.

'We hebben de as verdeeld, mijn moeder en ik...'

Ze ziet weer hoe haar moeder de lepel in de urn stak, ze zei dat dit haar taak was, ze haalde de poeder naar boven en liet die in de leren beurs glijden. Ze huilde. Haar bril besloeg ervan, ze wreef de glazen af. De glazen waren bekrast, schoonwrijven hielp niet.

Damien knikt.

Hij vraagt of ze hem nog lang blijft dragen.

'IEDEREEN NOEMDE ME Mademoiselle Isabelle. Ferré ook. Als hij door de Rue de la Croix kwam, belde hij en kwam boven. We zaten om de tafel met Benedetto, Laurent Terzieff ook... Agnès maakte foto's... Agnès Varda.'

Isabelle vertelt.

Maria luistert. De uren zijn traag en zwaar in de namiddaghitte.

Isabelle neemt haar mee naar een portret aan de muur.

'Marceau was een witte koorddanser. Marceau, de mimespeler, die ken je toch wel?! Onder welke steen hebben ze jou gevonden...?'

Ze lacht als ze dat zegt.

Ze wijst op het witte gezicht, een gestreepte trui. De foto heeft een opdracht: 'Zwijgen is de enige passende houding.' Een handtekening.

Isabelle trekt Maria mee naar een ander portret.

'Dat is Béjart, een groot danser, prachtige houding, vind je niet? Dat is Agnès, in 1948, twintig jaar, altijd met haar fototoestel, net als jij. Het blauwe overhemd dat ze aanheeft op de foto, ligt in de kast in de slaapkamer. En dit is Ariane Mnouchkine, zomer 1969.'

Ze draait de amethist om haar vinger.

'Vilar werd de koning genoemd! Gérard was de prins. En Maria, Maria Casarès, dat was onze diva.'

Isabelle kent alle gezichten nog. Zozeer is ze aan hen allen gehecht geraakt, aan hun geschiedenis, hun legende. Ze had graag iets van hun talent gehad, had graag deel uitgemaakt van die magische wereld. Het enige wat ze kon, was hen liefhebben. En ze heeft hen liefgehad. Intens.

Ze wendt zich weer naar Maria, neemt haar gezichtje in haar handen, de felblauwe ogen.

'Jij bent ook mooi, jij kunt ook een stralende ster zijn, als je wilt.'

Ze wilde er nog iets aan toevoegen. Het leven is zo kort. Ze laat haar los.

Ze haalt een elpee uit een kleurige hoes, legt hem op de platenspeler.

'Die kan je alles vertellen wat je moet weten.'

Ze reikt haar de hoes aan. *Ferré chante Aragon*. De teksten staan op de hoes.

Ze loopt naar een van de ramen. Ze laat een nummer afspelen, en nog een.

'Hier leunde hij bij het raam en keek naar de mensen die langskwamen op straat. Dat gaf hem rust. Hij hield van kaarten, eindeloze potjes kaart. In 1959 heeft hij zijn kasteel in Bretagne gekocht, vlak bij Cancale. Ik ben er één keer geweest. Bij vloed was het een eiland. Later was hij liever in Toscane.'

Ze gaat weer op de sofa zitten. De laatste keer dat hij hier was, hij was al oud, kostte het hem moeite de trap op te komen. Het jaar daarop hoorde ze dat hij was overleden, tijdens het festival.

'We waren met veel, een avond rond Anaïs Nin. We huilden. Later zijn we naar Monaco gegaan voor zijn begrafenis, in een cabriolet. We hebben op het strand geslapen. We hadden wijn gekocht, we hebben zijn platen gedraaid. Het was een geweldige nacht.'

Isabelle sluit haar ogen. De stem zingt de gedichten. Herinneringen verdringen zich achter haar oogleden.

De gerimpelde hand op de leuning trilt.

'Mathilde was er ook bij, ze heeft de auto gepakt, ze heeft een spatbord in de kreukels gereden, maar ze kwam terug met croissants en thermosflessen koffie. Bij het graf hebben we de koffie gedronken, de croissants gegeten, we hebben weer gehuild, er waren heel veel bloemen en het was zomer.'

Haar ogen zijn vol tranen.

'Oud worden is niet erg als je herinneringen hebt. Vergeten, dat doet pijn...'

Maria legt de hoes weer op de plank.

'Wie is dat, Mathilde?' vraagt ze.

Het lied is afgelopen, de laatste tonen.

Stilte.

In die stilte komt het antwoord van Isabelle.

'Zij was de grote liefde van Odon Schnadel.'

ISABELLE KOMT OVEREIND met behulp van een stok.

'Ik zal je iets laten zien…'

Ze loopt naar de boekenkast, doet een van de onderste deurtjes open. Daarachter twee lange planken met gebloemd plakplastic. Op elke plank boeken, mappen, en ook blikken, een spaarvarken.

Het ruikt muf, naar stof, de lucht van oud papier.

Isabelle zet haar stok tegen de kast, bukt zich, schuift boeken opzij om te kijken wat erachter ligt. Ze zegt dat het nodig eens opgeruimd moet worden.

'Mathilde is nu een beroemde actrice. Ze is ook mijn nichtje, en ik ben heel trots op haar.'

De tweede kast zit stampvol tijdschriften, een paar jaar oude flyers, opgerolde affiches. Een *Paris Match* van december 1951. Isabelle geeft hem aan Maria. Het papier is vergeeld. Een nummer van *Ciné Monde* uit 1962, het gezicht van Jeanne Moreau op de omslag.

'Ik ruim nooit op, maar ik bewaar alles, dus het moet hier ergens zijn.'

Ze zoekt, haalt wat zij haar schatten noemt eruit, een programma van de voorstellingen van het TNP in 1955, een schets in kleurpotlood van het kostuum van Richard II.

Ze vindt een speeldoosje, geeft het aan Maria, die voorzichtig de slinger draait. Springerige tonen, 'Sur le pont d'Avignon'.

Maria glimlacht.

Isabelle graaft verder en vindt eindelijk wat ze zoekt. Ze komt overeind, zweet op haar voorhoofd.

In haar hand een dikke stapel bladen, bijeengehouden door twee elastieken.

Ze legt het pakket op het salontafeltje.

Als ze het oppakt, knapt een van de elastieken, valt op het parket.

'Met deze tekst is ze bekend geworden.'

Haar wangen gloeien. Maria raapt het elastiek op.

Isabelle doet de kastdeuren dicht.

'Hiermee is ze beroemd geworden. *Ultimes déviances*... Dat heeft ze hier geschreven. En uit het hoofd geleerd.'

Ze streelt het bovenste blad.

'Hier werkte ze aan, in de blauwe kamer. Een kale plankenvloer, niet eens een kleed. Haar voetstappen klonken als die van een roofdier. Het duurde weken, een kluizenaarsleven.'

Ze zegt dat ze haar 's nachts nog steeds hoort ijsberen.

Maria moet denken aan de blik van haar broer als hij schreef. Hij leek ook een roofdier.

Ze legt het elastiek op het tafeltje, het speeldoosje ernaast.

Ze buigt zich over het manuscript.

Op de eerste bladzijde, met pen: Mogelijke titel: *Ultimes déviances*?

Daaronder, op dezelfde bladzijde, in typeletters, een andere titel: *Anamorphose*.

Die is tussen haakjes gezet.

Maria voelt haar hart bonken.

Isabelle is weer op de sofa gaan zitten. Ze vertelt in geuren en kleuren over het vertrek van Mathilde, eerst naar Lyon, en later de jaren in Parijs. Hoe heerlijk het was te zien dat ze succes had.

Maria slaat het manuscript open. Het is een tekst van meer dan honderd pagina's, getypt, met correcties in potlood.

Die titel, *Anamorphose*, die herinnert ze zich wel...

Ze leest een paar regels, 'Wat je ziet, dat is alleen wat je graag wilt zien'.

Andere zinnen, verderop, lukraak. 'Want ieder ding draagt een geschiedenis mee, iedere rimpel, iedere hand. Ik ga voor de bijl en ik heb geen zin me te rechtvaardigen, ik vernachel het leven en tuin er zelf in.'

Er zijn correcties aangebracht, zinnen zijn doorgestreept, andere toegevoegd. Een paar pijlen, tekens, paragrafen zijn verwisseld.

Soms hele bladzijden zonder correcties.

Maria gaat terug naar de eerste bladzijde.

'De sterren boven mijn hoofd staan altijd op dezelfde plaats, ze zijn er overdag en toch zie ik ze niet.'

Ze huivert.

Haar nagels krabben aan haar vel. Trekken een korstje los.

'Wie heeft dit geschreven?'

Isabelle kijkt op.

'Mathilde natuurlijk.'

'Waarom heeft ze dit gedaan?'

'Waarom heeft ze wat gedaan?'

Maria laat de doorgestreepte woorden zien, de toevoegingen in de kantlijn.

De vraag verbaast Isabelle.

'Om het te kunnen spelen... Omdat het een eerste versie was... Het moest gecorrigeerd worden. De eerste versie, die wordt altijd veranderd. Hoezo? Is er iets?'

Nee, Maria zegt dat er niets is. Ze slaat andere bladzijden op.

'Heeft zij dit geschreven?'

Isabelle schatert.

'Zij heeft het geschreven en zij heeft het gecorrigeerd. Toen heeft ze het gespeeld.'

'Hoe weet u dat zo zeker?'

Isabelle pakt het manuscript uit Maria's handen, doet het elastiek erom.

'Sommige mensen denken dat, dat een actrice niet kan schrijven...'

Haar stem is stug geworden, koud.

Ze drukt het manuscript tegen zich aan.

'Op een ochtend kwam ze haar kamer uit en droeg het aan mij voor. In het begin vergiste ze zich, begon opnieuw. Ze was ongelooflijk verbeten. Later had ze Odon nodig, maar dat begin, dat heeft ze helemaal in haar eentje gedaan.'

Isabelle is nu ontroerd. Dit zijn momenten waar ze graag aan terugdenkt. Toen Mathilde wegging, later, heeft ze spullen achtergelaten. Het manuscript, wat kleren die nog steeds op knaapjes hangen.

Maria staart naar de vloer. Ze is ineens in totale verwarring.

'Waar heeft ze dit gespeeld?' vraagt ze.

'In Parijs, in Lyon, overal zo'n beetje...'

'En wanneer was dat dan, in welke tijd?'

Isabelle legt het manuscript naast zich neer op de sofa. Ze laat haar hoofd tegen de leuning rusten, haar ogen halfdicht, haar gezicht naar het raam. De blauwe lucht boven de daken.

'Dat was in de tijd van hun liefde, nu iets meer dan vijf jaar geleden.'

Maria knikt.

Ze wijst naar het manuscript.

'Mag ik het lenen?'

MARIA LOOPT LANGZAAM naar buiten. De trap, de straat.

Een kind drijft zijn bal over het trottoir. Ze hoort de bal over het asfalt rollen. Ze volgt hem met haar ogen.

Het gonst in haar hoofd.

De lucht is plakkerig.

Het straatje in de schaduw.

Ze loopt.

Het is druk in de Rue Sainte-Catherine. Het is hartje middag.

Het is ook druk onder de platanen op de Place des Châtaignes.

Ze gaat de Dolle Hond in. De klucht is bijna afgelopen. Kostuums op stoelen, een nagemaakte muur, een groot kasteel.

Ze hoort lachen in een kleedkamer, er komt ook gelach vanachter een wand.

Ze sluipt naar het kantoor. De deur is dicht.

Ze klopt, wacht.

Ze gaat terug naar de ingang. Toeristen staan naar haar foto's te kijken.

De caissière heeft Odon niet gezien, maar ze zegt dat hij 's middags soms naar zijn schip gaat om te rusten.

Maria gaat de brug over.

Een jonge, lawaaiige menigte stroomt de stad in, moeders, sommige met wandelwagentjes, kinderen.

Het is warm.

Het asfalt trilt.

Hier en daar smelt het.

Maria loopt tegen de stroom in, het manuscript tegen zich aan. Het heeft iets beklemmends zo, met gebogen hoofd, voort te stappen door die klamme hitte.

Ze daalt af naar de oever, volgt de rivier. Daar wordt alles rustiger. Een ruige waterkant. Ze kiest de schaduw van het pad, de beschutting van de bomen.

Een paar eenden zwemmen langs de oever van de rivier.

Maria klimt aan dek. Ze drukt haar gezicht tegen de ruit. Odon is er niet.

Ze gaat in een leunstoel zitten, met opgetrokken benen. De bladzijden van het manuscript zijn niet genummerd. Ze begint te lezen, ze slaat geen acht op de correcties, ze leest alleen wat in typeletters is geschreven.

Ze leest langzaam.

Ze heeft alle tijd.

Soms stopt ze even, kijkt naar de hemel.

Het licht op de rivier. Zo stelt ze zich Vietnam voor, de baai van Ha Long, de Mekong, veel licht, een overdaad waarvan je ogen tranen.

MARIA BLIJFT STIL zitten op de aak.

Ze doet woordspelletjes: zoon – loon – loop – koop – kool…

Zo komt ze dus van het ene woord op het andere, door steeds een van de vier letters te veranderen.

Dat doet ze om nergens aan te denken. Ze krabt met haar nagels in haar handpalmen.

Jeuk – leuk – leek – leef – loef – loof…

Het loof van de bomen.

Ze kijkt op. De dag loopt ten einde, de zon gaat onder.

Lief – leef – leed – leeg.

Hooi – kooi – kool – koel.

Odon komt niet meer.

Ze gaat weer naar de waterkant.

Ze zoekt in het gras, onder de bomen, tussen de stammen. Ze vindt een takje met bruine, bijna rode doornen, ze gaat op de grond zitten. Ze stroopt haar mouw op.

Ze strijkt met het takje over haar blote arm. Eerst aaien de doornen, dan schrapen ze over de huid, de punten vinden houvast in de oude littekens.

Maria drukt harder.

Dat is een harde, die kan goed tegen pijn, zei haar moeder.

Pijn, dat doet je soms goed, denkt Maria.

Ze trekt.

De doornen bijten zich vast, trekken nieuwe sporen in de huid.

JULIE EN DE jongens delen hun flyers uit op de Place de l'Horloge, tussen de tafeltjes, de toeristen op de terrassen, onder grote parasols.

Maria gaat naar hen toe.

Ze zegt dat ze op zoek is naar Odon.

Julie haalt haar schouders op.

Greg zegt dat hij op dit uur misschien aan het pokeren is in de sacristie.

Als Maria binnenkomt, zitten ze met z'n vieren om de tafel. Odon, de pastoor en nog twee anderen.

Ze legt *Anamorphose* tussen de kaarten.

Odon kijkt naar de stapel blaadjes.

'Dit is niet het moment, Maria...'

De pastoor blijft zitten.

De anderen wachten.

'Ik wil alleen maar weten hoe het zit.'

Odon legt zijn kaarten neer. Hij excuseert zich.

'Speel maar door zonder mij...'

Hij gaat de sacristie uit. Maria volgt hem. Er is niemand in de kerk. Na zeven uur 's avonds doet de pastoor de deuren dicht. Odon loopt door het middenschip.

'We gaan hier weg,' zegt hij.

Maria blijft staan.

Het is donker onder het gewelf. Odon kijkt naar haar in het duister. Hij heeft altijd geweten dat dit moment zou komen, dat er ooit genoegdoening geëist zou worden. Hij had alleen liever gehad dat het niet op deze manier zou gaan.

En niet met Maria.

Ze houdt het manuscript tegen haar buik gedrukt, alsof ze er één mee wil worden.

‘Die titel, *Anamorphose*… ik kon hem maar niet onthouden. Bij het typen maakte ik altijd een fout.’

Hij loopt naar haar terug. De vloertegels in de kerk zijn dik en glad, ze weerspiegelen hun twee onbeweeglijke gestaltes.

‘Ik moet weten hoe het zit…’ zegt ze.

De woorden komen er gesmoord uit.

Odon wijst naar de uitgang.

‘We gaan hier niet over praten in een kerk…’

Hij loopt weg, komt terug.

Ze komt niet van haar plaats.

‘Waar heb je het gevonden?’ vraagt hij.

‘Bij Isabelle.’

‘Rondgesnuffeld?’

‘Nee.’

Hij draait zich om. Hij hoort buiten gelach, muziek.

Maria kijkt hem strak aan, zonder woede.

‘U hebt zijn tekst weggegeven…’

Ze heeft niet hard gesproken en toch weergalmt haar stem tussen de muren.

Hij doet een paar stappen tussen de rijen banken. Het licht tekent abstracte lijnen.

‘Je broer was dood. Wat wilde je dat ik deed? Dat ik zou verbranden wat hij geschreven had? Dat het zou verdwijnen? Had je dat gewild?’

Ze schudt van nee, een paar keer, langzaam.

‘Had je gewild dat het onder in een doos zou belanden?’

‘Nee…’

‘Ik heb er inderdaad over gedacht, weet je... Ik heb het bijna gedaan. Stof en vergetelheid, dat is het lot van de mens, niet van geschriften.’

Maria’s gezicht vertrekt. Brandend maagzuur stijgt naar haar keel.

‘Waarom heeft ze het gecorrigeerd? Omdat het niet goed was?’

‘Nee, het was wel goed.’

'Waarom dan?'

Misselijkheid klopt tegen de rand van haar tanden. Ze gaat met haar tong langs haar lippen, ze likt de ring.

'U liet niets horen... U beseft niet... Hij dacht dat het slecht was en dat u daarom niet belde.'

Odon zucht.

'We gaan weg hier,' zegt hij en hij loopt weer naar de deur.

'Was Mathilde uw grote liefde? Hebt u haar daarom de tekst van mijn broer gegeven, omdat u zoveel van haar hield?'

Het is een schok voor hem om de naam van Mathilde te horen weerklinken onder het gewelf. Hij steekt zijn handen diep in zijn zakken.

'Ik heb haar de tekst van je broer gegeven omdat zij ervan hield, zij wilde hem redden.'

Maria strijkt door haar haar, ze wrijft hard.

'Paul heeft u *Nuit rouge* en ook *Anamorphose* opgestuurd...'

Het is geen vraag.

Odon wacht.

Ze zegt verder niets.

Ze lopen samen naar de kleine deur die op straat uitkomt. De mouw van haar hemd is naar boven geschoven, hij ziet haar armen vol schrammen.

'Wat heb je gedaan?'

Ze trekt de mouw abrupt naar beneden. Ze houdt haar hand op haar arm.

'Braamstruiken... Rottige doornen.'

Ze schudt met haar hoofd.

Een gore smaak golft haar mond binnen.

Toen haar broer haar de tekst liet zien, zei hij: We noemen het *Anamorphose*. Het was een mooie titel, ze herhaalde het woord een paar keer, zonder dat ze begreep wat het betekende. Ze zocht het op in het woordenboek, *Anamorphose*. Ze schreef het altijd met een 'f', haar broer foeterde.

Het was een lange tekst, het uittikken kostte veel tijd. Op een dag werd de computer warm, Maria brandde haar dijbeen. Ze zijn naar de kroeg gegaan, naar Tony. De meisjes kwamen daar voor koffie, voor een kom warme soep en een gekookt ei, ze werkten het tussen twee klanten door naar binnen.

Ze verzorgden de brandwond.

Ze heeft er een klein litteken aan overgehouden.

JEFF HEEFT EEN vogel gevonden met korte vleugels. Het nest zat bij Odile onder het dak. De vogel moet het warm hebben gehad, heeft zich over de rand gebogen, zo vallen ze allemaal, op zoek naar koelte.

Hij zegt dat het een gierzwaluw is.

Gierzwaluwen houd je niet in een kooi. Als je ze opsluit worden ze gek, net als roodborstjes.

Mensen kunnen ook gek worden. Sommigen wennen eraan.

Het vogeltje heeft zijn snavel open van de dorst.

Jeff geeft het te drinken. Hij zet het in een schoenendoos. Samen met Esteban gaat hij vliegen vangen.

Jeff stopt de vliegen levend in de doos. Als het dier weer op krachten is, klimt hij ermee in de klokkentoren, doet de doos open en dan hoopt hij dat de vogel weg zal vliegen.

MARIA SLAAPT SLECHT, een onrustige nacht, het is warm in de kamer. Zwaluwen hebben een onderkomen in de muur, ze hoort ze, hun scherende vlucht, hun schelle kreten.

Ze denkt aan het manuscript van Paul. Toen ze het zag bij Isabelle, begreep ze niet wat het daar deed. Ze twijfelde of het van hem was. Toen kwamen de zinnen die ze herkende.

Ze zag dat het gecorrigeerd was.

Ze kon haar ogen niet losmaken van de titel.

Ze denkt aan wat Odon zei in de kerk. Had zij liever gehad dat hij al die bladzijden had verbrand? Als ze verbrand waren, zouden ze van niemand meer zijn geweest.

En nu, van wie zijn ze nu?

Ze staat op, gaat de kamer uit.

In de keuken zitten acteurs. Ze praten over koetjes en kalfjes. Ze schenkt koffie in, drinkt die staande, bij het raam. Ze letten niet op haar.

Isabelle slaapt nog.

Maria gaat het huis uit voor de warmte alles nog moeilijker maakt.

De bank op het plein is leeg. 's Nachts heeft iemand de gedachtenbus omgegooid, ze is naar de kerkmuur gerold en daartegen tot stilstand gekomen.

Maria raapt de bus op.

De deksel is ingedeukt. Ongetwijfeld een schop gehad. De papiertjes zijn eruit, er zitten er nog maar twee in.

Ze gaat op de bank zitten, de bus op haar knieën. Ze repareert de deksel.

Ze denkt na.

In de ingang van de Dolle Hond staat een tafeltje dat niet gebruikt wordt. Ze besluit de bus daarop te zetten, met een pen en papiertjes.

Ze neemt de doos mee. Ze richt alles rustig in, schuift de tafel onder de foto's.

De caissière komt kijken wat ze aan het doen is.

Maria legt het uit.

Ze vouwt voor haar een boodschap open: 'Er zijn drie soorten mensen, zij die kunnen leven en zij die het niet kunnen.'

'En de anderen, wat zijn dat?' vraagt de caissière.

De anderen, zegt Maria, dat is poëzie.

DE VOLGENDE DAG oogst Maria meer dan honderd boodschappen. Ook een paar tekeningen, een ander soort gedachten.

De mensen gaan zitten, schrijven en kijken op naar haar foto's. De caissière zegt dat ze hun hoofd in hun handen houden en lijken te dromen.

Maria neemt alle papiertjes mee naar haar kamer. Ze gooit niets weg.

Ze zou de inkt in geluid willen veranderen.

's Middags praat ze daarover met Greg.

Geschreven woorden die geluid worden? Hij vindt een bandrecorder voor haar in de opslag van het theater. Ze sluit zich op in haar kamer, neemt alle boodschappen op, laat een stilte tussen de verschillende teksten. Dan legt ze de papiertjes weer bij elkaar in een hoek onder het raam.

Ze zou ze graag in een grote kubus van plexiglas willen vatten. Je zou de papiertjes in het licht kunnen zien, maar je zou ze niet kunnen aanraken, je zou alleen de berichten kunnen lezen die tegen de wand zaten en de opgenomen stem kunnen horen.

Met haar vinger tekent ze de kubus op de vensterruit.

Je zou ieder papiertje ook moeten filmen, een paar seconden, zolang als nodig was om het te lezen, en de geschreven teksten op de muur projecteren.

Ze stelt zich de witte muur voor en de boodschappen. Ze zou geen selectie maken, de slechte zouden de goede beter doen uitkomen.

MARIA GAAT DE trap op. Een smalle gang en dan verschillende deuren. Ze maakt geen lawaai. Ze hoort haar voetstappen nauwelijks.

Ze doet een deur open, nog een, tot de blauwe kamer.

Het behang lijkt van textiel.

Een bed, een kast, een tafel en een stoel. De tafel is van hout, hij is voor het raam geschoven.

Er hangen nog wat kleren in de kast. Dekens. Houten kleerhangers die leeg hangen te schommelen.

Op het bed ligt een kleurig bestikte sprei.

Maria loopt verder de kamer in. Er zijn inktvlekken in het hout van de tafel getrokken, een nummer van *Arts et Vie*, een oude lamp. Ze doet de la open, twee pennen, een knoop met een restje garen, een dode mestkever, een verlengsnoer, een wekker en een buisje aspirine.

Een plank met boeken.

Maria gaat op het bed liggen, haar handen achter haar hoofd.

Ze staat op, gaat aan de tafel zitten.

In een tweede la vindt ze een horloge dat stilstaat. Ze windt het op en de secondewijzer gaat weer lopen. Er liggen kaarsen in, kleine schaartjes, een ansichtkaart uit Brussel en een boek van Jean-Paul Sartre. Een citaat van Baudelaire is met een punaise op de muur geprikt.

In het boek de foto van een vrouw staande op een toneel, in een merkwaardig kostuum, ze heeft een masker in haar hand. Er staat een datum achter op de foto, 'september 1997, Voor mijn vriendin Isabelle'.

Dan een lange en hoge handtekening.

Maria doet de foto terug.

Pakt hem weer.

De achtergrond zegt haar iets, ze heeft die eerder gezien, weet niet meer waar.

Isabelle zit in de salon.

'Ik heb dit gevonden...' zegt Maria.

Ze zegt niet dat ze naar boven is gegaan, naar de blauwe kamer.

Isabelle zet haar bril recht, houdt de afdruk tussen haar vingers.

'Dat is Mathilde...'

Ze draait hem om, leest de opdracht.

'Waar heb je die gevonden?'

'In een boek.'

'Deze foto is in de Dolle Hond genomen... Ik weet niet meer wat ze speelde... Je zou haar moeten gaan zien... Ze speelt *De bruggen van Madison County*, in het Minotaure, hier vlakbij. Als de ploeg niet staakt, tenminste...'

'Wie zien?'

'Mathilde natuurlijk!'

Ze zet de foto op de plank van de boekenkast.

'Ik moet er een lijstje voor vinden.'

MARIA VERLAAT DE woning, loopt de trappen af, haar hand op de leuning, duwt de deur open, slaat de Rue Bonneterie in, de République en is dan bij het klooster Saint-Louis.

De boekwinkel is open

Festivalgangers staan te wachten om kaartjes te kopen.

Maria loopt tussen de tafeltjes door. Ze vindt de boeken van uitgeverij O. Schnadel. Ze gaat met haar vinger langs de ruggen.

Ultimes déviances.

Ze pakt het boek uit de rij.

Ze slaat het open.

Net als in de andere uitgaven zitten in het midden twee dubbele pagina's glanspapier waarop foto's zijn afgedrukt.

Daar is de foto die ze zoekt, dezelfde als die ze gevonden heeft in de blauwe kamer. Er is een bijschrift: '*Voyage au bout de la nuit*, Mathilde Monsols'.

Op de volgende pagina staat nog een foto van haar.

Op de omslag dezelfde naam: Mathilde Monsols.

Als ondertitel, op een binnenblad, *Anamorphose*.

Maria verbleekt. Langzaam dringt het tot haar door dat ze de tekst van haar broer in handen heeft, nu als boek onder de naam van iemand anders.

HET THEATER Le Minotaure ligt in een straatje achter het paleis.

Maria komt aangelopen over het trottoir, aan de schaduwkant. Er zitten vermoeide festivalbezoekers. Een man legt haar uit dat de voorstelling is afgelast, binnen zitten actievoerders die vastbesloten zijn alles te blokkeren.

Hij heeft een toegangsbewijs in zijn hand. Hij wacht, hij hoopt. Hij twijfelt.

Maria kijkt op. Daar staat de naam van La Jogar in grote letters. Er zijn krantenrecensies aangeplakt: 'Verschillende acteurs hebben een poging gewaagd, hun is het gelukt.'

Daaronder een foto van haar naast Phil Nans.

Nog meer foto's achter een glazen paneel.

Maria heeft het boek gekocht.

Ze gaat op het trottoir zitten. Corrigeren, is dat hetzelfde als schrijven? Odon zegt dat Mathilde *Anamorphose* bewerkt heeft, dat zij het stuk adem heeft gegeven. Heeft ze daarom ook de titel kunnen veranderen?

Ze weet niet of wat ze nu in handen heeft nog het boek van haar broer is, of dat het iets anders is geworden.

Odon had de naam van Paul op de omslag kunnen zetten. Misschien brengt dat ongeluk, het publiceren van iemand die overleden is...

Hij had zijn naam moeten vermelden, al was het maar klein. Al was het maar op een binnenpagina.

Door de goot komt een mestkever aangelopen. Ze heeft in een tijdschrift gelezen dat insecten zonder kop kunnen leven. Niet lang, maar toch een paar uur. Het schijnt dat vlinders en kakkerlakken het een paar dagen volhouden. Ze pakt de kever op. Een geel en gouden schild. Zodra ze hem in haar hand heeft, maakt hij zich klein. De mens leeft nog drie seconden na onthoofding.

Ze zet haar nagels op elkaar.

Praktijkonderwijs, mompelt ze. Ze knijpt snel.

Er komt geen bloed. Ze legt de kop op het beton, het lijf ernaast. Het beweegt niet. Ze wacht. Een paar seconden gebeurt er niets, dan gaan de poten eindelijk weer bewegen. Eerst onzeker.

Het lijf loopt langs de kop, dan verder, steeds verder weg.

'Wat een stompzinnige wreedheid,' zegt een vrouw naast haar.

ODON LUNCHT BIJ restaurant L'Epicerie, zijn vaste tafeltje, in de schaduw, tegen het raam. Hij hoeft niet te reserveren, hij is vaste klant, komt elke dag tussen de middag. De eigenaar kent hem.

Achter het hek staan potten met bloeiende postelein.

Toeristen zitten te eten. Anderen schuiven aan. Op de tafels staan mandjes brood.

Odon wisselt een paar woorden met de ober, bestelt een maaltijdsalade met gegrilde aubergines, aspergekoppen, tomaten en olijven. Verder een coupe garnalen en toast met tapenade.

Een glas wijn.

Vanwaar hij zit kan hij het hele plein overzien, de ingang van de kerk en de deuren van de Dolle Hond.

Hij neemt een slok.

Hij begint te eten.

Daar komt Maria. Ze loopt om de tafeltjes heen, zijn kant op.

Ze ploft neer op de stoel tegenover hem. Ze legt het boek op tafel.

Het scherm dat het terras beschaduwt, heeft dezelfde kleur groen als de stoelen.

Om hen heen gaan de gesprekken verder, sommige in vreemde talen.

'Brengt dat ongeluk, een dode schrijver?' vraagt ze. 'Hebt u daarom zijn naam niet op het boek gezet?'

Odon pakt zijn glas, neemt een slok wijn.

'De naam van je broer is overal te lezen, op *Nuit rouge*, op de flyers, op de affiches.'

'Maar niet op *Anamorphose*!'

Ze spreekt hard, schreeuwt bijna, mensen draaien zich om.
Haar stem is zo veel kracht niet gewend. Maria hoest.
Odon zet zijn glas neer. Hij pakt een garnaal uit de coupe, pelt hem.
Zij slaat het gade.
'U had het recht niet...'
Hij weet het.
Hij kijkt haar onbewogen aan.
'Je hebt gelijk, ik had het recht niet.'
Ze slaat haar ogen neer, schraapt met haar hak over de bruine tegels van het plein. Schamele grassprietjes hebben wortel geschoten, ze lijken uitgedroogd.
'U hebt de naam van Paul op het affiche van *Nuit rouge* gezet... Was dat om uw geweten te sussen?'
'Als je het zo wilt zien.'
Ze knikt.
Hij smeert boter op een stukje brood, sprenkelt er citroen op. Neemt nog een garnaal.
Hij wijst naar de coupe.
'Eet...'
De ober komt, vraagt of alles in orde is.
'Nog beter zou niet meer fatsoenlijk zijn,' antwoordt Odon.
'En gaat u *Nuit rouge* ook publiceren?' vraagt ze.
'Nee.'
Hij publiceert al een hele tijd niets meer. Sinds *Anamorphose*. De oplage is gedrukt, hij heeft de eerste tien exemplaren gehouden.
Maria steekt haar hand uit, ze pakt een schijfje citroen, likt aan het gele zuur.
'*Nuit rouge*, gaat dat in Parijs gespeeld worden?'
'Ik denk het niet.'
Ze bijt in het vruchtvlees, trekt het los van de schil.
Een duif zoekt met zijn snavel tussen de tegels. Grijze veren, rond oog. Hij heeft een zieke poot, zijn tenen zijn aangevreten door een soort gezwel en hij loopt mank. Ze pakt een garnaal

bij een voelspriet en gooit die naar de duif. Een paar seconden en de duif heeft hem verzwolgen. Hij kijkt naar Maria.

'Mathilde heeft geboft,' zegt Maria.

'Dat was lang geleden.'

'Ook weer geen eeuwen!'

Odon wrijft met vlakke hand over het hout.

'Iedereen is wel schuldig aan iets...'

Ze verbleekt.

Schreeuwen kan ze niet. Slaan ook niet. Ze houdt het altijd binnen, haar woede. Ze slikt alles in.

Ze dekt het af met fatalisme, zegt uiteindelijk dat het zo erg niet is, dat het geen echte woede is.

En begraaft het.

Begraaft het diep.

Daardoor sterft er weefsel af. En ze krabt opdat het vuil eruit kan.

'Mijn broer vertrouwde u!'

Ze kijkt hem strak in de ogen.

Odon vertrekt geen spier.

'Wat verwijt je me? Dat ik het gepubliceerd heb?'

'Nee.'

'Wat dan?'

'Hij was de auteur, u had zijn naam erop moeten zetten.'

'Dat was geen goed idee geweest.'

'Omdat een dode auteur niet verkoopt?'

Hij strijkt over zijn gezicht. Hij heeft zich niet geschoren, het raspt.

'Inderdaad... Behalve als hij al een oeuvre achter zich heeft.'

Het gezicht van Maria slaat dicht. Twee rechte rimpels tekenen zich af tussen haar ogen.

'Mijn broer had geen oeuvre achter zich, hij had het voor zich.'

Odon staart berustend in zijn bord. Hij heeft zich vaak schuldig gevoeld. Lange tijd. Over alles. Schuldig dat hij van Mathilde hield en dat hij Nathalie had verlaten, Julie in de steek liet. Je kunt schuldig zijn over je passies.

'Zonder Mathilde zou *Anamorphose* nooit succes hebben gehad.'

Ze forceert een lachje.

'Moet ik haar dankbaar zijn?'

'Dat vraag ik je niet.'

'Wat vraagt u me dan?'

Hij vraagt haar niets. Hij wendt zijn hoofd af.

Het is iets over twaalven, de mis is afgelopen, de pastoor komt naar buiten met zijn kruis. Twee koorknapen voorop, het ziet eruit als een schilderij van Soutine.

Uit de kerk klinkt orgelspel.

Maria knaagt aan haar nagelriemen. Ze trekt, zachtjes. Judas is sinds meer dan tweeduizend jaar schuldig. En zij, waaraan is zij schuldig? Ze denkt aan het gezicht in het fresco. Verraad van zo'n omvang, dat komt geen twee keer in de duizend jaar voor.

De ober ruimt de tafel af, het bord, de broodmand, de resten van de garnalen.

Odon bestelt twee desserts.

De pastoor groet de laatste gelovigen, hij bukt zich, kust een kind. Het orgel speelt nog steeds, je hoort het door de grote open kerkdeuren op het plein.

De ober komt aardbeien brengen. Maria glijdt er met een vinger over. Ze zijn zacht, glad, een beetje koud. Ze bijt er een stuk.

'Ze is in de stad. Ik ben bij Le Minotaure geweest, maar er was geen voorstelling.'

Odon verstrakt.

Hij strooit suiker op zijn aardbeien. Maria kijkt toe.

'Ik wil koffie met haar drinken,' zegt ze.

Hij schudt zijn hoofd.

'Ze drinkt met niemand koffie.'

'Met u wel?'

'Ja, met mij wel.'

'Ik wil alleen maar van haar horen hoe het allemaal gegaan is.'

Ze stopt een aardbei in haar mond.

‘Kunt u haar niet ompraten?’ vraagt ze met volle mond.

Odon buigt voorover, zijn ellebogen op tafel.

‘Je moet ophouden, Maria.’

Ze glimlacht.

Hij leunt weer naar achteren.

‘Mathilde heeft alleen maar gedaan wat ik haar heb laten doen.’

‘En dus?’

‘Dus, als je iemand wilt lastigvallen, dan moet je bij mij zijn.’

Maria staat op, ze pakt haar tas.

‘Ik wil niemand lastigvallen…’

MARIA HEEFT DE smaak van aardbeien nog in haar mond als ze in de bibliotheek komt. Ze gaat helemaal achter in de leeszaal aan een tafeltje zitten.

Het is rustig. Een paar mensen lopen rond tussen de planken met boeken. Een studente zit over haar boeken gebogen en maakt aantekeningen op ruitjespapier. Een oude man zit te dutten boven een encyclopedie.

Het boek dat ze nodig heeft, staat tussen andere op de plank 'Oude Schilderkunst'.

Ze slaat het open, bladert. Reproducties van schilderijen uit de Renaissance. Aan het eind een inhoudsopgave. Het schilderij is afgebeeld op een halve bladzijde: *De Ambassadeurs* van Hans Holbein de jongere, een werk uit 1533.

Ze heeft het al op internet gezien, bij Isabelle.

Ze buigt zich over de afbeelding. Op het doek staan twee rijke mannen, met één arm leunend op een meubel. De ene draagt een grote bontmantel, de andere is in het zwart gekleed en heeft een paar handschoenen in zijn hand. Achter hen staan voorwerpen, op de vloer ligt een tapijt. Op de voorgrond ligt een merkwaardig ding, een lange, witte vorm die wat van een stuk meerschuim heeft. De andere dingen, de globe, de boeken, de luit, de fluiten zijn allemaal heel herkenbaar, alleen dat ene voorwerp niet.

Daar is het Maria om te doen.

Ze gaat met het boek naar de tafel.

Ze strijkt met een vinger over het papier.

Het is een menselijke schedel die vervormd is om hem onherkenbaar te maken. Met behulp van een bolle spiegel of een lepel zou ze het beeld ervan kunnen herstellen.

Ze kijkt om zich heen.

De grote ramen staan open, ze komen uit op de binnenplaats, de bomen.

De twee bibliothecarissen zitten achter hun bureau. De oude man slaapt nog steeds.

Maria scheurt de pagina los, langzaam en voorzichtig. Het papier kartelt, zo zonder schaar.

Ze scheurt tot het einde. Als ze klaar is, doet ze het boek dicht en schuift de afbeelding in haar tas. Zonder te vouwen.

Ze zet het boek terug en gaat naar de uitgang. Het alarm van de detectiepoortjes gaat niet af bij een enkele bladzijde. Ze staat buiten, in de verzengende hitte van de binnenplaats.

Op de Place Saint-Didier koopt ze een tube lijm. Ze vindt een stuk dun karton. Ze gaat terug naar het park, gaat op een bank zitten en lijmt de reproductie op het karton.

Ze scheurt het karton af tot de rand van de afbeelding. Het wordt zo zonder schaar niet mooi recht, het ziet eruit als een handgemaakte ansichtkaart.

Ze draait de kaart om.

Ze schrijft: 'Anamorfose: omkeerbare vervorming van een beeld met behulp van een spiegel of een optisch dan wel elektronisch systeem. Het voorwerp op de voorgrond is een anamorfose.'

DIE NACHT ZWERFT ze in T-shirt en op blote voeten door het appartement. De vloer is stoffig.

Ze duwt een eerste deur open. Een kamer als de andere, met matrassen, lakens, tassen. De lichamen worden verlicht door de straatlantaarns.

Een meisje ligt te slapen met haar hand vergeten in haar kruis. Een wit laken is opgerold tot een bal. Nog meer slapende lichamen.

Achter alle deuren benen verknoopt met andere benen, neergegooide, verkreukelde kleren. Ademhaling van mensen die slapen.

Maria waagt zich verder, ze bukt zich, ze ruikt aan huid, aan vochtige nekken, snuift de geur van meisjes op, van jongens, van het zweet van geplakt haar.

In de gang.

Twee schimmen glippen onder de douche. Het geluid van stromend water. De damp blijft hangen achter het plastic gordijn. Vochtplekken op de muur. Kleren op de tegels. Een achtergelaten wit onderbroekje en het felle licht van de neonbuis.

Maria duwt een andere deur open. Een witte buik, een borst, een geheven arm dwars over een gezicht. Ze steekt haar hand uit, de buik is plat, de huid is warm, levend. Ze gaat van het ene lijf naar het andere.

Ze vindt het kloppen, bewaart het in haar hand.

Het kloppen van harten, van leven. Ze hoort slaapgekreun.

Ze wil niemand wakker maken.

Ze raakt hun huid aan, heel lichtjes.

Plotseling slaakt ze een kreet.

Twee grote open ogen staren haar aan. Isabelle, ze zit tegen de muur, ze draagt een lange bloes van witte katoen. Haar armen zijn bloot.

Een oude vrouw opgestaan uit het graf, een glimlach om haar lippen, angstwekkend als de dood.

Ze lijkt te dromen.

ODON DRAAIT DE verlichting laag. Hij gaat achter in de zaal zitten. Het gordijn is dicht. Hij steekt een sigaret op.

Als de deur piept, draait hij zijn hoofd om. Voetstappen. De geur van een parfum.

'De deur was open...' zegt ze, en ze legt een hand op zijn schouder.

Ze gaat bij hem zitten.

'Dat is het voorrecht van minnaars,' zegt ze dan, 'voelen waar de ander is, daarheen gaan en hem vinden.'

'Vroegere minnaars, La Jogar...'

Ze lacht. Vroegere minnaars bestaan niet, er zijn wezens die elkaar geraakt hebben, die verweven, verknoopt zijn geraakt, die meegesleept zijn door die genade en er een absoluut vertrouwen aan hebben overgehouden.

Ze gaat met haar nagels over het fluweel van de stoel. Die ochtend heeft ze rondgewandeld door de straten, ze heeft de muziekschool teruggezien, de bloemenstal bij de markt, het theater waar ze elkaar ontmoet hebben.

Ze zegt dat ze graag door steden wandelt, maar dat het haar hier niet lukt om gewoon wat rond te lopen.

Hij hoort haar ademen. Ze heeft een licht, fris parfum op.

Hij kijkt naar haar gezicht. Even heeft hij zin haar te kussen, te verzinken in die halfopen mond.

'Duizenden mannen zouden graag met me ruilen.'

Een lach welt op uit haar keel. Mannen houden van La Jogar, begeren haar. Een droombeeld.

Ze laat haar hoofd tegen de leuning rusten.

'Ja, duizenden, en meer...'

Als ze niet speelt, leert ze teksten. Als ze geen tekst leert, speelt ze. 's Nachts droomt ze van het toneel. Ze zegt dat ze ongehoord veel geluk heeft gehad, dat ze niet anders zou kunnen leven.

'Ik heb heel weinig minnaars gehad, weet je... Ik was bijna getrouwd... Net ervoor vertrokken. Dat was verkeerd, ik hield niet van hem, maar hij wel van mij, hij zou me beschermd hebben.'

Ze wuift het weg met een achteloos gebaar.

Ze moeten lachen. Een beetje.

Ze kijkt hem aan, ze is ineens ernstig. Haar sombere ogen in het halfdonkere theater.

'We hebben het allebei ver gebracht.'

'Jij verder dan ik. Het is met jou heel snel gegaan.'

'Door mijn fouten ben ik verder gekomen. Mijn tekortkomingen... Jij zei dat de kunst de wereld kon redden... Ik vond dat naïef en ontroerend.'

'Ik geloof het nog altijd.'

'Je zei intelligente dingen, ik bewonderde je, erg.'

Achter hen brandt een nachtlampje, het schijnt op de rode muur. Het geeft warme schaduwen op hun gezichten.

Ze wijst naar het affiche.

'Dat stuk van Selliès dat je nu brengt... *Nuit rouge*... Doe je dat om te boeten voor mijn fout?'

'Noem het zoals je wilt.'

Ze kijkt hem aan.

'Hoe ben je aan die tekst gekomen?'

'Hij had hem mij toegestuurd vóór *Anamorphose*.'

Ze knikt.

'Is hij beter dan *Anamorphose*?'

'Nee.'

Ze legt haar hoofd op zijn schouder. Ze vindt zijn geur terug. Zijn lippen vlak bij haar wang. Ze zou graag lichtjes met haar huid langs zijn lippen strijken.

Hij slaat zijn arm om haar nek, drukt haar tegen zich aan, zonder te spreken. Ze blijven een hele poos stil zitten.

Zij is degene die zich voorzichtig losmaakt. Ze doet haar tas open.

'Dit kreeg ik vandaag...'

Ze pakt een enveloppe, er zit een stuk karton in, de opgeplakte afbeelding van *De Ambassadeurs*.

Ze beduidt hem de kaart om te draaien. Hij leest. Zijn gezicht versombert.

'Heb je een idee wie je dit gestuurd kan hebben?' vraagt hij.

'Nee, geen idee... maar het bevalt me niks.'

Hem bevalt het ook niet.

Ze gaat weer zitten, haar rug diep in de stoel. Ze heft haar hoofd op.

Hij voelt haar verwarring, haar kwetsbaarheid onder de schijn van lef.

'Misschien is het een gebaar, een knipoog van een anonieme bewonderaar?'

Dat gelooft ze niet. Het is een directe toespeling op *Anamorphose*. De enveloppe is niet met de post verstuurd, maar afgegeven bij het theater, Le Minotaure.

Odon denkt aan Maria.

Hij draait de kaart om, strijkt met een vinger over het vreemde voorwerp op de voorgrond.

De dood is aanwezig, ondanks al die fraaie kleren en rijkdommen, een schedel die alles onbetekenend maakt, de luxe, de ijdelheid, de roem. *Memento mori*: gedenk te sterven. Dat is de boodschap.

La Jogar haalt een spiegeltje uit haar tas, houdt dat bij de vreemde vorm.

'Het gaat altijd om de details,' mompelt ze.

De vertekening wordt gecorrigeerd in de bolle spiegel. De schedel wordt duidelijk. Door het contrast wordt al het andere onbeduidend, de rijkdom, de pracht en praal.

Misschien ontsnapt alleen de liefde aan die vertwijfeling.

'De duivel verschuilt zich het liefst in de details,' zegt La Jogar.

Ze bergt haar spiegeltje weg.

Ze staat op.

Ze zegt dat ze naar buiten wil, dat ze lucht wil hebben, de stad van bovenaf bekijken, de tuinen, de rivier.

Ze zegt: Neem me mee!

Odon laat de kaart in zijn zak glijden.

Ze lopen het theater uit. Het is laat, maar het is nog druk in de kleine straatjes. De lucht is bijna fris. Ze hoopten dat het voorplein van het paleis verlaten was, dat is het niet. Verstrengelde paartjes.

La Jogar kijkt ernaar.

'Verliefde mensen zijn zo mooi, soms zou je willen dat je hen was.'

Groepen, een man alleen met een gele fiets en zware fietstassen.

'We moeten een andere nacht terugkomen, nog later,' zegt ze.

Odon denkt dat het plein nooit leeg is, ook niet op een later tijdstip.

De hekken van de tuinen zijn 's nachts gesloten. Ze keren op hun schreden terug, gaan opnieuw de verlaten straatjes van de oude wijk in.

Zij loopt naast hem. Ze volgt zijn rustige gang. Ze praat niet meer over de kaart, maar Odon voelt dat ze ongerust is. Hij is het zelf ook.

Ze komen langs de gevangenis, spreken over Jeff, maken een omweg door de Rue des Bains. Bij Odile is alles donker.

Hun passen brengen hen voor het huis van Mathildes vader. Er brandt geen licht. De witte gordijnen zijn dicht. La Jogar kijkt omhoog. De grote studeerkamer boven, de slaapkamers, het kantoor, de lucht van meubelwas en de borden van Longwy-aardewerk.

Haar vader slaapt waarschijnlijk.

Op de binnenplaats, bij de oude put, leefde een salamanderpaar. In de steen zaten glimmende kristallen, zout leek het.

Odon zegt dat salamanders meer dan twintig jaar oud kunnen worden.

La Jogar praat niet over haar vader. Ze kijkt naar de gordijnen. De ramen staan open.

Ze steekt een sigaret op. Ze staan in de straat, er is verder niemand. Een straat in de nacht, in een keurige buurt.

De tuin is omgeven door een hoge muur. Aan de achterkant is een kleine deur, aan het zicht onttrokken door klimopranken en de wildere takken van een egelantier.

De deur is vanbinnen gesloten met een simpel haakje. Odon buigt eroverheen, maakt het haakje los en de deur gaat open.

Achterin een paar bomen, een klein buksenlaantje. La Jogar loopt verder. De bank, de fontein, de waterput met de salamanders. Ze strijkt met haar hand over de ruwe stenen van de putrand. Krekels zingen wat verderop in het grind.

Ze laat zich op de grond zakken, haar rug tegen de stenen van de put. Odon gaat naast haar zitten.

'Wat denk je dat hij aan het doen is?' vraagt ze.

'Hij denkt aan jou,' zegt Odon. 'Hij schrijft een boek dat jij te lezen krijgt als hij dood is.'

'Dat is onmogelijk!'

Toch glimlacht ze.

Ze ziet haar vader voor zich in dat grote huis. Ze ziet haar moeder liggen in de duistere aarde, even alleen als toen ze leefde in de strenge schaduw van die man.

Ze huivert.

Ze slaat haar armen om zich heen.

'Heb je het koud?' vraagt Odon.

'Nee.'

Het is iets anders.

'Ik mis hem, en tegelijk weet ik dat het zinloos is van hem te houden.'

Ze luistert naar het water van de fontein. Het zware snorren van de nachtvlinders, pijlstaartjes met doodskop, overdag vond ze soms lijkjes achter de ruiten.

‘Hier word ik weer Mathilde.’

Odon staat op, loopt een paar passen weg, onder de schaduw van de bomen.

Ze ziet hem niet meer. Alleen het gloeiende puntje van zijn sigaret.

‘Kunnen we nog even blijven?’

‘Ja, goed.’

MARIA STAAT OP het punt naar buiten te gaan als de postbode aanbelt. Hij heeft een pakje waarvoor getekend moet worden. Isabelle is niet in de keuken. Maria gaat haar zoeken.

Ze aarzelt voor haar slaapkamer. De vorige avond heeft Isabelle laat televisie gekeken, het was warm en op straat was het lawaaiig. Ze slaapt vast nog.

Maria is daar nooit binnen geweest. Ze klopt.

Geen antwoord.

Een strogele deur met ouderwets lijstwerk.

Ze draait de deurknop om.

Het is donker binnen. De blinden zijn dicht. Maria wacht tot haar ogen aan de duisternis zijn gewend. Een raam staat open. Ze duwt het luik open om het licht binnen te laten.

Een groot hemelbed. Eromheen staan meubels, de rest van het vertrek is helemaal leeg.

Isabelle zit op de rand van het bed, haar naakte benen buitenboord. Ze heeft haar ogen open. Ze draagt een linnen nachthemd met een rechte hals. De spiegel toont haar gebogen rug. Ze staart zonder iets te zien.

Ze draait haar hoofd niet om als Maria binnenkomt.

Op het parket staan blauwe sloffen.

Haar lichaam tekent zich af in het licht dat door de blinden sijpelt. De huid is bleek, bijna grijs.

Een levende lijkwade, lijkt het.

Dat komt door het licht. In een paar seconden zal alles er anders uitzien. Het gezicht zal bewogen hebben. Maria brengt haar camera naar haar oog.

Het is een reflex. Zonder geluid te maken en zonder Isabelle uit het oog te verliezen verwijdert ze de lensdop en stelt de camera in. Het lichaam, het gezicht, de handen plat op de matras, aan weerszijden van het lichaam.

De magere naakte benen.

Het licht is hard, het verschraalt.

Maria drukt af.

Ze geeft zich geen tweede kans. Het toestel hangt alweer aan haar arm.

Isabelle kijkt op.

'Jij bent het...'

Maria vertelt dat er een pakje is, dat de postbode wacht in het trapportaal.

Isabelle schuift haar voeten in de sloffen. Ze gaat naar de deur.

'Zou jij de luiken open willen doen?'

De luiken zijn van opengewerkt hout. Een kleine, vierkante binnenplaats. Een oude put.

Maria kijkt rond in de kamer.

Op een kledingstandaard naast de deur hangt een cape van rozebruine stof met een dikke, zware voering. Op de ladekast ligt een schede. Er zit een degen in. Een ingelijste foto van Pina Bausch.

Ze trekt de degen uit de schede, de kling ruikt naar aarde. Ze stopt haar vingers in de donkere plooien van de cape.

Isabelle komt terug.

'Die cape, dat is het kostuum dat Gérard Philipe droeg in 1958. En die degen had hij toen hij de rol van Rodrigue speelde. Ik heb gezien hoe hij die aan Chimène aanreikte: "Wil je mijn dood of niet...?" Hij wilde dat zij koos.'

Isabelle kleedt zich aan.

'Ze kon zich wreken, hem doden en een eind maken aan die hele geschiedenis.'

'Wat voor geschiedenis?'

'Heb je *Le Cid* niet gelezen?'

Isabelle pakt een exemplaar uit een stapel boeken op de commode. Geeft het haar.

Ze trekt de eerste lade open, haalt er een doos uit. Er zitten brieven in, een stuk of twintig, met een blauw lint eromheen.

'Mijn man...'

Ze snuift de geur van de enveloppen op, streelt het lint.

'Ik wist niet dat ik gelukkig was met hem.'

Ze pakt de handen van Maria, streelt ze zoals ze de brieven streelde.

'Drie feeën hebben zich over je wieg gebogen.'

'In mijn bos waren geen feeën,' mompelt Maria.

Isabelle pakt opnieuw haar handen.

'In alle bossen zijn feeën, ook in de somberste.'

Ze streelt zacht over de arm, de gemolesteerde huid, de schrammen.

'De eerste fee heeft je talent gegeven, de tweede schoonheid...'

'En de derde heeft mijn broer afgemaakt,' zegt Maria en trekt abrupt haar hand weg.

Er glijdt een schaduw over het gezicht van Isabelle.

'Nee Maria, de derde fee heeft mooie paden voor je geopend en dat is een groot geschenk.'

DE STRAATREINIGERS SPUITEN de straten schoon en het water vormt tussen de tegels kostbare stroompjes waar dorstige ratten gretig aan komen likken.

Odon gaat de trap op, hij kust Isabelle de hand, zo heeft hij haar altijd begroet, de eerste keer als grap en toen werd het een traditie.

Hij heeft bloemen voor haar meegenomen.

'Gefeliciteerd met je verjaardag...'

'Dat was maandag.'

'Ja, maar maandag ben ik niet geweest en toen ik belde, nam je niet op.'

Ze drukt haar gezicht tegen zijn brede borst.

Ze neemt het boeket aan, vult een vaas met water. Ze snijdt de stelen af en zet de bloemen een voor een in de vaas.

In de keuken zitten een paar acteurs koffie te drinken, warrige haren, half wakker na een te korte nacht.

Behalve bloemen heeft Odon ook croissants meegenomen, hij legt de zak tussen de kommen. Kijkt naar het raam. Mussen met verwilderde veren jagen op vliegen in de balkonplanten.

'Je ziet er grauw uit...' zegt Isabelle en ze trekt Odon naar het licht.

'Het was een korte nacht.'

Hij gaat weer naar de salon. Maria zit met haar rug tegen de muur, in kleermakerszit, helemaal achterin, onder een van de ramen, een boek open op schoot.

'Hoe gaat het met haar?' vraagt hij.

'Het gaat.'

Hij loopt naar het grote lege vlak dat zich aftekent op de muur. Een lichtere plek, schijnmotieven.

‘Heb je het wandtapijt verkocht?’
‘Een paar dagen geleden... Er zat mot in, stof, de draden lieten los en ze boden een goede prijs.’
‘Ik had het gekocht als je me had gewaarschuwd.’
‘Voor op de aak? Je muren zijn niet groot genoeg en vocht is niet goed voor wol.’
Ze gaat met haar vinger over de muur, volgt denkbeeldige lijnen.
‘Alles is er nog, de vogels, de twee grote eiken, de hond en het kind dat vooroploopt.’
Ze doet een stap.
‘Hier de koets, de vier paarden, de ene schimmel, de steenweg, de bron en de ree in doodsnood.’
Ze staart naar de muur. Hij trekt haar tegen zich aan, voelt haar breekbare schouders onder zijn reuzenhanden.
‘Ik kom morgen weer langs, ik zal gloeilampen meenemen, die in de keuken zijn niet sterk genoeg.’
‘Ach jawel, het gaat best.’
‘Nee.’
Ze maakt zich los.
Ze zegt: Ik bereid mijn reis naar Ramatuelle voor.
‘Weet je nog wat Aragon schreef toen Gérard Philipe was overleden? “Zijn naasten hebben hem naar de hemel van de laatste vakanties gebracht, naar Ramatuelle, vlak bij de zee...”’
Ze is vergeten hoe het verdergaat.
Odon helpt haar.
‘“... opdat hij altijd een droom van het zand en de zon zal blijven, boven de nevels, en opdat hij voor eeuwig het bewijs voor de jeugd van de wereld zal zijn.”’
Ze zeggen de laatste woorden samen, hun stemmen vermengen zich. De zo veel brozere stem van Isabelle.
‘“En wie daar langskomt, die zal zeggen, want zo mooi zal het weer zijn boven zijn graf: Nee, Perdican is niet dood, hij had gewoon te veel gespeeld, hij moest op krachten komen in een lange slaap.”’

Als zij doodgaat, zullen ze verdrietig zijn, ze zullen huilen en ze zullen haar vergeten.

Hij draait zich naar Maria. Ze is niet van haar plaats gekomen, ze gaat helemaal op in haar boek.

'Ik moet met haar praten.'

'Maakt ze moeilijkheden?'

'Nog niet.'

Isabelle houdt hem tegen bij zijn arm.

'Die meid is één grote open wond, maak het haar niet te moeilijk.'

'Dat ze verdriet heeft, betekent niet dat ze zich alles kan permitteren.'

Isabelle geeft niet op.

'Zeg liever wat je vindt van de foto's die ze bij jou heeft geëxposeerd!'

'Die zijn niet gek...'

Hij neemt de laatste croissant uit de zak.

'Ik moet haar echt spreken,' zegt hij en hij gaat op Maria af.

MARIA IS VERDIEPT in een boek van Willy Ronis. Foto's in zwart-wit, op de omslag een straat in Parijs. De bladzijden slaan soepel om, een goede kwaliteit papier.

Naast haar ligt het exemplaar van *Le Cid* dat ze van Isabelle heeft geleend.

Odon komt naderbij. Zijn schaduw glijdt over de bladzijden. Hij reikt haar de croissant aan en nu tekent de schaduw van de hand zich af.

'Heb je je weer gekrabd aan bramentakken?' vraagt hij.

Ze doet haar mouw naar beneden.

Hij bukt zich, stopt de croissant in haar hand. Hij pakt het exemplaar van *Le Cid*, bladert het snel door.

'"Kom, Sterf of dood, Wreek je, wreek mij!" De mooie Chimène, verscheurd tussen haar liefde voor de dappere Rodrigue en haar eergevoel... Ben je dat aan het lezen?'

'Ik wil weten hoe het afloopt.'

'Hoe zou je willen dat het afliep?'

Ze aarzelt.

'Nou... Maar dat is denk ik niet mogelijk. Ik wil graag weten of Chimène met de moordenaar van haar vader gaat trouwen.'

'Of dat ze kiest voor wraak?'

Van een bladzijde is een hoek omgevouwen. Hij heeft zin haar te zeggen dat je geen ezelsoren maakt in een boek.

'Wat zou jij doen als je Chimène was?'

Dat weet ze niet.

Hij heeft de kaart van *De Ambassadeurs* in zijn zak. Hij haalt hem tevoorschijn.

'Komt dit van jou?'

Hij legt de kaart op het boek.

Het gezicht van Maria is maar een paar centimeter van het zijne, hij ziet de contouren, de pure lijnen van de wangen. Het licht van het raam valt op de huid en de piercings.

Langzaam duwt ze de kaart met haar vinger terug. Ze kijkt op, spottende blik.

'Zo, dus de diva is bij u uit komen huilen...'

Odon heeft zin haar een oorveeg te geven. Met de rug van zijn hand zou hij haar naar de andere kant van de kamer kunnen meppen. Met één schop ben je opgesodemieterd, denkt hij.

Ze glimlacht, ironisch. Ze slaat het boek dicht. Haar hand ligt op de kaft.

'Wat wil je nou eigenlijk?' vraagt hij.

'Dat heb ik al gezegd, ik wil haar spreken.'

'Dat pak je dan niet goed aan.'

Ze haalt haar schouders op.

'Ik wil dat zij me vertelt waarom ze het gedaan heeft. Ik wil horen wat ze te zeggen heeft over *Anamorphose*.'

Ze laat haar vinger over de kaft van het boek glijden.

Hij draait zich om, gaat naar het raam, kijkt naar de muur aan de overkant.

In de straat beneden demonsteren acteurs, geboeid als galeiboeven, anderen volgen hen en slaan op blikken.

Maria staat op, ze breekt de croissant in tweeën, ruikt aan de binnenkant.

Ze geeft hem een helft.

Ze leunt op de vensterbank, buigt naar buiten.

'Mag ik nog foto's bij u op komen hangen?' vraagt ze.

Hij zucht.

'Ja, dat mag.'

JEFF STEEKT HET plein over met zijn grote vleugels op zijn rug en zijn met aluminiumfolie beplakte laarzen. Hij duwt zijn straatorgel voort. Erboven schommelen ballonnen in allerlei kleuren, ze zitten met touwtjes vast.

Op de binnenplaats bij Odile doet hij zijn vleugels af. Hij zet het orgel onder het afdakje voor kinderwagens. Zijn voeten zijn rood, ze lijken wel gekookt.

Odile is in de keuken. Odon is er ook. Op de overloop hoort Jeff hun stemmen al.

Hij duwt de deur open.

Het ruikt er naar vlees en gegrilde groenten.

'Ze laten beelden van de stad zien,' zegt Odile en wijst naar het scherm van de tv.

Ze moppert: Altijd dezelfde plekken en nooit de Rue des Bains...

Ze snijdt tomaten in dunne schijfjes en legt die op een schotel.

Jeff leegt zijn zakken, een handvol munten, een paar netjes opgevouwen bankbiljetten, hij legt alles in de schaal. Hij noteert het bedrag in het boekje.

Zo gaat het al jaren tussen hen.

Hij gaat aan tafel zitten, hij is te lang op het plein gebleven, hij is uitgeput van de zon. Hij zou op moeten houden met dat geleur op het plein, dat zegt Odile, op een dag vinden ze je nog dood onder je vleugels.

Daar moet Jeff om lachen.

'Ik ben je geld schuldig, ik betaal je terug. Als het klaar is, ga ik hier weg.'

Odile schudt haar hoofd.

'Ja ja, naar het meer van Michigan, vergeet niet een ansichtkaart te sturen als je daar bent...'

Ze kijkt naar haar broer, haalt haar schouders op.

Witte uien liggen te fruiten in de olie, een mengsel van groentes en kruiden, donkere specerijen waar een sterke geur afkomt.

Jeff heeft honger. Zijn neusvleugels trillen.

'Jij bent geen vrouw, je bent de duivel...' zegt hij zacht.

Ze lacht.

Haar wangen zijn rood. Het zweet loopt van haar voorhoofd.

'Wil je nu meteen een bord of zal ik het in een schaal doen, dat je het meeneemt?'

Hij likt zijn lippen af.

'Waarom wachten?' zegt hij.

Ze buigt zich over het fornuis. Ze heeft brede heupen. Volle borsten. Door haar bewegingen draait haar kont onder de schort.

Het nylon van de schort ritselt, het lijkt een huivering.

Jeffs hand glijdt vluchtig over zijn geslacht.

Odon betrapt hem op dat gebaar, dat slechts een paar seconden duurt.

ODON GOOIT ZIJN peuk in de stroom. Er moet een eind komen aan de zomer.

Het is te warm. Stukken hout drijven tussen de romp en de zandige oever. Plastic flessen. Sinds een paar dagen is er een invasie van slakken in de grassen rond de meertouwen. Ze kleven aan het blad, minuscule slakken, zo groot als de punt van een naald.

Odon schenkt zich een cognac in. Hij drinkt het glas leeg, hij heeft te weinig in zijn maag. Hij moet slapen. De vorige nacht is hij wakker geworden, hij dacht dat het regende, het was een tak die over het dak schuurde.

Hij kent het leven van de rivieren, een ervan heeft het wiegje van Mozes meegevoerd. Een andere rivier scheidt de wereld van de levenden van die van de doden, de Styx heet die, langs de oevers wachten veerlieden die voor wat geld de overtocht maken.

Hij woont op een schip om dichter bij de legenden te zijn.

Big Mac klimt langzaam op de kant. De bodem is glad. Hij heft zijn kop. Hij taxeert de steilte die hij moet nemen om op de oever te komen.

Er waait een lichte, warme avondbries. Over de brug rijden de auto's in regelmatige stromen.

Odon gaat naar de pad, hij bukt zich, legt een geopende hand voor zijn poten.

De pad aarzelt, doet een stap, klimt in de hand.

Hij laat zich optillen, meenemen. Hij geeft een sterke lucht af, een mengsel van slib en aarde.

MET LICHTE TRED beroert Maria het gras.

Ze gaat naast Odon zitten, met opgetrokken knieën, de handen plat op haar dijen. De wind stuwt het donkere water tegenstrooms. De meertouwen van de aak staan strak als snaren, ze graven een spoor in de aarde.

Er komt een eekhoorntje voor hen langs, zijn buik tegen de grond. Hij heeft dorst. Alles heeft hier dorst.

Alles heeft het warm.

Maria krabt zich, ze schraapt langzaam over de witte littekens op haar armen.

'Hou op!'

'Wat!'

Haar blik valt op de pad. Hij kruipt en licht daarbij takjes op. Een krekel zingt in het gras. Wat verderop nog een.

'Ik heb haar gezien,' zegt ze, 'op het toneel van Le Minotaure, er werd vandaag niet gestaakt.'

Haar stem is broos, het laatste woord klinkt gesmoord.

'Ik wilde haar spreken, na afloop, ze hielden me tegen.'

Odon zwijgt.

Hij gooit zijn peuk in het water.

Zij klemt haar handen tussen haar dijen.

Over de rivier schalt gelach, een groep mensen op de brug, de camping is daar niet ver vandaan. Alle lantaarns branden.

'U geeft geen donder om de planeet,' zegt ze terwijl ze naar de wegdrijvende peuk kijkt.

'Ga nou niet zeiken over de planeet!'

'Het is toch zo...'

'Ben je gekomen om me over de planeet te onderhouden?'

Ze trekt een gezicht, pakt een steen en gooit die in de rivier. Er ontstaan golven waar die neerkomt.

Op de plekjes met de meeste schaduw, langs de oeverkant, bloeit vingerhoedskruid. De zware bloemtrossen buigen naar de aarde.

Een boot met toeristen vaart stroomopwaarts naar de oude brug.

Maria vertelt over de caravan aan de bosrand, over de misère tussen de plassen en poelen. Haar moeder is twintig kilo aangekomen na de dood van Paul, gek hoeveel als iemand kan vreten als hij ongelukkig is.

'*Anamorphose*... Hoeveel hebt u daarvan gedrukt?' vraagt ze.

'Tweeduizend...'

Ze weet er een lachje uit te persen.

'Dan had u wel een luxe kamer voor me kunnen huren, in plaats van me naar Isabelle te sturen.'

'Zit je niet goed bij Isabelle?'

Ze schudt van nee.

'Ik bedoel alleen... U hebt er dus flink aan verdiend?'

Odon pakt zijn sigaretten. Hij spuugt het filter weg. Het vlammetje van de aansteker verlicht zijn handen, de zware kringen onder zijn ogen.

'Ik heb je moeder geld gestuurd.'

Maria lacht spottend.

'U bent een echte engel, u mist alleen nog het kroontje.'

Hij corrigeert haar.

'Het aureool...'

Ze buigt voorover, krabt de modder van haar kuit. Na de dood van Paul heeft haar moeder haar gezicht met zeep gewassen tot het glom als een spiegel. Ze deed nog meer van dat soort dingen.

Ze kijkt naar het zwarte water, de drijvende peuk die schommelt op de golven. De stroom voert bladeren mee. Ze tilt haar hoofd op om de lichten van de stad te zien. Het uitgelichte Pausenpaleis. De gouden Maagd.

'Hoe is je broer doodgegaan, Maria?'

'Op een stomme klotemanier.'

'Je moeder had het tegen mij over een ongeluk met een kraan?'

'Dat vertelt ze aan iedereen, of hij is van een steiger gevallen.'

Hij vraagt of dat dan niet zo is.

Ze antwoordt niet. Een vogel met bonte vleugels komt aantrippen en pikt in de modder.

'Krijgt u nooit eens zin om ergens anders te kijken? U zou zo het anker kunnen lichten...'

'Mijn schip heeft geen anker.'

'Hoe doe je het dan als je weg wilt?'

'Je maakt de touwen los en laat je drijven.'

ODON KLIMT WEER op het schip, hij verdwijnt naar binnen en komt terug met een fles whisky en twee brede glazen.

Hij blijft op het dek.

Maria voegt zich bij hem en laat zich in een leunstoel vallen, haar benen over de armleuning. Met het hoofd in de nek kijkt ze om zich heen, naar de bomen, de potten, naar alle verzamelde troep. En naar de nacht.

In de caravan waren geen tussenwanden, haar moeder trok een gordijn dicht voor haar bed. Maria sliep op het bankje. Haar broer bleef in de bestelbus. 's Winters had hij het koud.

Ze staat op, loopt naar de piano, haar vingers op de toetsen. In het vernis is een embleem gegraveerd. Ze slaat een paar keer met haar wijsvinger dezelfde hoge toon aan.

'Zijn ze van ivoor? Weet u dat ze olifanten doodmaken voor dit soort flauwekul?'

Ze drukt haar vingers op de toetsen. Het galmt in de droge lucht. Het galmt ook binnen in haar schedel. Ze doet de klep weer naar beneden.

Toen Paul dood was, heeft ze in de bestelbus de muziek keihard aangezet. Haar moeder bonkte met haar vuist op het portier. Dat laatste cadeau gunde ze zich, muziek, met de deuren op slot.

'Mijn moeder heeft een boom geplant. Ze heeft de as door de aarde gemengd, ze zei dat die er vijftig jaar over zou doen om te groeien.'

Ze gaat weer in de leunstoel zitten.

'Hoeveel tijd heeft het u gekost om te zien dat het goed was, *Anamorphose*?'

'Ik zag het meteen.'

Ze laat haar gestrekte vingers dansen tussen haar ogen en de hemel.

'Precies zesentwintig dagen, zo lang hebt u voorbij laten gaan voor u hem belde.'

Ze vuurt een blik op hem af.

De rivier glinstert. Avondvogels scheren over het water op jacht naar insecten. De nacht geeft ruimte aan andere geluiden. Vreemd gekrab in het hout van het schip. Door de stroom meegevoerde takken schuren langs de romp, ze raken in elkaar verstrikt en vormen verderop een dam.

Maria wendt haar hoofd af.

'In het begin mocht ik u wel,' zegt ze.

'Je moet eens ophouden, Maria.'

'Hij is voor altijd opgehouden.'

De fles whisky staat op tafel. Op de oever worden rotjes afgeschoten. Gelach van meisjes.

Ze schenkt zich een glas in. Maakt haar lippen nat. Het is sterk spul. Ze is het niet gewend. Ze krijgt tranen in haar ogen. Veegt ze weg met een vuist.

'Ik denk dat ik naar huis ga.'

Boven haar bewegen de bladeren van de platanen in de wind.

MARIA GAAT NIET. Ze houdt het glas in haar handen. Zonder te drinken. Alleen de geur, als een parfum.

'Het was geen ongeluk met een kraan,' zegt ze.

Ze slaat haar ogen op naar Odon, het glas tegen haar gezicht.

Hij staat tegen de reling geleund.

'Eén kogel in het magazijn. Een kans van een op zes.'

Hij luistert nu gespannen.

Ze gaat niet verder.

Ze geeft een draai aan een denkbeeldige trommel. Richt haar wijsvinger op haar slaap.

'Je broer heeft zelfmoord gepleegd, bedoel je dat?' vraagt hij, en zijn stem klinkt ineens heel dof.

Wat hij nu hoort, brengt hem van zijn stuk.

'Niet echt... Russische roulette. Loodje leggen, noemde hij dat.'

Ze haalt diep adem, forceert een lachje dat pijnlijk is om te zien.

'Gewoonlijk gokte hij op honden, maar omdat hij geen honden meer had...'

Odon laat zich langzaam in een fauteuil zakken, een hand op de leuning. Zijn vingers trillen. Hij drukt ze tegen elkaar.

Zijn voorhoofd is nat van het zweet.

'Krankzinnig wat een bloedbad één enkele kogel kan aanrichten...' zegt Maria.

Odon spreidt zijn handen in een gebaar van machteloosheid. Hij wordt draaierig als hij naar de rivier kijkt. Hij kijkt naar haar. Ze liegt niet.

Ze lijkt kalm en ziet eruit of ze overal pijn heeft.

'En wat deed het u, toen u van mijn moeder hoorde dat mijn broer dood was?'

'Dat heb ik je al uitgelegd.'

'Uitleg gaat altijd te snel.'

Hij strijkt met zijn handen over zijn gezicht, steekt zijn vingers in zijn haar, blijft zo een hele poos zitten, zijn hoofd is zwaar.

Hij herinnert zich dat hij verdoofd was. Nog dagen later wist hij niet wat hij moest doen en vroeg hij zich af of hij schuldig was.

'Ik had een tekst maar geen schrijver meer.'

'Er was wel een schrijver!'

'Ja, Maria...'

Hij staat op.

Zij blijft in de stoel hangen, haar benen over de leuning.

'Ze noemden hem de Indiaan, mijn broer,' zegt ze. 'Voor hij die laatste avond wegging, heeft hij nog in de brievenbus gekeken, hij geloofde er niet meer in maar hij ging toch kijken... De politie heeft zijn lichaam bij de Seine gevonden, in het gras, ze zeiden dat het een afrekening was, tuig onder elkaar.'

Haar nagels klauwen in haar handpalmen. Naderhand heeft haar moeder de bestelbus verkocht. Ze heeft het handschoenenkastje niet leeggemaakt, daar zaten nog beschreven bladen in.

Ze maakt een korstje los, trekt langzaam.

'Hou op...'

'Kan ik niet.'

Hij leunt tegen de reling.

Waar schuilt het toeval? Als hij eerder had gebeld, zou Selliès die stomme gok niet zijn aangegaan. Misschien. Misschien ook wel.

'Ik moet u nu haten.'

Haar stem klinkt treurig als ze dat zegt.

'Wat je wilt.'

'Dat is niet wat ik wil.'

Hij kijkt naar het stromen van de rivier.

'Je maakt jezelf kapot,' zegt hij.

DE DAG BREEKT aan. Ademen gaat nu nog, maar over een paar uur zal de hitte alles moeilijker maken.

Odon heeft slecht geslapen. Hij heeft zakken onder zijn ogen, de smoel van een Kosovaarse vluchteling als hij opduikt uit het ruim.

Hij drinkt zijn koffie.

Laat water in de gootsteen lopen en gaat Big Mac zoeken. Neemt hem weer mee. Het raam staat half open en de pad is met een paar stappen buiten.

De radio staat aan. Meer naar het noorden regent het. Hier zou het ook moeten regenen. De aarde wacht al weken. De mensen, de bomen, de dieren. Zelfs het stof verlangt naar regen.

In de verte gaat een trein voorbij, het geluid komt mee op de wind.

Hij neemt nog een kop koffie.

Hij zet zijn telefoon aan en belt Mathilde.

LA JOGAR HERINNERT zich het beeld van de straat nog. Een verlicht uithangbord, nummer 19. Odon had een bericht voor haar achtergelaten, hij wilde afspreken. Hij heeft geen reden gegeven. Zijn stem klonk gespannen.

Zij kent de plek. Het is een lage ruimte met een lange bar, krukken aan de toog. De muren zijn bedekt met posters. Er wordt jazz gedraaid.

Ze gaat naar binnen. Een meisje danst op de vloer, latinojazz, blues, soul. Alle tafeltjes zijn bezet. Rode lampen zorgen voor een wat lugubere verlichting.

Odon zit aan de bar, steunend op zijn ellebogen. Brede schouders. Grijs linnen overhemd.

Ze trekt een kruk tegen de zijne aan. Hij draait zich half om.

Hij wijst naar zijn glas. Hij heeft al gedronken, en te veel.

'Drinken helpt me om me te herinneren.'

'En wat wil je je dan herinneren.'

Hij laat zijn blik langdurig over haar rok glijden.

'Alles. Jou.'

Hun laatste vakantie. In Fécamp. Het regende, je kon niet naar buiten maar ze wilden de zee zien en dus parkeerden ze boven aan de kliffen. Op drie meter voor hen een afgrond, de zee; hij liet de ruitenwissers aan.

'We zullen drinken op onze vergissingen...'

Zij bestelt een Kiss me boy. Ze tilt haar glas op, klinkt met hem.

'Heb je na mij met veel vrouwen gevreeën?'

'Duizenden...'

Hij strijkt met zijn hand over haar wang, dan omhoog over haar haar. Hij heeft lang gehoopt dat ze zonder elkaar gelukkig konden zijn.

'Maar het paradijs, dat vond ik onder jouw rokken.'

Ze drukt haar lippen tegen zijn hand.

'En daarom wilde je me zien, om me dat te zeggen?'

'Niet echt.'

Ze draait het glas. Een lok haar valt over haar wang. Altijd diezelfde lok, ze duwt hem achter haar oor, vruchteloos, het volgende ogenblik valt hij weer terug.

Ze neemt een slok van haar drankje.

Hij vertelt van Maria.

Hij vertelt over haar bezoeken, haar vragen, alles wat hij van haar weet, hoe ze het manuscript van *Anamorphose* heeft gevonden.

'Ze weet dat jij het hebt bewerkt om het te kunnen spelen. Ze weet ook dat het onder jouw naam is uitgegeven.'

Hij vertelt niet hoe Selliès is gestorven. Ja, al het andere mag ze weten, maar dat houdt hij voor zichzelf.

'Is er nog iets?' vraagt ze.

Hij schudt van nee.

Al de tijd dat hij praatte, hield zij haar lippen tegen het glas.

'Weet je nog, jij wilde het verbranden...' zei ze toen hij klaar was.

'Niet verbranden, teruggeven.'

'Komt op hetzelfde neer... Zijn moeder wilde er niks van weten.'

Ze gebaart naar de barkeeper, bestelt nog een glas en ook wat zoutjes.

'Die tekst was te mooi om er niks mee te doen... En een dode kun je niets teruggeven.'

Odon volgt met zijn ogen de handelingen van de barkeeper die het glas vult en toastjes en olijven op de bar zet.

'Ze wil jou ontmoeten, met jou over al die dingen praten.'

La Jogar barst in lachen uit.

'Al die dingen? Wat betekent dat? Ik wil daar niet met haar... ik wil daar met niemand over praten.'

Ze krabt het vel van een olijf; de beste ingemaakte olijven.

'Ik heb alleen maar gered wat gered moest worden.'

Hij knikt.

Ze glimlacht geforceerd. Ze houdt niet van ongerustheid. Het theater is haar wereld, haar vaderland, niets dan schone schijn, maar daarin voelt ze zich thuis. Alleen het toneel geeft haar grond onder de voeten.

Ze neemt nog een olijf, spuugt de pit uit. Over een paar dagen vertrekt ze weer, ze moet aan het werk, ze moet de tekst over Verlaine leren. Vrienden opzoeken.

Het is warm. Haar huid is klam.

Ze pakken hun glas en gaan roken op het trottoir.

'Weet je nog, dertig waren we...'

'Jij was dertig.'

Ze glimlacht.

De nacht ruikt goed, een mengsel van kamperfoelie, de geur van rozen en opengesprongen lavendel. Ze besluiten Maria te laten rusten en over andere dingen te praten.

DAMIEN ZIT URENLANG op zijn bank. Het is slechts honderd meter van de Dolle Hond. Hij heeft met plakband een slinger van witte figuurtjes op de rugleuning bevestigd, een rood hart met een pijl erdoor.

Hij kijkt naar het menselijk bedrijf. Dit is niet het grootste plein van de stad, maar het is er levendig. Mensen ontmoeten elkaar, komen elkaar tegen, ontwijken elkaar, gaan uiteen. Honden zijn er ook, en een paar katten.

Damien zegt dat hij kan zien wie buurtbewoner is en wie van elders komt.

Hij zegt dat hij daar slaapt en de wind als hoofdkussen gebruikt.

MARIA KIJKT NAAR zichzelf in de badkamerspiegel. Iemand is een tube gloss vergeten, ze smeert een beetje op haar lippen. Een tube crème, ze doet de dop eraf, snuift de geur op. Gewoonlijk gebruikt ze geen make-up. Ze doet wat poeder op haar wangen. Eén keer heeft ze in een trein een tas gestolen. Er zat een poederdoos van Dior in. Die heeft ze aan haar moeder gegeven. Haar moeder gaf haar een draai om de oren maar de poederdoos heeft ze gehouden.

Maria gaat naar buiten.

Ze laat een afdruk maken van de foto van Isabelle die op de rand van het hemelbed zit.

Het naakte vel, de schaduwen en de soepele stof. De ogen vooral, de open, afwezige blik. De foto is perfect. Ze wil hem ophangen in de vestibule van de Dolle Hond.

Odon staat bij de ingang van het theater, hij regelt problemen met kaartjes van festivalbezoekers.

Maria prikt de foto achter de andere. Het is of die vorige foto's gemaakt zijn om bij deze uit te komen, een oude vrouw op de rand van een bed, de andere meubels daar vlak omheen, dicht opeen, stil.

Julie komt erbij.

Ze zegt tegen Maria dat ze Isabelle in een van haar mooie jurken had moeten fotograferen.

'Zo een met stras en lovertjes, ze heeft zulke prachtige jurken!'

Odon komt naar hen toe. Die armen, die buik, de magere gebogen schouders en het vale gezicht. Het gezicht van elk leven dat wacht op de dood. Het werk van de tijd die hele vlakken wist, verlangens slijt, gevoelens vervormt. Gruwelijke kaalslag.

'Heb je hem aan Isabelle laten zien?'
'Nee.'
Hij zwijgt. De lippen strak op elkaar.
Schoonheid kan pijn doen. Ze kan angst aanjagen.
Hij haalt een punaise weg, dan nog een, met trage gebaren. Met zware hand.
'Je kunt zo'n foto niet ophangen zonder haar medeweten.'
Hij kijkt Maria aan.
'Je moet het haar vragen, snap je?'

OP HET MOMENT dat ze het toneel af gaat, staat La Jogar even stil, dat doet ze altijd, ze draait zich om, kijkt nog een keer de zaal in.

Sommige mensen zitten nog. Anderen staan op. Men lacht naar haar. Men draait zich al om. Ze gaat altijd af bij open doek.

Morgen staat ze daar opnieuw, voor een ander publiek en zal ze hetzelfde gebaar maken, hetzelfde ingestudeerde afscheid.

Op de vijfde rij voegt een grote man met gebogen rug zich in het gedrang. Een wit overhemd, antracietkleurig jasje. Naar hem kijkt ze.

Ze volgt hem met haar blik.

Waarom juist hem? Omdat hij groot is? De gestalte heeft iets vertrouwds.

Ze kijkt naar de nek.

De licht kalende schedel, de schouders misschien iets smaller dan vroeger. De man is alleen. Hij volgt het gangpad tussen de stoelen, nadert langzaam de klapdeuren van de uitgang.

In de zaal wordt opnieuw geklapt, omdat zij nog op het toneel is. Ze glimlacht.

De man gaat door de deuren, ze heft haar hand op. Hij draait zich niet om. Het publiek applaudisseert. Het applaus volgt haar.

In de gang tekent ze foto's.

Ze gaat de kleedkamer in.

Phil Nans omhelst haar.

Pablo komt binnen.

'Je was geweldig, schoonheid!'

Ze gaat naar het raam, kijkt de straat in, het trottoir, de eenzame gestalte van haar vader die zich verwijdert.

'Maar ik haperde op de Roseman-brug,' mompelt ze, 'daar haper ik altijd.'

JEFF IS GEVALLEN, op straat, door zijn vleugels. Hij staat op. Hij wankelt. Het orgeltje is kapot, wat hij ook doet, de rollen blijven vastzitten.

Hij botst tegen mensen op. Wie hem van dichtbij aankijkt, ziet dat zijn ogen huilen. Met zijn slepende vleugel beweegt hij zich voort als een albatros.

Het is het begin van de middag. De jongens van Grote Odile zien hem aankomen met zijn vleugels.

Hij gaat bij hen zitten. Hij vertelt het verhaal van Icarus, een vreemde kerel die wilde vliegen als een vogel.

Aan het eind van de dag gaat hij de stad weer in en verzamelt peuken op de trottoirs. Hij stopt ze in een luciferdoosje. Als het doosje vol is, gaat hij weer naar de Place de l'Horloge en kiest een plekje goed in het zicht.

Hij pakt een eerste peuk. Toeristen blijven staan. Een tiental. Jeff stopt een peuk in zijn mond. Hij kauwt erop. Hij wordt misselijk van de tabakssmaak. Hij slikt. Hij pakt een volgende peuk, gaat op dezelfde manier te werk. De nieuwsgierigen drommen om hem heen. De tabak blijft aan zijn tong kleven, zijn speeksel wordt gloeiende lava.

Een kind vraagt: Waarom doet die meneer dat?

Jeff kijkt op. De munten vallen in de pet als op de beste momenten van de vleugelact. Hij pakt weer een peuk. Hij kijkt naar het muntgeld en vraagt zich af of de hemel blauw is boven het meer van Michigan.

Julie, Damien en Greg zitten op de bank. Maria ook. Ze hebben Jeff langs zien komen.

Julie vertelt het geheim van de schuld die hem bindt aan Odile.

'Als hij alles heeft terugbetaald, neemt hij de trein en gaat hij naar Amerika.'

'Daar is meer voor nodig dan een trein, wil je daar komen,' zegt Maria.

En meer dan een dag. Soms is een heel leven niet genoeg.

Wie het niet gewend is, ziet op tegen zo'n grote reis. Je bent het echt van plan. Op het moment dat je moet instappen, aarzel je en blijf je op het perron.

Julie zegt dat er veel geld zat in de laarzen van Odile, genoeg voor een levenslange schuld.

Ze fluistert het bedrag in haar oor.

'Dus die droom van hem, daar komt niks van...' zegt Maria.

‘EEN GEZAMENLIJKE DROOM van drie mannen…’ zegt Isabelle. ‘Zonder hen zou jij hier niet geweest zijn.’

Ze legt het tijdschrift op tafel.

Op het omslag staan René Char, Jean Vilar en Christian Zervos.

‘Met hen is het allemaal begonnen.’

Ze laat het artikel in het tijdschrift zien. In het paleis was een expositie over Picasso ingericht en ze kregen het idee daar een paar toneelvoorstellingen aan te koppelen en dat noemden ze de ‘Week van de toneelkunst’.

Isabelle legt haar hand op het gezicht van Maria.

‘Zou jij geen toneel willen spelen?’

‘Ik heb geen stem.’

‘Een stem, daar kun je aan werken. Wat Mathilde niet aan haar stem heeft gewerkt!’ Maria verstrakt bij het horen van de naam Mathilde.

Isabelle trekt haar hand terug.

Maria schuift de bruine enveloppe naar haar toe.

‘Odon zegt dat ik deze niet mag exposeren zonder hem aan u te laten zien.’

Isabelle fronst haar wenkbrauwen. Ze zet haar bril recht, haalt de foto uit de enveloppe.

Ze leunt achterover op haar stoel. Dat is zij, op het hemelbed. Is ze zo oud geworden? Ze schaamt zich voor haar handen. ’s Ochtends, in de spiegel, ziet ze alleen maar fragmenten, wangen, lippen, hals, haar. Dat gezicht, is zij dat geworden?

Ze kijkt Maria aan over haar bril.

‘Wie dacht je hiermee een plezier te doen?’

Maria slaat haar ogen neer.

Isabelle wendt haar blik af. Ze zou erom moeten lachen. Een onverschillige houding zou gepast zijn. Vlinders zuigen honing uit de bloemen op het balkon, meer dan tien, allemaal dezelfde, ze klapwieken met hun wat bleke gele vleugels.

'Die zou je moeten fotograferen!'

Ze kijkt opnieuw naar de foto, naar dat vreemde lichaam op de rand van het bed. Nee, hier gaat ze niet om glimlachen! Zullen de dagen die nog resten draaglijk zijn? Zal ze blij kunnen zijn met de dag die komt? En als er nog tien of twintig komen, zal ze daar ook van kunnen genieten? En als het nog maar een uur is, zal ze daar dan toch…

'Ben ik werkelijk zo?'

'U bent mooi,' zegt Maria.

Isabelle weet niet goed wat ze moet zeggen, stopt de foto weer in de enveloppe.

'In dat geval…'

Ze recht haar rug, sluit de enveloppe.

De Hopi-indianen zeggen dat foto's de ziel vasthouden van wie zich laat fotograferen. Van wie is de foto van dit gezicht? Is die van Maria?

Kan een tekst meer levend zijn dan de schrijver? Belangrijker?

Maria ziet het licht terugkomen in de ogen van Isabelle. De ogen van haar broer vlamden. Hij kende geen angst voor de dood en toch nam de dood hem te grazen.

Isabelle geeft haar de enveloppe terug, met de foto erin.

'Hij is van jou, je mag ermee doen wat je wilt.'

Ze loopt naar de deur, draait zich om.

'Maar alsjeblieft, een beetje rechterop.'

JULIE KOMT THUIS. Ze is alleen. Toen ze wegging is ze vergeten de luiken dicht te doen. Dat was 's ochtends.

In de loop van de dag is de hitte de woning binnengedrongen.

Een muur van hitte.

Julie neemt een koude douche.

Damien wil een kind van haar. Hij heeft nog meer serieuze wensen. Hij heeft haar erover gesproken.

Ze gaat op het bed liggen. De lakens zijn gekreukt, de katoen is te dun, versleten in de was. Ze zou wel mooie lakens willen kopen, van katoenbatist, zonder bloemen maar in mooie tinten.

De warmte is zelfs in de matras gaan zitten.

Het duurt lang voor ze inslaapt. Ze droomt van bomen die in brand staan, van eekhoorns die met hun jongen wegvluchten.

Als ze wakker wordt is het bijna middag.

Ze trekt een jurk uit de kast, een indigoblauwe hemdjurk, de zevende kleur van de regenboog, een onduidelijk mengsel van blauw en paars.

Ze gaat naar buiten.

Ze koopt twee hamburgers en drinken. Ze gaat terug naar de Place des Châtaignes, zet de zak op Damiens schoot. Hij kijkt wat erin zit.

'Vanavond gaan we pannenkoeken bakken op de aak, kom je ook?'

'Ik heb hier van alles te doen...'

Hij pakt haar hand, drukt er een lange kus op, de holte van de handpalm is zacht als een nest.

'Zie je die jongen die de bakkerij in gaat?'

Ze draait zich om.

Een gewone jongen, een klein hoofd op een heel lang lijf.

Damien gaat verder.

'Hij komt elke dag om twaalf uur het plein op. Hij koopt een half stokbrood en iets in een papieren zak, hij komt naar buiten zonder iemand aan te kijken en verdwijnt in dat straatje.'

Damien zegt dat hij de jongen elke dag zou zien als hij steeds op dezelfde tijd zou kunnen komen.

'Tot de dag dat hij niet meer komt,' zegt Julie.

Damien knikt.

'Of eerder komt, of later...'

De jongen komt naar buiten met zijn stokbrood en zijn zakje. Hij verdwijnt als voorzien.

Twee minuten gaan voorbij.

Er komt een meisje uit de passage Saint-Pierre, ze steekt het plein over, tussen de tafeltjes door. Ze heeft een bloemetjesjurk van lichte, rimpelige stof aan. Zij gaat nu de bakkerij binnen.

Damien zegt dat zij de vorige dag een andere jurk aan had maar op dezelfde tijd kwam, uit dezelfde passage.

En de dag daarvoor ook, in weer een andere jurk.

'Ze zou maar twee minuten eerder hoeven komen en ze zou de jongen tegenkomen.'

Dat zegt hij.

Hij wacht tot het meisje weer naar buiten komt.

Julie wacht samen met hem.

Een man, een vrouw met een hond, een kleine meid met een groot brood.

Dan komt het meisje naar buiten.

Ze verdwijnt door dezelfde steeg.

'Sinds drie dagen zie ik hoe ze elkaar mislopen.'

Hij kijkt naar Julie.

Julie kijkt op haar horloge.

Ze staat op, schudt haar jurk af.

'Ik lunch met mijn moeder,' zegt ze.

DAT DOEN ZE elke maandag, ze treffen elkaar bij een McDonald's naast de krant. Ze lunchen samen en praten over koetjes en kalfjes.

Als Julie komt, is Nathalie er al, binnen. Ze heeft een tafeltje ver van het raam gekozen.

Nathalie gaat begin augustus naar Roscoff. Als ze terug is, wil ze verhuizen, ze heeft net een groter appartement bekeken in de wijk La Balance.

'Ik wil het je graag laten zien...'

Julie knikt.

Ze kiest een dag en een tijd.

Zelf gaat ze naar Zuid-Spanje, met Damien of zonder hem. Om een kind te maken, of niet.

Ze doopt een frietje in de ketchup. Ze vertelt over Damien, ze zegt dat het op het moment niet zo geweldig gaat tussen hen.

'Hij zit urenlang op zijn bank, hij leert de *Mahâbhârata* uit zijn hoofd. Hij zegt dat hij de *Mahâbhârata* op het toneel gaat doen als hij de tekst kent.'

Ze vertelt van de foto's die Maria opprikt in de hal van het theater, van de gedachtenbus die daarnaast op een tafel staat.

Nathalie vraagt wie Maria is.

Julie legt uit dat dat de zus van Selliès is, de schrijver van *Nuit rouge*, dat ze is komen liften; ze vertelt van haar gezicht met de piercings.

'Ze heeft een foto van Isabelle gemaakt, heel mooi en heel pijnlijk. Ik weet niet wat ik ervan moet vinden... Ik voel me er ongemakkelijk bij.'

'Bij de foto, bedoel je, of bij dat meisje?'

'Bij de foto... Bij Maria ook... Haar foto's en zij, dat is hetzelfde. Je moet eens komen kijken.'

'En wat zegt je vader ervan?'

'Niets, hij laat haar begaan.'

Ze praten verder over andere dingen, over de stakingsacties die maar doorgaan, over de spanningen tussen de groepen die doorspelen en de andere.

Julie denkt aan La Jogar, ze is in de stad, ze is hier vlakbij, ze heeft zin het over haar te hebben.

Ze heeft zich vast voorgenomen dat niet te doen.

Ze weet dat haar moeder er ook aan denkt.

'Je zou haar voorstelling moeten gaan zien en er een smerig stuk over schrijven...' flapt ze er ten slotte uit.

Zonder te zeggen over wie het gaat.

Zonder de naam van La Jogar uit te spreken.

Ze kijkt op.

'Of je gaat niet kijken maar je schrijft wel een stuk.'

Nathalie antwoordt niet. Ze glimlacht een beetje, met gebogen hoofd. Ja, in andere tijden zou ze dat misschien gedaan hebben. Woede luwt, wat onverdraaglijk leek, wordt allengs gewoon. Je went eraan, andere gevoelens komen ervoor in de plaats, wanneer je je omdraait is wat zo pijn deed verleden geworden.

Dat is wat de tijd vermag.

'Ik heb veel van je vader gehouden,' zegt ze.

Julie buigt haar hoofd. Ze probeert te glimlachen. Haar lippen trillen, worden bleek. Ze steekt haar lepel in het dessert, een puddinkje met een gouden korst in een aluminium bakje.

Nathalie kijkt toe.

Ze gaat koffie halen.

Voor ze afscheid nemen geeft ze haar wat geld om jurken te kopen.

ODON GLIJDT MET het mesje door het schuim op zijn wang, het laat een spoor achter. Hij spoelt de kop van het scheermesje af en begint opnieuw.

Het mesje schraapt over de baard.

Het is een kamer met een bed, een douche, een wasbak en een paar schone overhemden in een kast.

Hij woonde hier voor hij de aak kocht.

Julie zit op het bed. Ze is net gekomen. Ze kijkt naar haar vader.

'Ik heb met mijn moeder geluncht, ze maakt zich zorgen over je.'

'Je weet dat ik het niet leuk vind dat jullie het over mij hebben!'

'We hadden het niet over je. Ze zei alleen maar dat ze zich zorgen over je maakte.'

Ze is hier lang niet geweest. Ze kijkt rond, de oude decors, de affiches aan de muren. Het ruikt stoffig.

'Ik zou willen dat je me meenam naar een louche tent, zo'n nachtkroeg, ik wil dat leren kennen.'

'Dat zijn geen plekken voor jou.'

'Je zou La Jogar wel meenemen als zij dat zou vragen.'

Dat wilde ze niet zeggen. Ze krimpt in elkaar. Hij aarzelt.

'Ja, La Jogar wel...' zegt hij ten slotte.

'En waarom mij dan niet?'

'Zij mag alles zien.'

'En ik niet?'

Hij kruist de blik van zijn dochter in de spiegel.

'Jij mag ook alles zien... maar niet met mij.'

Hij spoelt het scheermesje af, legt het op het witte plastic rekje boven de wasbak. Hij veegt zijn gezicht af.

De wat ranzige lucht van de handdoek.
Hij legt de handdoek op de rand van de wasbak, trekt een schoon hemd aan.
'Ik ga naar mijn zus, ga je mee?'
'Een andere keer.'
'Zelf weten, je eet daar altijd heerlijk.'
Hij loopt naar de trap. Draait zich om. Hij haalt een paar bankbiljetten uit zijn portefeuille, komt terug: 'Koop een paar jurken, alsjeblieft...'
Hij begrijpt niet waarom Julie glimlacht.

IN HET JOURNAAL van de vorige dag hebben ze beelden laten zien van de kerk, de Saint-Pierre, en van het theater de Dolle Hond. De gevel, de deuren, het affiche, het was maar een paar seconden, Grote Odile heeft alles opgenomen.

Als haar broer komt, wil ze het laten zien.

'Het is mijn theater,' zegt hij, 'dat zie ik elke dag in het echt...'

Ze dringt aan, zegt dat alles wat op tv komt beroemd wordt.

Hij moet gaan zitten.

Hij heeft taartjes meegenomen voor de vijfde verjaardag van Esteban.

Zijn vader heeft een cadeau gestuurd, een grote doos met glanspapier eromheen. Esteban maakt de cadeautjes die hij krijgt nooit open. Hij bewaart ze in hun feestelijke verpakking. Hij zit ervoor te dromen. Dan zet hij ze op een plank in zijn kamer. Sommige heeft hij onder het bed geschoven.

De jongens verdelen de taartjes, hun ogen schitteren, hun vingers kleven.

Odon buigt uit het raam, hij kijkt naar de nauwe binnenplaats.

'Je moet hier eigenlijk weg,' zegt hij.

'En waar moet ik dan heen?'

'Ergens anders.'

Ze haalt haar schouders op. Ergens is overal. Hier heeft ze tenminste een thuis. Hier is ze gewend. De rest van het jaar gaat ze veel de deur uit, de buurt in. Als dat vervloekte festival er niet was, zou ze meer buitenkomen.

Odon zegt dat hij mensen kent in de Alpen die willen dat hun dal weer meer bewoond wordt.

'Daar heb je voor niks een huis.'

'Voor niks bestaat niet,' zegt Odile.

Haar toon is kortaf.

'Met jouw jongens red je hun school.'

'Mijn jongens gaan niet meer naar school als ze groot zijn.'

Ze kijkt haar broer aan.

'Mijn jongens houden van de zon.'

Ze raapt de kleren bij elkaar die op de stoelen slingeren, ruimt de boeken op, de spellen, zoekt de glazen bij elkaar.

Ze vouwt de doos op waar de taartjes in zaten. Op de bodem zit nog een restje rode praline, ze veegt het er met een vinger af.

Ze gaat met een vochtige spons over het tafellaken.

'Mathilde, die had haar dromen, de mensen lachten erom, maar ze hadden ongelijk.'

Odon antwoordt niet.

Ze veegt de kruimels in de holte van haar hand, doet het luik half open en gooit ze naar de vogels.

JULIE EN DE jongens gaan weer colporteren. Tweede kaartje gratis. Ze zijn te vroeg, hun flyers komen op de grond terecht. Maria voegt zich bij hen, ze helpt met colporteren.

Daarna doet Yann of hij een enthousiaste festivalbezoeker is, hij vertelt over het stuk, het is vermoeiend maar het werkt.

's Avonds staat een dichte menigte te wachten voor de Dolle Hond.

Op het toneel knipperen de lampen van het decor, een verkeerd contact. Jeff zegt dat de lampen uit moeten, anders komt er gegarandeerd kortsluiting.

De toeschouwers komen binnen en gaan zitten. Als de zaal vol is, wordt er op de deuren gebonsd door actievoerende stakers. Niemand heeft meer zin in discussies. Julie wil spelen. De jongens ook.

Het zijn de laatste stuiptrekkingen van een staking die aan het verlopen is. Ten slotte druipen de stakers af.

Na de voorstelling gaan de jongens douchen.

Julie wil de avond voortzetten. Ze komt op met een accordeon. Ze heeft een pofbroek aangetrokken, een geruite pet opgezet en ze speelt 'Mon amant de Saint-Jean'.

Ze kent het hele repertoire: 'A Joinville-le-Pont', 'Etoile de neiges', 'La Java bleue'...

Het publiek is opgetogen en blijft hangen. Wie al naar buiten was gegaan, komt terug.

Greg, Chatt', Yann en Jeff ook.

'Waar ligt dat, Joinville-le-Pont?' vraagt Maria.

Greg zegt dat het ergens in Parijs is.

Damien is weggegaan.

Julie komt het toneel af met haar accordeon, ze gaat buiten

verder spelen, 'La Javanaise' ontspringt aan haar vingers en iedereen komt achter haar aan.

Mensen zitten op terrasjes te eten. De muziek lijkt uit de mode, herinnert het oudste deel van het publiek aan zijn jonge jaren. De jongeren hebben er geen enkele herinnering aan, maar ze luisteren wel. Een stel staat op, begint een wals. Anderen volgen. Gympen, hoge hakken, flatjes. Het plaveisel is ongelijk. Een meisje schopt haar pumps uit.

'Kom op!' zegt Odon en hij trekt Maria mee.

Draaiende schimmen. Maria is te licht, ze valt niet te leiden.

'Mijn hoofd tolt,' zegt ze.

Odon heeft er maling aan.

'Je hebt weer dat verrekte poloshirt aan...'

'Damien zegt dat groen geen ongeluk brengt. Hij zegt ook dat het kostuum van Molière geel was, dat hij vergiftigd is door het koolstofmonoxide dat in de verf zat.'

Odon vertraagt zijn tempo.

'Jij praat daarover met Damien?'

Hij danst nog langzamer, zijn vinger glijdt onder het leren bandje.

'Weet je dat ze uit as, uit de koolstof, blauwe diamant maken?'

Ze verstart. Ze draagt de as van haar broer sinds vijf jaar als een buik.

'Die zou je ook kunnen dragen...' zegt hij.

Ze deinst terug tot de muur.

De dansers walsen. De vingers van Julie lijken over de toetsen te vliegen, zo licht. Maria denkt, met al die muziek, dat ze haar piercings uit zou kunnen doen, alleen die in haar lip houden, die zou dan het hele verhaal vertellen.

'Is dat duur, as omzetten in diamant?'

'Heel duur... Maar als je beroemd wordt, kun je je foto's verkopen.'

Ze aarzelt.

'Zo beroemd als Willy Ronis?'

'Nee, zo beroemd als Nan Goldin.'

Terwijl ze dansen maakt Jeff spaghetti klaar, een pan vol met dunne plakjes echte parmezaan en basilicumblaadjes. Hij vertelt dat ze die blaadjes in Afrika gebruiken om vervloekingen te bezweren, en heksen gebruiken ze ook in hun drankjes.

Ze zetten een tafel buiten, en papieren borden.

Ze gaan allemaal zitten, Julie en de jongens, Odon en Maria. Julie zet de accordeon neer.

'Het is een zonneplant,' zegt Jeff. 'Het schijnt dat hij beter groeit als je hem uitscheldt.'

Hij deelt de pasta rond. Het basilicum ruikt naar citroen.

Greg strijkt licht langs de arm van Maria.

'Het is ook de naam van een kleine slang met een drakenstaart en twee vleugels, geboren uit een hanenei, zeggen ze. Als die je bijt ga je dood, en er is geen tegengif.'

Maria rilt.

Jeff gaat verder.

'Sommigen zeggen dat hij op een otter lijkt met een koningshoofd.'

'En heb jij zelf al eens zo'n slang gezien?'

Iedereen draait zich om naar Damien, die terugkomt. Yann en Julie schuiven op om een plaats voor hem vrij te maken.

Odon schept een bord voor hem op. Ze zitten allemaal te kijken hoe hij eet, alsof hij terugkwam uit de woestijn.

'Nou, heb jij er al eens eentje gezien?' vraagt hij.

Ja, zegt Jeff, één keer, maar dat was 's nachts, hij heeft hem niet echt gezien maar hij heeft zijn stinkende adem geroken.

'Heb je hem gedood?'

'Dat is onmogelijk! Het is een verschrikkelijk beest, hij gaat alleen maar dood als hij zijn eigen beeld ziet in een spiegel. Maar hij kan jou doden met zijn blik.'

Maria heeft haar pasta niet opgegeten. Damien pakt haar bord, het eten is bijna koud maar dat maakt hem niet uit, hij heeft honger.

Als hij klaar is, vertelt hij van dat meisje en die jongen die bijna op dezelfde tijd de bakkerij binnengaan. Hij vertelt van die paar minuten verschil. Ze moeten elkaar ooit tegenkomen. Hij wil hun verhaal opschrijven. Julie slaat haar armen om zijn hals.

Odon zegt niets. Hij zit aan het eind van de tafel.

Hij luistert. Maria lijkt gelukkig. Ze lacht.

Hij denkt aan Mathilde. Hij heeft zin haar te bellen.

De accordeon ligt op een stoel. Maria staat op, glijdt met een vinger over de toetsen.

'Hoe lang speel je al?' vraagt ze aan Julie.

'Ik heb altijd gespeeld! Mijn opa was verliefd op Yvette Horner, hij gaf me mijn eerste accordeon voor mijn doop. Hij wilde dat ze me Yvette noemden... Ik kan het je wel leren, als je wilt?'

Maria tilt de accordeon op. Hij is zwaar. Ze trekt hem open, duwt hem weer dicht, ontlokt er een paar tonen aan.

Julie laat haar zien hoe het werkt. Het is een kwestie van lucht die langskomt, je drukt op een toets en dan gaat een klep open.

Ze helpt haar het instrument om te doen.

'De balg werkt als een long, als je hem dichtdrukt, ademt hij, hoor je wel? Als je hem slecht sluit, verliest hij lucht, raakt hij buiten adem. En als je niet op de toetsen drukt, ademt hij niet meer, dan stikt hij.'

Odon staat op van tafel. Niemand merkt dat hij weggaat, behalve Jeff.

Hij gaat niet langs hotel La Mirande. Hij belt niet.

Hij maakt een omweg langs de club in de Rue Rouge. Hij heeft zo zijn gewoontes. Hij gaat naar binnen, drinkt een glas. Hij vindt een meisje en hij is laat thuis.

ODON WORDT WAKKER van het gerinkel van pannen. Hij komt mopperend uit het ruim naar boven. Jeff is in de keuken. Hij knipt een vanillestokje in kleine vierkantjes. In een pan staat melk te warmen.

'Wat is dit voor herrie?' vraagt hij.

'Ik ben zo klaar...' zegt Jeff.

'Dat vraag ik niet!'

'*Iles flottantes*...' antwoordt hij.

'Om acht uur 's morgens!'

De melk begint te koken. Jeff roert suiker door de eidooiers en giet de melk erop.

Odon deinst terug. Hij wordt misselijk van de geur.

'Heb je koffiegezet?'

'Geen tijd gehad...'

Jeff klopt de eieren met een garde. Hij laat ze koken in een pan water en legt ze op de room. Bij het afkoelen stolt het wit.

Het lijken drijvende ijsbergen. Hij giet de karamel erover. Een paar amandelschilfers erop.

'Het is voor die kleine,' zegt hij ten slotte.

Het geheel is een prachtig landschap geworden.

'Gisteren, onder het eten, zei ze dat ze daar erg van hield.'

Odon haalt zijn schouders op.

Hij gaat koffiezetten.

'Mag ik je eraan herinneren dat je ook voor de boot moet zorgen? De verf staat te verdrogen in de potten en het moet voor de herfst klaar zijn.'

Jeff belooft het.

Hij dekt de schotel af met folie.

'Ik ga het haar brengen en dan kom ik terug.'

Hij steekt de brug over, de schotel tussen zijn armen tegen zijn buik geklemd. De vanillecrème mag niet over de rand gaan en ook niet over het wit komen.

Hij is vroeg, er is nog niemand in het theater.

Hij schuift de schotel in de ijskast en wacht op Maria. Hij doet niets, hij wacht. Zijn armen over elkaar, eerst zittend, dan gaat hij staan.

Hij gaat naar buiten.

Ze komt iets voor tienen. Ze leegt de gedachtenbus. Ze hangt de foto van Isabelle op.

Hij pakt haar hand.

Hij zegt dat hij een verrassing heeft.

Hij doet haar een blinddoek voor en leidt haar door de gang. Hij pakt de schaal, zet die voor haar neer.

Hij haalt de folie eraf.

Ze buigt haar gezicht ernaartoe. Haar neusvleugels trillen. Ze heeft maar een paar seconden nodig om het te raden en trekt de blinddoek af.

Ze lacht. De geur maakt haar honger los. Haar buik wordt een gapende leegte. Ze valt aan met haar lepel, het geklopte eiwit is stevig, dankzij de suiker, ze slaat haar ogen op naar Jeff, neemt gretig een hap crème.

Het gromt diep in haar ingewanden van al die zoetigheid.

Zolang ze eet, blijft Jeff naast de tafel staan en kijkt toe. Voor het eerst sinds lange tijd lijkt ze zich te verzoenen met de honger.

IEDER JAAR NEEMT Isabelle in de eerste week van augustus de trein naar Ramatuelle. Ze stapt uit in Saint-Raphaël, wordt door het hotel afgehaald van het station; altijd hetzelfde hotel, ze is er vaste klant.

Ze blijft twee nachten.

Ze gaat met een taxi naar het graf van Gérard Philipe. Ze legt er bloemen op, wandelt wat rond, kijkt naar de zee, gaat zitten op het graf. De volgende dag hetzelfde ritueel.

Dan gaat ze weer naar huis.

De dokter zegt dat ze dit jaar de reis niet kan maken. Haar hart is moe. Haar bloeddruk is laag. Hij schrijft een recept voor sterkere medicijnen.

Isabelle gaat aan tafel zitten.

Haar jeugd is voorbij, nu laat ook de ouderdom haar in de steek. Wat zal er van haar huis worden als zij er niet meer is? Ze heeft geen kind meer. Geen liefde. Wat zal er worden van alles wat achterblijft?

Ze wil graag een zachte dood, maar dat wil iedereen.

De koffer ligt op het bed. Ze doet er wat kleren in. Ze gaat nog niet weg, het is voor later, maar ze geniet van het gereedmaken van de koffer.

Ze neuriet 'Je l'aime tant le temps qui reste...' Hoe dierbaar is de tijd die rest. Ze heeft het lied al dagen in haar hoofd. Ze is de woorden vergeten, ze zijn van Reggiani.

De luiken van de slaapkamer zijn dicht. De overgordijnen ook en alles wat verder de warmte kan tegenhouden.

De plaat van Reggiani ligt ergens, ze moet hem opzoeken.

En als dit nu eens haar laatste reis naar Ramatuelle wordt? Toen hij wegging zei de dokter: U moet zich in acht nemen.

Als ze de reis niet meer kan maken, stuurt ze een briefkaart. Met een postzegel, van postbodes kun je op aan, ze bezorgen alles, ook op een graf, en dat van Gérard Philipe is gemakkelijk te vinden. De begraafplaats is niet groot.

Isabelle doet haar koffer weer dicht. Ze bedenkt dat kaarten nat zullen worden in de najaarsregen. Daar moet ze rekening mee houden, zorgen voor een kaart die ten minste vier seizoenen meegaat.

Aan Maria vragen.

Maria zal er iets op vinden.

De dood kan stompzinnig zijn. Je moet je niet laten verrassen. Isabelle moet oplettend blijven. Als je je aandacht verliest, word je algauw onverschillig. Zola is gestikt in zijn slaap, een schoorsteen die verstopt was geraakt bij werkzaamheden. Die dingen gebeuren, hoe zeldzaam ze ook zijn.

Ze zal haar notaris bellen.

Ze tilt haar koffer op en zet die in een hoek van de kamer. In de beweging blijft ze haken aan de vogel van Calder die aan een draad bij het nachtkastje hing. Ze bukt zich, pakt hem van de grond. De draad is gebroken.

Ze gaat de slaapkamer uit. Ze zoekt een plek waar ze de vogel neer kan leggen. En draad om hem te repareren.

Ze legt hem op de keukentafel, tussen de kommen, glazen en kranten, met de doosjes medicijnen en het laatste recept van de dokter.

MARIA DRAAIT DE mobile in haar handen, een vogel van schroot met geschilderde vleugels.

'Tegenwoordig is dat een klein fortuin waard, zo'n vogel,' zegt Isabelle.

Maria weet niet wat zij met een fortuin zou doen.

Ze zet de vogel neer.

Ze heeft nog nooit een huis als dit gezien. Aan de muur hangt een foto van een jonge Isabelle met een grote man. Dat is haar vader. Hij speelde in *Don Quichot*, de rol van Sancho Panza.

Daarnaast een tekening in grijs potlood, een theater van vroeger, met emmers aan touwen. In geval van brand moest je roepen: Touw!, en dan kiepten alle emmers om. Vandaar dat het woord touw verboden is in de theaters.

'Net als op schepen,' zegt Isabelle.

Maria zegt dat ze nog nooit op een schip heeft gereisd.

'Dat hoeft ook niet om het te weten.'

Isabelle duwt de vogel opzij. Ze reikt naar het fruit. Ze zoekt een abrikoos uit, deelt hem in tweeën. Geeft een helft aan Maria. Het vruchtvlees is sappig, boordevol zon. Het sap loopt langs haar vingers.

Er komt een vlinder binnenvliegen, hij gaat foerageren op haar huid. Licht gekriebel van de antennes. Maria lacht met haar ogen.

Ze aait langs de vleugel van de vlinder.

Isabelle kijkt toe. Een hele tijd.

'Ik zou willen dat je op een dag niet meer zo treurig zou zijn.'

DE VOGEL BLEEF op de tafel liggen en verhuisde van de tafel naar het buffet. Toen heeft iemand hem naast de computer gelegd, op de stapel kranten. Vervolgens is hij op de bank terechtgekomen en ten slotte is hij tussen de schoorsteen en de muur gevallen, een nauwe ruimte, zijn ijzeren vleugels in het stof. Gegleden, vergeten.

Weggeraakt.

Maria raapt hem op.

Ze gaat het huis uit.

Ze vindt Jeff op het grote plein, ze neemt hem apart.

Ze laat hem de vogel zien.

'Die is voor jou,' zegt ze.

Jeff is niet gewend cadeautjes te krijgen. Hij houdt de vogel bij de vleugels vast, draait hem tussen zijn vingers.

'Het is kunst,' zegt Maria. 'Het is veel waard.'

Ze laat hem de signatuur zien.

Ze zegt dat hij hiermee zijn schuld zal kunnen afbetalen.

Jeff fronst zijn wenkbrauwen. Hij weet niet of hij dit verhaal kan geloven, dat je met een vogel van oud blik een eeuwige schuld zou kunnen aflossen.

'Waar heb je hem vandaan?' vraagt hij.

'Dat doet er niet toe.'

Hij houdt aan en dan vertelt ze over een vliering bij Isabelle, een hutkoffer vol vergeten spullen. Dingen die zijn weggedaan, zegt ze, zijn voor de vinder.

Jeff kijkt Maria aan.

'Waarom hou je hem niet zelf?'

Ze haalt haar schouders op.

'Ik heb geen schulden...'

Vroeg of laat, zei haar broer, boort zich een meevaller door de muur van ellende. Bij hem boorde een tegenvaller zich door zijn schedel.

Jeff moet erover nadenken. Hij wil de vogel wel meenemen. Hij gaat naar de gevangenis en legt hem onder het bed, achter het kistje noten.

Overdag gaat hij niet uit.

Om weg te gaan heeft hij alleen een jasje en een tas nodig.

Om de vogel te verkopen moet hij een kostuum kopen, een mooi licht pak, op maat omgezoomd. Dan naar Nîmes of naar een andere stad.

Hij gaat naar buiten.

Het is avond.

Hij gaat eten op het plein met de draaimolen, een tafeltje tussen de toeristen, hij bestelt een reusachtige steak met pasta en een groot glas bier.

Hij verkoopt de vogel, hij geeft al het geld aan Odile en dan gaat hij weg. Hij houdt alleen wat geld voor de trein en het eten.

Hij kijkt om zich heen, de draaimolen en de lichten, de rondwandelende toeristen. Hier op het plein zitten zonder de vleugels, dat was al weggaan.

Hij kruist zijn handen in zijn nek. Hij rekt zich uit.

Hij drinkt zijn bier.

Op het plein laat een jongen in witte kleding een glazen bal over zijn gespreide armen rollen. De bal rolt door zijn nek en gaat van de ene hand naar de andere.

Naast hem likt een meisje aan de zachtpaarse bollen van haar ijshoorntje.

Jeff vraagt zich af hoe hij Odile het nieuws zal brengen. In welke bewoordingen. Met welke gebaren. Hij zou het geld in de schaal kunnen leggen zonder iets te zeggen.

Hij overweegt andere mogelijkheden, zomaar, voor de lol.

De volgende ochtend gaat Jeff meteen na openingstijd een winkel binnen, hij koopt een pak, broek, overhemd, jasje. Hij wacht op een stoel tot de pijpen zijn omgezoomd.

Terug in de gevangenis pakt hij het overhemd uit, haalt de spelden eruit waarmee de kraag vastzit, en de spelden rond de mouwen, en als hij dat gedaan heeft, spreidt hij het hemd uit op het bed.

Hij haalt de vogel tevoorschijn.

Bekijkt hem in het licht.

's Middags duwt hij de deur van een reisbureau open en vertrekt met brochures.

Dan pakt hij zijn vleugels en sleept ze mee naar de binnenplaats van Odile. Hij vindt oude kranten, maakt er een bal van. De vleugels erop. Hij steekt het papier aan. Het gaat branden. De gele rook prikt in zijn ogen, blijft hangen in de takken van de acacia en kleurt rood in de blauwe lucht.

Jeff lacht. Hij hoeft geen peuken meer te kauwen! Hij hoeft niks meer! Alleen nog maar dromen en naar de zonsondergang kijken.

Hij gaat kappen met dat festival, hij gaat ervandoor. Michigan, dat is uren in de trein en nog veel langere uren op de boot. Eerst geeft hij nog een feest voor al zijn vrienden.

Vanuit haar raam ziet Grote Odile hem dansen. Een vuurtje stoken in deze hitte... Ze schreeuwt vanwege de rook en de scherpe lucht.

'Wat is er met Jeff?' vragen de jongens.

Ze haalt haar schouders op.

'Weet ik veel.'

Ze hoort Jeff zingen.

Ze gaat aan tafel zitten, staart naar haar handen.

GREG PAKT MARIA bij de hand. Ze lopen de stad uit, de brug over.

Ze lopen langs de rivier, stroomopwaarts, weg van het lawaai.

De Rhône stroomt tussen hen en de stad. In de verte de Mont Ventoux, Greg wijst haar de toppen, hij zegt dat ze 's winters besneeuwd zijn.

De weg wordt smal. Ze lopen verder, onder bomen door. Hier zijn weiden en bouwgrond, er worden groente en fruit geteeld, hele velden.

De takken hangen tot op de rivier.

Algauw zien ze niemand meer.

'En als je verder gaat?' vraagt Maria.

'Dan kom je aan het eind van het eiland.'

'En als je een boot neemt?'

'Dan moet je heel lang roeien en dan kom je op een plek waar het water uit de grond komt.'

Ze zouden kunnen lopen en roeien, helemaal tot daar.

Dat zou kunnen. Ze doen het niet, zegt Greg.

'Omdat het te ver is?' vraagt Maria.

'Ja, daarom.'

Dit stuk oever is een toevluchtsoord voor eenden. De plaats waar ze nestelen en slapen. Hoger op de walkant zitten gaten in de aarde die bekleed zijn met veren en dons.

'Te ver? Hoe ver is het dan?'

'Je moet dagen- en dagenlang verder trekken, en als je denkt dat je er bent moet je nog weer verder.'

Maria gaat naar de rivier, ze kijkt naar haar spiegelbeeld in het water. Naar dat van Greg naast haar. Ze gooit kiezels in de stroom. Haar broer zei dat er voor haar geboorte andere levens waren en dat die andere levens het hare hadden voorbereid. Ze vraagt aan Greg of de dood net zoiets is als voordat je leefde, maar hij weet niet wat de dood is.

'Misschien als je 's nachts heel hard kijkt in het donker, dat je het dan begrijpt?'

'Misschien.'

De dood interesseert hem niet.

Hij pakt het gezicht van Maria in zijn handen. Ze voelt zijn adem vlak bij de hare. Hij drukt zijn lippen op haar voorhoofd en op haar ogen. Zijn lippen op haar wangen.

Hun monden beroeren elkaar. Het is puur, totaal onverwacht.

Maria vergeet de caravan, de kogel, de dood.

Het is een heel tere kus. Als ze haar ogen opent, ziet ze de rivier en het is niet meer dezelfde rivier en het is niet meer als daarvoor.

Greg streelt haar haar. Hij kust haar nogmaals. Hun tongen vinden elkaar.

Hij wijkt wat terug. Kijkt naar haar.

Hij zegt: Er zijn dagen dat je zo gelukkig bent dat je ze tot feestdag zou moeten uitroepen.

Hij mompelt dat, zijn lippen tegen haar slaap. Zijn handen verstrengeld in haar nek.

Hij trekt aan het leren riempje. Heel langzaam, centimeter voor centimeter.

'Wat is dat?' vraagt hij.

Hij durft niet aan het beursje te komen.

'Draag je echt de as van je broer bij je...?'

Hij geloofde het niet toen Damien het hem vertelde. Maria richt haar hoofd op.

Gregs handen liggen nog altijd in haar nek. Ze glijden langs haar hals, rusten op de riempjes.

'Je moet dit niet blijven dragen...'

Zijn bewegingen zijn traag. Hij trekt het beursje zachtjes naar boven. Hun gezichten raken elkaar bijna.

Maria voelt zijn handen aan weerszijden van haar wangen. Ze ziet zijn armen. Het leren beursje heeft de warme plek op haar buik al verlaten.

Ze voelt het niet meer.

Ze doet haar mond half open. Ze bijt, een felle kaakbeweging. Een paar seconden lang zitten de tanden in de arm. Greg slaakt een kreet, hij laat de riempjes los.

Maria doet een stap naar achteren.

Het beursje valt weer op zijn plaats.

Het is afgelopen.

Ze doet nog een stap terug, draait zich om.

In de arm van Greg zit de afdruk van haar tanden.

MARIA BUIGT ZICH over de wasbak, ze wast haar lippen, het binnenste van haar mond, ze reinigt zich. Ze moet kokhalzen van de zeep.

Leven is pijn voor haar.

Plezier leidt tot walging.

Ze wast alle delen van haar huid die de andere huid heeft aangeraakt. De hals, de tong. Ze heeft in de arm van Greg gebeten, ze heeft het beursje tegen haar buik gedrukt en is ervandoor gegaan.

Ze heeft lang gerend.

Ze is buiten adem aangekomen. Haar kamer, haar kleren, ze dacht erover uit de stad te vertrekken.

Ze wast haar ogen uit met water. Ze tilt haar hoofd op. Haar gezicht is vreemd. Ze stopt een vinger in haar mond, duwt hem er diep in. Ze wil de kus helemaal uitkotsen, tot en met de herinnering aan Greg en zijn zoete speeksel.

Ze gaat terug naar de slaapkamer.

Doet de deur op slot.

Ze gaat tegen de muur zitten, legt het beursje op haar schoot. Ze maakt de riempjes los, trekt het open. Langzaam. De poeder is licht, er stuiven wat deeltjes op die in haar oogharen blijven hangen. Een scherpe, weerzinwekkende lucht, ze dwingt zich tot ademen.

Ze giet een beetje as in de holte van haar hand. Een kleine blauwe piramide.

Maria buigt voorover, ze lijkt een biddende oude vrouw. Ze houdt haar hand open. De schaduw van haar mond valt eroverheen. De as kleeft aan haar lippen, droogt ze uit. De lippen gaan wat van elkaar, zoals ze aan de rivier van elkaar gingen. De tong pakt de as, gehemelte, tanden, speeksel, ze neemt het mee naar binnen.

Het knarst.

Ze rilt.

Ze moet zich dwingen.

Haar maag drijft terug wat ze inslikt. Een zurige stank stijgt op in haar keel, nog een kramp en brandend zuur stroomt haar neus in.

Ze spuugt niet.

Ze wacht.

Het lichaam komt tot rust.

Ze neemt weer wat as, net zo lang tot de maag zich gewonnen geeft en binnenhoudt wat zij hem opdringt.

DE PASTOOR DRAAGT de mis op in een lege kerk. Rechtop, met geheven handen, wijde mouwen en het kruis dat springt op zijn borst. De afwezigheid van gelovigen staat de liefde voor God niet in de weg.

Hij ziet Maria binnenkomen.

Ze blijft staan onder de schildering van Judas. Bij haar thuis waren geen boeken, alleen de Bijbel. Judas is een schandnaam, hij wordt al tweeduizend jaar schuldig verklaard.

Ze denkt vaak aan hem.

De pastoor is klaar met de mis. Hij komt naar haar toe.

Zij wijst naar de muur.

'Dat is mijn broeder in het verraad,' zegt ze.

Ze kijkt de pastoor aan.

'Jezus zegt: "Breek deze tempel af en ik zal hem in drie dagen weer opbouwen." De tempel waarover hij het had was die van Jeruzalem en die was van stenen en cement, nietwaar?'

Ze laat een stilte vallen. De pastoor antwoordt niet.

Ze denkt dat Judas ervan overtuigd was dat de dood Jezus niet kon ombrengen. Hij was er zeker van dat hij weer aan tafel zou komen zitten en hij is niet gekomen.

Ze spreekt over verraad en vergeving. Ze spreekt over vergeten. Bij de kus sidderde Judas niet, hij pleegde geen verraad, hij wilde Jezus de gelegenheid geven te tonen waartoe hij in staat was, een wederopstanding in drie dagen. Toen hij begreep dat hij het mis had, heeft hij zich opgehangen.

'Denkt u dat hij zich van kant heeft gemaakt omdat Jezus hem had teleurgesteld?'

'Dat denk ik niet...' zegt de pastoor.

Maria denkt na.

Ze had meer van Paul moeten houden. Hij is gestorven om haar de kans te geven te laten zien waartoe ze in staat is. En ze doet niets.

'Ik wil u een gunst vragen,' zegt de priester.

Hij zegt het heel zachtjes.

'Noem mij Noël. Alstublieft, dat kan ik u alleen vragen.'

Ze slaat een verwonderde blik naar hem op.

'Père Noël...'

Père Noël. Kerstman. Maria zegt het zonder met haar ogen te knipperen.

DE DEUR VAN de aak zit dicht met een oud hangslot, Maria zoekt met haar hand achter de bloempotten en vindt de sleutel.

Het eerste vertrek is vierkant, met een grote tafel en bankjes. Over de rugleuning hangt een jasje. Op tafel fruit, een fles siroop, brood en kruiden.

Stapels tijdschriften, een hoed, een pijp, een asbak.

Het raam boven de gootsteen is halfopen. Ronde patrijspoorten geven zicht ter hoogte van de rivier.

Jeff zegt dat vissen een geheugen hebben van tien seconden, daarna zijn ze alles vergeten.

Slechts tien seconden verleden. Tien seconden herinneringen.

Ze schopt haar schoenen uit, teen achter hak, laat zich in een leunstoel vallen. Ze trekt haar benen op. Het is behaaglijk. Ze voelt de schommeling van de rivier. Haar broer zei dat hij moest schrijven, dat was zijn kern. Dat zijn vlees zou gaan rotten als hij niet schreef. De gendarmes vonden hem liggend op de grond, een lijk onder een deken, zonder gezicht.

Mensen hebben een geheugen.

Vissen vergeten.

Jeff zegt dat een vis die eet, denkt dat hij altijd al eet. Als hij crepeert precies zo.

Ze staat op.

Ze laat water over haar handen lopen.

Er liggen rijpe bananen in de schaal. Ze neemt er een, schraapt met haar tanden langs de binnenkant van de schil.

'Hadden wij een afspraak?'

Ze draait zich om, veegt haar mond af met haar mouw.

Odon staat in de deuropening, zijn handen in zijn zakken. Een hemd met open kraag, korte mouwen.

'Doe je schoenen aan, we gaan een eindje lopen.'
'Ik wil geen eindje lopen.'
Hij neemt een glas water.
'Zoals je wilt. Laten we dan praten...'
De banaan ligt onaangeroerd op tafel. Ernaast de afgeschraapte schil.
'Wat kom je doen?'
'Ik kwam langs, ik zag licht.'
'En de sleutel stak zeker in de deur? Ja ja, en ik ben gekke Henkie...'
Hij haalt zijn pakje tevoorschijn, steekt een sigaret op. Hij ziet dat ze nieuwe krassen op haar armen heeft.
Ze gaat weer in de stoel zitten.
Wat haar broer zei: Het leven zet je op rails, je ziet de muur op je afkomen, je kunt niets doen, niet remmen en niet springen, zelfs geen vaart vermeerderen. Dus je wacht af.
Ze laat haar hoofd zakken.
Haar broer was een dichter. En zij? Dat weet ze niet. Ze krabt haar huid open en als het gaat bloeden, houdt ze op. Je zou de moed moeten hebben door te gaan tot de aderen.
Hij heeft zich door zijn kop geschoten.
Odon staat tegen de muur geleund. Hij kijkt aandachtig naar Maria. Hij drinkt het water en rookt zijn sigaret.
Toen hij klein was, namen zijn ouders hem mee naar de dierentuin. Hij haatte dat. Maria lijkt op een dier achter tralies.
Haar hand gaat in haar tas. Ze haalt de revolver eruit, legt hem op tafel.
Een gebaar zonder agressie. Bijna terloops.
Odon deinst achteruit.
'Wat moet je daarmee?'
De lucht wordt elektrisch geladen tussen hen.
Hij zet zijn glas neer.
'Je pakt dat ding en je verdwijnt...'
Hij heeft moeite met articuleren.
Maria verroert zich niet. Sinds ze de revolver tevoorschijn heeft gehaald, is ze doodkalm.

'Hiermee heeft hij zich door zijn kop geschoten,' zegt ze.
Ze glimlacht vals.
'Een kans van één op zes dat de kogel van de partij is.'
De kolf is glimmend, glad en zwart. Odon staart ernaar en kan zijn hoofd niet afwenden. Zou ze vanaf het begin met dat ding rondlopen? Als ze bij Isabelle is...
Haar tong gaat langs de ring in haar lip. Ineens heeft ze overal pijn, in haar lijf, achter haar ogen.
Eindelijk kijkt hij haar aan.
'Wat is er vandaag gebeurd, Maria?'
Ze haalt haar schouders op.
Ze spreidt haar handen, haar vingers zijn gestrekt. Haar mond gaat wat open, maar er vormt zich geen enkel woord, ze articuleert in de leegte.
'Mijn broer is te vaak gestorven...' komt er ten slotte uit.
Het wapen ligt nog altijd op de tafel.
Hij draait zich om, doet een deur open, pakt een fles wodka uit de kast.
'Ga door.'
'Hij is gestorven omdat u hem niet meteen hebt gebeld. Hij is nog een keer gestorven toen u zijn tekst aan La Jogar hebt gegeven. En nog een keer toen u *Anamorphose* voor iemand anders hebt gedrukt.'
Haar ogen worden groot, fatalistisch.
'Drie keer, daar kon hij nooit overheen komen.'
Zelf heeft ze hem ook gedood, met een kus op de oever van een rivier, maar dat zegt ze niet.
Ze strijkt snel over haar gezicht. Ze moet doorgaan. De kracht vinden.
'Hebt u daarom zijn boek weggegeven, omdat u geen gevoelens hebt?'
Hij schenkt een glas wodka in. Drinkt het op. Hij raakt langzaam gewend aan de aanwezigheid van het wapen.
'Je moet hulp zoeken, Maria...'
Ze lacht schamper.

Hij zet zijn glas neer, gaat naar de tafel. Hij pakt de bananenschil, die zwart begint te worden. Hij gooit hem in de vuilnisbak, veegt zijn handen af aan de vaatdoek.

Komt weer naar de tafel.

Hij grijpt de revolver. Zijn gebaar is snel.

Het koude staal.

Hij opent de cilinder. Laat hem draaien.

Alle kamers zijn leeg.

Hij zucht.

Maria hoort hem zuchten. Ze verwachtte het. Er gaat een moment voorbij, ze buigt voorover, pakt de revolver weer. Ze legt hem op schoot.

Er klinkt geen enkel geluid, niet op het schip, niet op de brug. Alleen hun ademhaling.

Ze stopt haar hand in de zak van haar spijkerbroek en haalt er iets uit wat ze in haar gesloten vuist houdt.

Ze vouwt haar hand open, de vingers, langzaam. De kogel is grijs. Ze stopt hem in een van de kamers. Het gaat snel. De hand met de slanke, witte gewrichten. Ze laat de cilinder draaien, een rad van avontuur dat al klikkend trager draait.

Ze legt de revolver weer op tafel.

Ze kijkt op.

Odon begrijpt het niet en dus duwt ze de revolver een paar centimeter naar hem toe.

'Je bent stapelgek, Maria!'

De belediging vermengt zich met zijn lach.

Hij kijkt naar de deur achter haar, de loopplank. Maria bedreigt hem niet. Ze gaat weer achteroverzitten, met opgetrokken benen, haar magere lijf in de grote leunstoel.

Haar naakte voeten.

Ze daagt hem uit.

Een gok met vijf kansen, een absurd hinkelspel. Kun je raden waar de kogel zit als je de loop tegen je slaap zet? Wat voor soort angst? Doodsangst?

'Hij heeft het gedaan, u doet het, dan staan we quitte.'

Haar stem is kalm. Ze geeft hem alle tijd.

Hij kijkt naar het wapen en naar haar gezicht.

'Je wilt dat ik hetzelfde spelletje ga spelen als hij, dat is wat je wilt?'

Hij steekt zijn hand uit, pakt de revolver. De kogel zit in de cilinder.

De koude kolf.

Zou Selliès zichzelf werkelijk met dit wapen gedood hebben? Maria vertrekt geen spier.

Met het geladen wapen zou hij haar kunnen dwingen op te staan en te verdwijnen.

Hij draait zijn hoofd om. Zwaluwen scheren over het wateroppervlak, op zoek naar insecten. Door de openstaande patrijspoort hoort hij hun schelle kreten.

Hij ruikt de scherpe geur van het water.

Rivieren nemen, bewaren en voeren af. Hij doet twee stappen, is bij de patrijspoort.

Maria volgt hem met haar blik, ze weet wat hij gaat doen. Ze begreep het bij zijn eerste beweging.

Hij heft zijn hand, gooit de revolver in de rivier. Te ver. Het geluid is niet te horen.

Hij draait zich weer om naar Maria.

Ze is niet kwaad. Geen medelijden. Geen spoor van verwijt.

Alleen een bleke, vervagende glimlach.

Híj heeft het wel gedaan, lijkt die glimlach te willen zeggen.

'VERTEL HET NOG eens...'

Odon weet niet meer hoe hij het moet vertellen.

'Ik heb twee, misschien drie weken voorbij laten gaan, ik heb je moeder gebeld en haar gezegd dat ik een manuscript van Paul had, ik vroeg haar of ze wilde dat ik het haar terugstuurde.'

Maria staart naar de grond tussen haar voeten. Ze dringt aan, ze weet dat ze hem tot het uiterste tergt.

'Wat zei ze toen?'

'Dat weet je, je was erbij...'

'Ik wil het nog een keer horen.'

Odon zucht.

'Ze zei dat ik het maar moest verbranden.'

De moeder van Maria lachte als een dronken of zieke vrouw, een lugubere lach.

Odon hing op. Hij stopte het manuscript in een bruine enveloppe en schreef de naam Selliès erop.

Mathilde was erbij, ze volgde wat hij deed, zijn gebaren, tot en met het adres dat hij schreef. Stuur je het terug? Dat vroeg ze.

Hij sloot de enveloppe.

Ze had papalines gekocht, distelbloemen van chocolade, en ze haalde de ene na de andere uit een papieren zakje. Elke papaline had een andere kleur.

Ze stopte een roze tussen haar tanden. Knabbelde hem op.

Ze nam nog een bonbon en vlijde zich tegen hem aan. Ze drukte haar mond tegen de zijne, ze beet de distel open. Er zat drank in, de marjoleinlikeur liep over hun wangen, honing vermengd met de smaak van chocola.

Die smaak heeft zich in haar herinnering blijvend gehecht aan *Anamorphose*.

'Hoe vaak hebt u haar daarvoor mogen neuken?'
'Doe niet zo ordinair.'
'Hoe vaak?'
'Een paar weken.'
Ze wrijft langs haar lippen, haar handen zijn vies, haar speeksel wordt bitter.
Haar moeder heeft pijn aan haar benen, ze heeft spataderen zo dik als vingers. Ze moet geopereerd worden.
'Ik heb geld nodig,' zegt ze.
Ze steekt haar hand uit, de vingers gespreid, een eisend gebaar. Odon is moe. Hij kijkt naar de hemel, er komt maar geen eind aan deze nacht.
Hij staat op.
'Alles welbeschouwd...'
Hij gaat het ruim in. Hij komt terug, legt het geld op de tafel voor haar neer. Niet in haar hand.
Ze pakt het, telt de bankbiljetten.
'Voor dat tarief was ik uw voeten, word ik uw Maria Magdalena, uw trouwe volgeling, uw hoer...'
Haar stem breekt.
'Nee, de hoer, dat is mijn moeder,' zegt ze.
Hij gaat weer zitten in de leunstoel.
Ze stopt de bankbiljetten in de achterzak van haar jeans. Ze kijkt naar de overkant van de Rhône, naar de stad en de wallen eromheen.

ZE GAAN WEER aan dek. De lamp boven de deur brandt. Er komt muziek van de wal, een auto die met open ramen langsrijdt, Sylvie Vartan.

Maria fluit de melodie.

'Ken jij dat?' vraagt hij.

'Mijn moeder, de jaren zestig, ja ik ken het...'

Het liedje verwijdert zich.

Het is een zachte zomeravond. Te veel lantaarns om de sterren te kunnen zien.

Ze heeft zin de meertouwen los te maken en de aak te laten wegdrijven. Misschien zouden ze bij zee komen...

Ze wendt zich naar Odon.

'Die laatste dagen van zijn leven, wat deed u toen?'

De laatste dagen van het leven van Selliès... Ze hadden drie dagen omdat Mathilde geen voorstelling had, ze gingen naar zee, in de buurt van Saintes-Maries. Een hotel niet ver van het strand. Het was februari, mooi weer, het einde van de winter en zon. Vanuit het bed zagen ze de golven. Dinsdagavond kwamen ze terug.

'De volgende dag heb ik jullie thuis gebeld, 's ochtends vroeg, maar er werd niet opgenomen. Toen zijn we aan het werk gegaan, we waren achter met Beckett.'

We waren achter met Beckett, dat zei hij.

'In het begin van de middag heb ik nog een keer gebeld.'

'Mijn broer is 's avonds gestorven.'

'Er was geen antwoordapparaat.'

Ze wrijft over haar gezicht. In de stilte hoort ze het water tegen de scheepshuid klotsen, de meertouwen die zich spannen.

'Hoe laat was dat, de laatste keer dat u belde?'

'Voor de repetities weer begonnen, het begin van de middag.'
Ze loopt naar de voorsteven van de aak. Ze leunt tegen de reling. Ze sluit haar ogen. Ze moet weggaan.
'Vertel over haar.'
Hij glijdt met zijn hand over de vochtige bovenkant van de balustrade.
'Ze heeft leven gegeven aan de tekst van je broer.'
'Voor ze iets gaf, heeft ze genomen...'
Maria wrijft haar nagels tegen elkaar, met gebogen vingers. Het klinkt als regen.
'Ik wil haar spreken. Ik wil haar *Anamorphose* horen voordragen.'
'Het is *Anamorphose* niet meer,' zegt hij.
Ze staan een poosje naast elkaar naar het stromende water te kijken.
Hij gaat de aak in en komt weer boven met een dvd in een rode hoes, een opname van *Ultimes déviances*.
Hij reikt hem haar aan.
Maria pakt hem niet.
'Ik wil haar in het echt horen, op het toneel. U zou uw theater beschikbaar kunnen stellen...'
Er zit niets agressiefs in haar vraag.
Odon wendt zich af.
'Dat zal ze nooit doen.'
'U kunt het haar vragen?'
'Dat kan, maar ze zal erom lachen.'
Stilte.
'Ze zal er niet om lachen,' zegt Maria.

JEFF STAAT IN zijn nieuwe pak op de trein te wachten, de doos op zijn schoot. Daar zit de mobile van Calder in.

Een kaartje voor Nîmes in zijn zak, een retour.

De trein komt het station binnen.

Reizigers stappen uit. Jeff kiest een plaats bij het raam. Hij houdt de doos op schoot, zijn beide handen erop. Het landschap glijdt voorbij.

Hij heeft een afspraak om elf uur bij een taxateur in het centrum.

Jeff is er.

Hij wordt onmiddellijk ontvangen. De vogel wordt bestudeerd.

Dan komt hij weer naar buiten. De taxateur heeft op een briefje het adres geschreven waar hij de vogel kan verkopen en het bedrag waar hij op mag rekenen.

Maria had gelijk, de schuld is ermee gedekt.

Hij houdt geld over om het te vieren.

Hij heeft nog een uur voor zijn trein gaat. Hij drinkt een glas bier op een terras. In het begin van de middag is hij weer in Avignon. Hij loopt terug op het heetst van de dag, met de doos waar de vogel in zit. Hij schuift die onder het bed. Hij doet zijn pak uit, vouwt het zorgvuldig op.

Hij gaat langs bij Odile.

De jongens zitten op de bank. Hun moeder wil niet dat ze met deze hitte naar buiten gaan. De drie grootsten vertellen elkaar zachtjes verhalen, ze lachen erbij, over wat vrouwen met mannen doen, 's nachts, op de stadswallen.

Esteban zit apart, hij speelt met een plastic vliegtuigje. Hij heeft een blauw polohemd aan, een gestreepte korte broek en blote voeten in gympen.

Jeff zegt niets over zijn reis naar Nîmes. Hij praat niet over de vogel.

Hij doet wat geld in de schaal op het buffet.

Hij kijkt rond in de keuken, al die bekende dingen, de vertrouwde borden op een stapel in de kast en de wasteiltjes. De blote benen van de jongens, hun haarloze bovenlijven, de schooltekeningen aan de muur.

Hij zal hun een ansichtkaart sturen als hij daar is. Cadeaus voor Odile.

Hij zal hen uitnodigen.

Esteban laat zich van de divan glijden. Hij stevent op zijn moeder af, gaat recht voor haar benen staan en heft zijn hoofd op.

'Ik ben een dichter...'

Dat zegt hij. Terwijl hij van de ene voet op de andere wipt.

Odile haalt haar handen uit het water. Ze veegt ze af aan haar schort.

'Dichter... Een dichter is nooit weg...'

Ze ontmoet de blik van Jeff.

Ze glimlacht met een gezicht van: Wat moet je daar nog meer over zeggen?

'S NACHTS HEEFT een vrachtwagen tonnen fruit op de Place de l'Horloge gestort. De mensen ontdekken het 's ochtends en nemen mee wat ze kunnen...

Een asfaltoogst.

De actievoerders die de staking voortzetten, rapen perziken op en gooien die tegen de muren van het paleis. De schillen en de pulp vormen rode sporen, het lijkt bloed.

Om twaalf uur blakert de zon. Het sap trekt insecten aan, die dronken worden van de suiker. Vliegen, muggen, ze laten zich in de vlucht verschalken. Vlinders liggen op hun rug. Een oude vrouw loopt rond met een paar mirabellen in haar handen geklemd.

Jeff duwt het hek open.

'Asfaltvruchten,' zegt hij en hij legt het fruit voor Odile neer.

Ze pakt een krant, haalt een mes tevoorschijn. Ze gaat zitten en schilt. Ze snijdt het fruit in stukjes en schikt die in een slabak.

Jeff is veranderd sinds een paar dagen. Ze vraagt niets. Werpt hem af en toe een zijdelingse blik toe.

Zelf zegt hij ook niets.

Hij pakt een mes, helpt met schillen.

Ze zet de radio harder.

De jongens zitten op de divan snoepjes te eten en lezen elkaar de moppen op de binnenzijde van de wikkels voor. Als ze het fruit zien komen ze er met stralende ogen op af, ze werpen zich op de kersen, spugen de pitten uit.

HET IS IETS over negenen, de zon beukt al hard op de torens van het paleis. Het is of de Maagd in brand staat.

La Jogar zit te ontbijten in de tuinen van La Mirande. Een ronde tafel in de schaduw, naast rozenstruiken. Croissants, brood, fruit, jam... Een wit tafellaken over een ander tafellaken. Een gerieflijke stoel.

Ze draagt een lichte linnen broek en een gebloemde bloes. Een dunne hoofddoek.

De tuin is een oase van rust, afgesneden van het lawaai en de drukte van de straten.

Er zitten mensen aan andere tafeltjes. Ook binnen zitten mensen.

Ze drinkt haar thee.

De vorige dag heeft ze met haar vader gebeld. Ze hebben even gesproken. Hij zei dat hij haar niet durfde op te wachten na de voorstelling. Dat het applaus hem tot op straat was gevolgd.

Zijn stem klonk moe.

Ze beloofde dat ze hem op zou zoeken, zondag om lunchtijd.

Ze hing op.

Zondag is over drie dagen. Ze heeft spijt van haar belofte. Ze haat haar zwakheid. Ze zal Paulo laten bellen, ze zal een smoes verzinnen.

In plaats daarvan zal ze bloemen gaan leggen op het graf van haar moeder.

'Ik ben de zus van Paul Selliès.'

Ze kijkt op.

Maria herhaalt wat ze zei.

Een jeans met lage taille, in het licht haar gezicht van geschramde engel.

La Jogar kijkt naar de piercings, de krabben.

Ze wijst naar de stoel. Een ober komt, ze beduidt hem dat alles in orde is. Dat hij alleen een tweede ontbijt moet brengen.

'Dat kan ik niet betalen,' zegt Maria.

La Jogar zet haar bril af, doet hem in de koker. Ze vouwt de krant dicht die op tafel lag.

'Koffie of chocola?'

Maria wil liever chocola. Die wordt gebracht in een zilveren kan. Een kopje van wit porselein met reliëfmotieven. Overvolle mandjes.

De tuinen kijken uit op de achterkant van het paleis, de zon schijnt op de reusachtige muren. Een paar gebeeldhouwde waterspuwers.

La Jogar besmeert een broodje. Ze wijst naar de mand.

'Tast toe... Alles is hier zelfgemaakt, de jam, de croissants, het brood.'

Ze kiest een jam uit het ruime aanbod, een klein potje oranjemarmelade. Ze draait de deksel eraf. Stopt de lepel erin, haalt de jam eruit, smeert die op het brood.

Maria kijkt naar haar. Ze is heel knap, hinderlijk zeker van zichzelf. Ze heeft iets van een vulkaan.

Ze neemt een slok chocola.

'Ik wil u *Anamorphose* horen spelen.'

Ze kijkt daarbij over de rand van het kopje.

La Jogar antwoordt niet.

Maria gaat verder.

'Op het toneel en alleen voor mij, Odon Schnadel wil zijn theater beschikbaar stellen.'

Ze schiet in de lach.

'Odon Schnadel wil zijn theater beschikbaar stellen! Heeft hij dat tegen je gezegd?'

Het tutoyeren is agressief.

La Jogar legt haar broodje neer.

'Geen sprake van! Bovendien, de tekst waar je het over hebt, bestaat niet meer. Had je nog iets?'

Maria trekt met haar lepeltje langzame cirkels in het zoete bodempje chocola. Dit is het enige wat ze wil: de woorden van haar broer horen, ook al zijn ze gecorrigeerd, herzien.

Dan zal ze weggaan.

Dat zegt ze.

Een man en een vrouw komen de tuin in door de grijze poort die op de straat uitkomt. Er groeien planten tussen de stenen van de muur, huislook, korstmos, wat varens. De vrouw blijft staan en kijkt ernaar.

La Jogar schuift het mandje naar Maria. Ze glimlacht welwillend.

'Je moet je lichaam voeden, vullen...'

Maria kiest een rond broodje met een goudkleurige korst; er zitten sesamzaadjes op, grijs, bijna zwart.

De zaadjes vallen op het tafellaken. Ze pakt ze weer op met haar vinger.

'U hebt de woorden van mijn broer gestolen.'

La Jogar vouwt haar handen voor haar gezicht, ze kijkt naar de vingers van Maria die de zaadjes bijeen schuiven.

'Ik heb niets gestolen... Stelen zou niet volstaan hebben...'

Ze zegt het met die speciale stem, die even blijft hangen aan het eind van de woorden.

'Als ik het zonder meer had gespeeld, zou ik er iets middelmatigs uit geperst hebben, zonder enthousiasme, als een schilder die alleen maar kopieert... Of een musicus die de compositie van een ander speelt.'

Ze pakt haar broodje weer. Boort haar donkere ogen in die van Maria.

'Ik heb heel wat meer gedaan voor de tekst van Selliès.'

Selliès, zegt ze.

Ze zegt niet: Voor de tekst van je broer.

Een klap in haar gezicht. Maria voelt zich onteigend, verstoten uit hun dierbare intimiteit: zij en Paul waren één!

La Jogar praat over al het werk dat erin is gaan zitten. Ze zegt: *Anamorphose* was een mooi uitgangspunt, maar niet meer dan dat.

Maria heeft hoofdpijn, het komt plotseling op, een gloeiende staaf die haar ogen doorboort. Toen de kogel door de schedel van Paul ging, heeft die ook de hare doorboord, de baan ligt nog open.

La Jogar steekt haar hand uit, pakt een brioche, houdt hem in haar hand. Ze was vroeger net als Maria, net zo heethoofdig, en ze had daar even goede redenen voor als zij.

Ze breekt het broodje in tweeën.

'Odon heeft me gebeld, hij heeft me over jou verteld.'

Ze kijkt op.

'Je hebt geluk, hij mag je heel graag.'

Ze denkt aan al die weken dat ze alleen maar leefde voor *Anamorphose*. Ze was nauwelijks wakker of ze wierp zich op de tekst. Om zich af te schermen van de buitenwereld deed ze de luiken dicht. Dat was haar leven, maandenlang. Als ze niet meer kon, zocht ze Odon op, op de aak.

'Ik zal het nooit voor je spelen...'

Er ligt geen woede in de blik van La Jogar. Er gaat een lang moment voorbij, nu zou Maria kunnen vertrekken, nu dit gezegd is.

Ze gaat niet.

La Jogar drinkt haar thee.

'Wat Odon was, daar heb je geen idee van,' voegt ze nog toe. 'Die man was het mooiste van mezelf.'

Maria heft haar hoofd.

'En toch hebt u hem verlaten?'

La Jogar houdt het kopje in haar handen, vlak bij haar lippen.

'Ja, ik heb hem verlaten.'

Ze vond rust in zijn armen.

Die rust heeft ze opgegeven.

Ze heeft zich losgerukt.

Want La Jogar worden en hem blijven liefhebben was niet te combineren. Het eiste te veel tijd, te veel energie.

Ze dept haar lippen met de punt van het opgevouwen servet.

'Het diepe gevoel te leven, dat heeft hij me geschonken. Hij heeft me geleerd wat hartstocht is.'

‘Bidsprinkhanen eten hun mannetje op,’ zegt Maria, ‘dat is ook liefde. Zijn wij dan niets beter dan insecten?’

La Jogar glimlacht.

‘Nee, we zijn niets beter.’

Ze legt haar servet neer. Ze haalt een poederdoos uit haar tas. Ze doet rode lipstick op. Haar handen zijn onopgesmukt, geen ringen. Drie gladde gouden armbanden om haar pols.

Maria slaat haar ogen neer.

‘U bent me dat wel verschuldigd...’

La Jogar doet de dop op de lippenstift, duwt haar lippen tegen elkaar. Ze stopt de stift in haar tas.

‘Selliès misschien, maar jou ben ik niets verschuldigd.’

Maria schrompelt ineen.

‘Zonder hem zou u nooit beroemd zijn geworden.’

‘Zeker wel. Het had misschien wat meer tijd gekost, dat is alles.’

La Jogar wijst op het mandje met brood.

‘Eet liever wat...’

Maria verstrakt. Ze houdt niet van die glimlach. Die arrogantie. Ze had niet voorzien dat het zo moeilijk zou zijn.

‘Ik mag u niet.’

La Jogar antwoordt niet.

Haat vereist een totale inzet, een volharding die dit meisje mist. Ze is ook niet uit het beulshout gesneden.

Maria steekt haar hand uit, ze pakt een paar broodjes uit de mand en stopt die in haar tas. Ze doet het zonder haar ogen neer te slaan. Ze wil zelf ook trots en arrogant zijn. Ze pakt nog twee broodjes. En ook een paar potjes jam, en croissants, die ze in haar servet rolt. Dan maar schandaal maken, als trots niet lukt.

La Jogar zegt niets.

Vanuit de deuropening houdt de ober alles in de gaten.

Maria doet haar tas dicht.

‘Als u van gedachten verandert wat *Anamorphose* betreft...’

‘Ik verander niet van gedachten.’

HET FRUIT OP het plein is gaan rotten. Het plaveisel is overdekt met kleverige troep. Donkerrode pulp. Maria's schoenzolen plakken op de goudkleurige zoetigheid die uit de berg sijpelt.

Onder het portaal, in de schaduw van de kerk, speelt een meisje in een T-shirt toonladders op een dwarsfluit. Lichtvoetige muziek.

Maria gaat de Dolle Hond in.

Er zitten boodschappen in de gedachtenbus. Het zijn er iedere dag meer. Ze neemt ze mee naar haar kamer, legt ze op de matras.

Ze vouwt het eerste papiertje open. 'Als vogels slapen, dromen ze dan dat ze vliegen?'

Alle papiertjes die ze gelezen heeft, legt ze in een hoek van de kamer. Een hele berg. Er zit nog wat lijm in een tube. Ze lijmt een eerste papiertje op het raam. Ze gaat door. Als er geen plaats meer is, gaat ze verder op het behang. Ten slotte lijkt het wel een zwerm vlinders.

Sommige zijn weinig interessant, ze plakt ze toch op. 'Mijn lievelingskleur? De kleur van de ogen van de man die ik liefheb...'

Tussen al die gedachten ook een citaat van Oscar Wilde: 'De enige manier om je te verlossen van een verleiding is eraan toegeven.'

Maria gaat op de matras zitten. Ze denkt na. Als ze een huis zou bouwen, zou ze dat in de gevel beitelen.

Ze schrijft op het behang: 'Er is iets wat leeft, en pal daarnaast iets anders wat sterft.'

Al de tijd dat ze daarmee bezig is, denkt ze niet aan La Jogar.

Anamorphose is een draad die haar verbindt met haar broer. Er zijn niet veel draden meer. Ze is bang dat de laatste zullen knappen.

Isabelle zegt dat lichamen slijten, dat gevoelens vervliegen. Maria kijkt uit het raam, de lucht is overdreven blauw. Ze strekt haar armen naar het licht. Ze zou willen begrijpen waarom ze op de wereld is. Wat moet ze daar?

Ze piekert.

Vragen, onbedwingbare vragen.

DE KRAAM STAAT op het trottoir, buiten de markthal. Maria kiest een boeket, drie rode rozen die in een armvol margrieten zijn gestoken, en een paar anjers. In een ijzeren emmer. Ernaast, eromheen, overal nog meer boeketten, potten met geraniums, hortensia's.

Het is niet het mooiste boeket.

De bloemiste doet er een vel plastic omheen, de stelen zijn erdoor te zien.

Maria steekt de straat over met de bloemen.

De meeste voorstellingen zijn hervat. Stakers die nog actievoeren, demonstreren door de buurt met borden die verontwaardigd spreken van verraad.

Maria kijkt naar hen. Ze zijn niet met erg veel meer. Het loopt al tegen zeventien uur, het publiek staat samengedromd te wachten voor het Minotauretheater.

Ze glipt de artiesteningang in. Een voorstelling is afgelopen, de volgende gaat beginnen. De acteurs kruisen elkaar. Opgewonden drukte in de gangen.

Achter een open deur repareert een naaister de zoom van een hoepelrok. Er klinkt gelach. Het ruikt naar hout en zweet.

Maria loopt door. Een meisje met bloemen, niemand vraagt haar iets. Het is een theater met drie zalen, *De bruggen van Madison County* gaat in zaal twee.

Maria komt achter het toneel uit. Het decor staat er al. De zaal is nog leeg.

Het toneel als de gapende muil van een reusachtig beest.

Boven op een ladder is een technicus bezig de lampen te richten. Hij vraagt Maria of ze iemand zoekt en Maria houdt de bloemen op.

'Wegwezen,' zegt hij.
Maria trekt zich terug.
Er klinkt verder geen geluid.
Door het achtergordijn gaat ze het toneel op. De kast, de glazen, de borden, de tafel en de stoelen, het ziet er allemaal echt uit. De verfrommelde vaatdoek, de radio op het buffet.
Ze legt de bloemen op het aanrecht.
Bloemen, dat is geen decor, denkt ze.

LA JOGAR ZIT in haar kleedkamer. Nerveus, ongerust. Vanwege Maria. En waarom had ze het nou nodig gevonden haar vader te beloven dat ze zondag op bezoek zou komen…

Haar ogen, in de spiegel.

Ze moet haar donkere gedachten verjagen, dat moet ze doen, zich beperken om zich te kunnen concentreren.

Pablo komt binnen. Hij constateert dat ze er moe en gespannen uitziet. Hij zegt dat alles klaar is, dat ze moet beginnen.

Ze stopt een paar homeopathische korreltjes onder haar tong.

Hij gaat de kleedkamer uit.

Zij volgt hem.

Ze gaat de grens over, de paar meter gang tussen de kleedkamer en de coulissen. Men kijkt naar haar. Maakt ruimte.

Het publiek zit in de zaal.

Phil Nans staat op haar te wachten.

*'In bocca al lupo!'**

*'Crepi il lupo!'*** antwoordt ze.

In het geroezemoes hoort ze de drie slagen. Ze ademt langzaam helemaal uit. Ze zet een voet op het toneel.

Het doek gaat op.

Ze ademt nog steeds uit. Haar man en kinderen zijn zojuist voor vier dagen vertrokken, ze is alleen in haar huis, een eenvoudige vrouw in Iowa.

Ze komt op.

De tafel, de stoel. Langs de buitenkant van de karaf lopen grote druppels. Ze trekt de stoel naar zich toe, gaat zitten. Ze

* In de bek van de wolf.

** Laat de wolf creperen.

drukt haar voorhoofd tegen het glas. Met platte hand strijkt ze het tafelkleed glad. Verveling, wachten, warmte. De woorden stromen, vloeibaar. Na een paar minuten is de plankenkoorts verdampt. Phil Nans komt op. Alles gaat goed.

Als ze naar het aanrecht loopt, ziet ze het boeket. Het was haar eerder niet opgevallen. Het is daar neergelegd. Het hoort niet bij het decor. Ze wisselt een blik met Phil Nans.

Hij haalt zijn schouders op.

Ze gaat naar het boeket, anjers, rozen en margrieten. Ze speelt door, stopt haar vingers tussen de blaadjes. Ze verschuift het boeket. Er zit geen kaartje bij, maar onder het bladgroen ligt een exemplaar van *Anamorphose*. Haar naam, Mathilde Monsols, is met een paar zwarte strepen doorgehaald. In plaats daarvan een correctie, de naam van Paul Selliès.

Ze rilt, ze voelt zich onpasselijk.

Ze draait zich om, komt langzaam naar het voetlicht, laat haar blik over de zaal gaan. Een zaal in het donker. De volgende teksten zegt ze vertraagd.

Phil Nans raakt licht haar hand aan, met een drukje op haar arm en een blik krijgt hij haar weer op het spoor, bij de Roseman-brug, Madison County.

Het hele voorval heeft niet meer dan een minuut geduurd.

Ze brandt zichzelf op, zegt iemand op het eind, doelend op de staat waarin deze voorstelling haar achterlaat.

Na het applaus pakt ze het boek en de bloemen.

In de coulissen mompelt een man: Een zo mooie vrouw volg je tot het einde van de wereld.

La Jogar gooit het boeket op tafel. Het boek erbij. Ze schopt haar schoenen uit, maakt haar haar los, schudt haar hoofd. De spelden op tafel.

Ze verkleedt zich. Doet een suède jurk aan die ze in de taille straktrekt met een brede ceintuur.

Een paar pumps, naaldhakken, ze bukt zich en knoopt een bandje vast. Knoopt het tweede bandje vast.

Een metalen collier om haar nek.

Maria staat onbeweeglijk bij de deur, de armen langs haar lichaam, haar katoenen broek hangt nonchalant op haar heupen.

La Jogar richt zich op.

Ze ziet haar.

Het lukt haar niet kwaad te worden.

'Je hebt het boek en de bloemen neergelegd en je durft hier nog te komen...'

Ze bekijkt haar. Haar slordige manier van kleden.

'Het mankeert je niet aan lef, wel aan manieren.'

Maria verroert zich niet.

In de gang achter haar zijn mensen druk in de weer.

Ze blijft tegen de muur gedrukt staan.

'Ik zou graag willen weten wat u deed toen mijn broer zichzelf doodde.'

La Jogar glimlacht uit de hoogte.

'Daar heb je niets mee te maken.'

Ze gaat terug naar de spiegel, borstelt haar haar.

'Dacht je dat je je beter zou voelen als ik aan al je verwachtingen zou voldoen? Je voedt je woede zoals ze vissen vetmesten, maar pas op, vetgemeste vissen sterven een gruwelijke dood.'

Ze loopt naar de deur, houdt stil bij Maria.

Ze gaat snel met haar vinger langs de schrammen op haar arm.

'Je zou het eens met scheermesjes moeten proberen.'

MARIA GAAT DE trappen op naar de tuinen, ze gaat onder de bomen liggen op een hoek van het gazon. Met haar ogen net boven het gras kijkt ze naar de wandelaars.

De grond is fris.

Ze slaapt. In haar droom hoort ze gelach. Er komt een banjospeler langs, de muziek vermengt zich met het lachen. Een oude vrouw zit op een bank en eet friet met mosterd.

Maria draait zich om, haar gezicht naar de lucht. Ze schuift haar vingers tussen het gras.

Ze rolt op haar buik, het hoofd in haar handen. Om haar heen spelen en roepen kinderen.

In de vijver zwemt een zwaan. Zijn poten bewegen in het spiegelende water.

Er zijn gouden dagen en dagen die triest zijn. Ze wil geen trieste dagen meer. Ze wil licht en vrij zijn.

Ze heeft hier niets meer te doen. Ze neemt de trein, terug naar Parijs. Morgen, absoluut. Vrienden van haar maken muziek bij Beaubourg, die gaat ze opzoeken. Ze zal honden tegenkomen, daar gaat ze mee leven.

Ze neemt een foto vlak boven het gras. De benen van de oude vrouw, de gezwollen, vuile enkels. Een kind met sporen chocola op zijn gezicht. De zwaan, om aan haar moeder te laten zien.

Ze staat op, veegt het gras af dat aan haar huid is blijven kleven. De oude vrouw heeft een korst brood op de bank laten liggen. Maria raapt hem op, gooit hem naar de zwaan. Het brood drijft. Eenden die weggedoken zaten in de schaduw, komen aanzwemmen.

Maria verlaat de tuinen langs de trap naar de oude binnenstad.

La Jogar heeft gelijk, het heeft allemaal geen zin.

Fluitend gaat ze de trap af.

Beneden koopt ze een gekoelde drank en vervolgt dan haar weg naar de Dolle Hond.

DE GEDACHTENBUS LIGT buiten op het trottoir. Staat niet, ligt. Gegooid. De foto's erop, verzwaard met een steen.

Maria fluit niet meer.

Ze vertraagt haar pas.

Julie en Damien zitten aan het tafeltje, het schaakbord tussen hen in.

Julie kijkt op.

'Ik weet niet wat je mijn vader hebt geflikt, maar hij is razend,' zegt ze en ze wijst naar de bus.

Maria haalt haar schouders op.

De steen is vies, er zit aarde op de bovenste foto.

De foto's zijn inderhaast van de muur gerukt, zonder de punaises eruit te halen, de hoeken zijn gescheurd.

De foto van Isabelle is beschadigd.

'Is dat eczeem?' vraagt Julie als ze naar de krabben op haar armen kijkt.

Maria antwoordt niet.

In een tas onder de stoel zitten chips, broodjes en cola.

'Mijn vader is een utopist,' zegt Julie. 'Theater voor iedereen, dat is zijn droom, maar het werkt niet.'

'Waarom blijft hij dan dromen?' vraagt Maria.

Julie zucht.

'Ja, kom daar maar eens achter, waarom mensen dromen...'

Ze geeft Maria een broodje.

Maria vouwt het open, eet de ham die ertussen zit.

Julie vertelt van de vuilnisauto's die het plein zijn komen verlossen van al het fruit dat er was gestort. Ze praat over het festival dat zich voortsleept en over de accordeonlessen die ze hebben afgesproken.

Maria tilt de gedachtenbus op. Ze hoort dat er papiertjes in zitten. Ze pakt ook de foto's op.
'Wil je niet vertellen wat er aan de hand is?' vraagt Julie.
'Er valt niks te vertellen.'
Julie haalt haar schouders op.
'Ik krijg wat van jullie tweeën...'

MARIA ZET DE bus op de matras. Ze plakt de foto's met tape op de muur, bij de boodschappen.

Dan stopt ze al haar vuile kleren in een tas. Ze haalt de papiertjes uit de bus, stopt ze in haar zak en gaat naar de wasserette. Terwijl haar was draait, leest ze de berichten. Dan kijkt ze door het raam naar de voorbijgangers. Naar de winkels aan de overkant; de deuren staan wijd open, ze hebben airconditioning.

De was is klaar.

Ze stopt de schone kleren in dezelfde tas. Ze gaat naar buiten.

Ze koopt postzegels en lijm.

Ook ansichtkaarten, enige tientallen, ze plukt ze lukraak uit het rek, alleen maar landschappen en stadsgezichten van Avignon.

Een exemplaar van *Anamorphose* bij de boekhandel van het Maison Jean Vilar.

Ze gaat terug naar het grote plein. Ze wacht tot er een tafeltje onder de bomen vrijkomt. Ze bestelt pepermuntlimonade met veel water. Ze vraagt de ober of ze een schaar kan lenen.

Ze plakt een postzegel op de achterkant van alle kaarten.

Op iedere kaart plakt ze een boodschap. Ze bedekken niet het hele oppervlak, aan de onderkant en opzij is nog wat van het landschap te zien.

Ze knipt fragmenten uit *Anamorphose* en plakt die achterop, op het tekstgedeelte.

Ze kiest niet, ze bladert en knipt lukraak iets uit.

Op iedere kaart schrijft ze het adres.

Meer dan vijftig.

Ze doet ze allemaal op de bus voor de lichting van zestien uur.

Daarna zwerft Maria wat langs de oevers van de Rhône. Insecten zijn druk in de weer tussen het gras. Ze doet de sprietjes opzij. Een complete miniatuurwereld.

Machtig en zwaar stroomt het water van de rivier. Langs de oever drijft schuim, het ziet eruit als gele kwijl. Kleine golfjes rollen dicht achter elkaar over het wateroppervlak. De wind steekt op. Het water op de grote, open rivier huivert.

Haar broer was een prins, hij wist woorden te vinden om de schoonheid van de wereld uit te drukken. Hij zag de kleuren, de krachten. Hij zag het blijvende in de tijd die voorbij gleed.

Zij ziet alleen de scheuren. Zij heeft steenkool in haar hoofd, hij licht.

Odon zegt dat je de as van doden kunt bewerken, dat je er diamant van kunt maken.

Ze gaat aan de waterkant zitten. Ze krabt met een stokje in de aarde, maakt tekens. Je leeft, je sterft, dat moet toch een zin hebben?

Ze vraagt zich af hoe haar herfst zal zijn.

DE VOLGENDE OCHTEND steekt de mistral op, een eerste windvlaag gooit de glazen op de tafeltjes om, tilt de tafellakens op, laat klapperen wat op de balkons hangt.

Een paar woedende slagwinden. Alles wervelt op, stof, papieren. Affiches worden losgerukt, komen op het asfalt terecht. De wind transporteert ze verder.

De vaste zwerver van het plein raapt het karton op, hij stapelt het op achter in de kerk, in zijn geheime winterschuilplaats.

Overal valt het doek, de theaters lopen leeg. Vermoeidheid tekent de gezichten.

In de Dolle Hond is de klucht afgelopen. Het gezelschap haalt zijn decor weg, het was hun laatste voorstelling. Ze blijven hangen achter het toneel, een tikje teleurgesteld. Ze weten niet of ze het volgende jaar terugkomen. De vorige dag hebben ze vrijwel voor niets gespeeld. Ze hebben al hun flyers uitgedeeld, alles of niets.

Ze laten de kip achter.

Niemand wil haar hebben.

Jeff neemt haar mee naar de binnenplaats van Odile. Hij zet bakjes met graan en oud brood voor haar neer. Een schaaltje water. Ze kan doen wat ze wil, komen, gaan, krabben, ze kan zelfs verdwijnen.

Met wat geluk legt ze eieren.

Als hij op straat komt, ziet hij Maria.

Ze loopt en kijkt naar haar voeten.

Ze staat stil.

De straat is een kloof. De wind jaagt erdoor.

'Er zijn niet veel mensen in de stad,' zegt Jeff.

Hij vertelt dat de mistral één dag zal waaien of drie, of zes of negen, zo is het altijd met die wind.

'De waanzinnige wind, noemen ze hem.'
Maria zegt dat ze weggaat.
Jeff knikt wat met zijn hoofd.
'Heb je de vogel verkocht?' vraagt ze.
'Nee, maar ik ga het wel doen...'
Hij loopt een paar passen de straat in, komt dan terug naar Maria.
'Als het me uitkomt... Ik maakt eerst hier de zomer af,' zegt hij, alsof hij zich wil verontschuldigen.
Hij wiegelt wat van de ene voet op de andere. Hij houdt niet van afscheid, van anderen die afscheid nemen.
'Bedankt,' zegt hij.
Hij spreidt zijn armen, zijn handen, kust haar stevig, verplettert bijkans haar wang.

HET IS IETS over elf, de postbode doorkruist de straten van de wijk. Hij zet zijn fiets tegen de muur en gaat het Minotaure-theater binnen. Tientallen kaarten, een beetje veel, hij heeft er een elastiek omgedaan. Hij legt ze in het postvak.

Als Pablo komt, neemt hij ze mee naar de kleedkamer. Daar zit La Jogar.

Hij legt het pakket voor haar neer.

Een blik.

Hij gaat weg.

Ze doet het elastiek eraf, de kaarten glijden uit elkaar op het marmeren tafelblad.

Ze pakt een stoel, gaat zitten.

Opgeplakte boodschappen. In de uitgeknipte fragmenten herkent ze passages uit *Anamorphose*.

Geen afzender.

Ze weet dat het Maria is.

Het is dus nog niet afgelopen.

Ze steekt een sigaret op en rookt die bij het open raam. Drie meisjes zitten buiten op het trottoir. Onbezorgd gelach. Ze hebben witte schorten voor, ze werken in het restaurant, ze hebben even pauze.

La Jogar drukt de peuk uit op de vensterbank, doet het raam weer dicht.

Ze belt Odon. Terwijl de telefoon overgaat, pakt ze de kaarten weer op.

Ze draait ze om, bekijkt ze.

Hij neemt op.

'Ik doe het,' zegt ze.

Meer zegt ze niet.

Ze zegt niets over de tientallen kaarten die ze gekregen heeft. Er valt een stilte aan de andere kant van de lijn. Odon stelt geen vragen.

Ze spreken af voor die avond, na sluitingstijd, in zijn theater.

MARIA LOOPT DE Rue de la République af, komt een eerste keer langs de deuren van de krant.

Voor haar loopt een acteur met een toneelkostuum in een transparante hoes. Een eindje verder op hetzelfde trottoir loopt een meisje viool te spelen.

Maria volgt hen met haar ogen, gaat dan terug naar de deuren.

Ze aarzelt. De benedenhal is leeg, de kantoren zijn op de verdieping. Ze gaat de trap op. Een portaal met openstaande deuren. Een meisje achter een bureau.

Een bord op een deur: Redactie.

Maria bekijkt de folders die op een tafel liggen.

Ze glijdt erover met haar vingers, pakt een exemplaar van de krant, bladert hem door. Achterin vindt ze de telefoonnummers van het kantoor. Ze vraagt of ze hem mee mag nemen en het meisje knikt.

ISABELLE KLOPT OP de deur van de slaapkamer. Maria doet niet open en ze klopt opnieuw. Ze steekt haar hoofd om de deur.

'Slaap je?'

'Nee.'

Ze reikt haar de telefoon aan.

'Odon... Hij heeft al een paar keer gebeld.'

Maria sjokt traag naar de deur.

Ze luistert.

Dan hangt ze op.

'Kan ik iets voor je doen?' vraagt Isabelle.

Maria schudt haar hoofd.

Isabelle aarzelt.

'Gaat het?'

'Het gaat.'

Isabelle doet de deur weer dicht. Maria gaat weer op de matras zitten.

Ze glimlacht.

Je komt na de voorstelling, als iedereen weg is, dat was wat Odon zei.

Ze kijkt op haar horloge. Een paar uur.

Ze rolt op de matras.

Ze slaapt niet

Ze denkt aan haar broer.

Ten slotte lacht ze met haar handen voor haar mond.

La Jogar is door de knieën. De kaarten waren het laatste duwtje.

Vanavond zal haar broer hoog boven de doden uit vliegen. Ze zal zijn woorden horen.

Ze is ongeduldig, ze kan niet blijven stilzitten, ze gaat naar buiten.

Place des Châtaignes. Aan de ramen zijn banen stof bevestigd. Slingers van rode harten. Op de tafeltjes ook rode hartjes.

Ze blijft wat rondhangen.

Het wordt donker.

Nog een uur. Ze gaat op een bank zitten. Ze pakt *Le Cid*. Bladert erin. Haar hoofd staat niet naar lezen.

Ze kijkt naar het plein.

Ze vraagt zich af of ze alleen in de zaal zal zitten om naar La Jogar te luisteren.

NA AFLOOP VAN de voorstelling arriveert La Jogar bij de Dolle Hond.

Ze loopt de gang in. De acteurs zijn vertrokken. Ze heeft een zwarte jurk aan, een collier met een dubbele rij stenen.

Odon is in zijn kantoor. Een lamp brandt. Hij heeft de deuren dichtgedaan.

Ze kijken elkaar aan, wisselen zacht een paar woorden.

Ze vertelt van de kaarten die ze kreeg.

'Ik krijg genoeg van die meid, ik zal doen wat ze vraagt en dan praten we er niet meer over.'

Odon is gespannen.

Zij ook.

'Het moet echt afgelopen zijn.'

Spelen en dan basta.

Ze gaat de zaal in, een stoel aan het gangpad.

Maria komt een paar minuten later. Ze komt wat bedeesd naar voren.

Ze moet nog verder.

Ze is vlakbij. La Jogar staat niet op.

'Ik zal het voor je spelen, foutloos, ik zal geen woord missen, maar dan wil ik helemaal nooit meer iets van je horen. Is dat afgesproken?'

Maria knikt.

Ze vertrekt geen spier.

La Jogar staat op.

'Maar wat je gaat horen is niet *Anamorphose*... *Anamorphose* bestaat niet meer. Wat ik ga spelen, is iets anders.'

Ze doet een paar stappen, stopt, draait zich om.

Ze komt terug naar Maria.

'Je wilde weten wat ik deed toen je broer zelfmoord pleegde?'
Ze glijdt met haar vingers over de rugleuning van de stoel.
'Ik kan niet alleen in een vertrek zijn met Odon Schnadel zonder zin te krijgen met hem te vrijen...'
Ze kijkt Maria aan. Dat vreemde, gewonde, getekende gezicht.
'We waren samen aan zee, dus ik neem aan dat ik aan het vrijen was toen je broer stierf.'
Ze strijkt lichtjes met haar hand langs Maria's wang. Zo veel schoonheid en zo veel pijn.
Ze draait zich om.
Ze loopt naar het toneel. Odon staat bij het doek op haar te wachten.
'Kan ik wat licht krijgen?'
Haar hand rust even op zijn arm.
Hij loopt door het middenpad, komt langs Maria. Hij zegt niets. Kijkt haar niet aan. Hij gaat het hok binnen waar de lampen bediend worden. Het volgende ogenblik verschijnt een goudkleurige kring op de vloer, stralend als een maan.
La Jogar gaat die kring binnen. Het is moeilijk voor haar om te spelen voor een lege zaal. Haar stem heeft de echo van lichamen nodig, moet de weerklank voelen in de warmte van de mannen en vrouwen die zijn gekomen om naar haar te luisteren.
Voor één enkele persoon spelen is nog moeilijker.
De eerste zin is het lastigst. De tekst is ze niet vergeten, die zit sinds vijf jaar in haar geheugen genageld.
'De oude Juanno is vanochtend gevallen. Hij was ijzersterk en toch heeft een gemene winter hem weten te vloeren.'
De volgende zinnen rijgen zich aaneen. Het geheugen laat geen steken vallen. *Anamorphose* was veel meer dan een kwestie van woorden leren, het raakte haar direct in haar apathie en eenzaamheid. Eén woord vergeten en de energie zakt in, zij is ook zo.
Maria verstart.

Odon is in het lichthok blijven zitten. Er is verder niemand in het theater. Ieder woord dat wordt uitgesproken, komt terecht bij de stoel waarop Maria zit.

Maria luistert. Ze denkt aan Paul.

Ze doet dit allemaal voor hem. Voor zijn nagedachtenis, zijn verleden.

Ze herkent de woorden, laat zich meevoeren door de warme intonatie van de prevelende stem.

La Jogar is verbazingwekkend. De woorden ontkiemen in haar keel, ze stijgen op uit haar majestueuze lichaam.

De borst zwelt, ze ademt woorden.

Het gevoel wordt levend weergegeven, vertolkt.

Maria ziet haar broer, in de bestelbus, potlood in de aanslag, laat in de nacht. Ze knijpt haar handen stijf dicht.

Hij heeft geschreven.

La Jogar bewerkt, geeft vorm. Zij wordt de hartslag.

Maria laat haar tranen de vrije loop, ze doet geen poging ze te wissen. Ze weet niet eens waar ze om huilt.

Weldra wordt wat ze hoort iets anders, iets wat meer leven heeft dan *Anamorphose.*

Het is niet meer van Paul. Ze dacht dat hij er zou zijn. Zo had ze het gewild. Ze herkent niets meer. Het is vertrouwd en toch anders.

Het is een verhaal zonder Paul.

Of met Paul in de verte. Erachter. Een vervagende schim van Paul.

Ze krabt met haar nagels over haar arm, trekt de zwarte korsten los. Vroeger deed ze zich pijn om dichter bij hem te komen.

Ze krabt harder.

Ze voelt dat de draad tussen hen het begeeft.

MARIA SCHUDT DE zak met kleren leeg. De kleren op een hoop op de matras.

Het is donker.

Het raam staat open. Het licht brandt. Insecten worden aangelokt, komen binnen, draaien rond, komen dichterbij. Sommige verbranden hun vleugels, vallen op de vloer.

Maria stopt haar hoofd in de zak. Ze trekt hem zachtjes dicht. Erdoorheen ziet ze de kamer, de muren, de boodschappen op het raam.

Zweet in de zak.

De kamer is wit en de papiertjes worden onscherp.

Het plastic plakt tegen haar mond.

Het nog heldere, gele licht van de gloeilamp.

Paul heeft *Anamorphose* en *Nuit rouge* geschreven, hij zou nog meer geschreven hebben als hij had mogen blijven leven. Begaafde teksten. Als Beckett. Ze zouden zeggen: Die Selliès, dat is een kanjer!

De lucht begint schaars te worden in de zak.

Ze denkt over het toeval, de enkele hachelijke seconden die soms beslissen over iemands lot. La Jogar zegt dat je energie nodig hebt om lief te hebben.

Isabelle zegt: Rechterop, alsjeblieft...

Maria glimlacht in de zak.

Ze komt rechterop.

Er is niets meer om in te ademen. Het plastic plakt op haar huid.

Ze trekt de zak van haar hoofd. Ze ademt weer, met open mond, inhaleert de lucht met afgrijzen.

Een dof gegons in haar hoofd.

Ze kijkt om zich heen. Ze houdt de zak in haar hand geklemd. Ze weet niet meer hoe laat het is. Ze ziet alleen dat het nacht is.

HET IS DE laatste voorstelling voor La Jogar. Nog een paar woorden en vaarwel vestingwallen. Twee dagen vrij, zondag luncht ze met haar vader en dan is ze weg.

Ze loopt naar de voorkant van het toneel. Er komt maar geen eind aan het applaus.

Phil Nans kust haar vingers, trekt zich terug.

Zij alleen op het toneel, zo begint het. Stilte als huldeblijk. Voor een paar minuten is de tijd opgeschort.

Het publiek houdt zijn ogen niet van haar af. Haar beeld grift zich in hun geest. Ze neemt afscheid, deze vrouw die hun dierbaar is, die deel van hen is, van hun dromen. Van hun stad.

Iemand staat op, gevolgd door een ander. In een gewijde stilte. Weldra staat de hele zaal overeind voor een geluidloze ovatie.

La Jogar beeft.

Het is voor het eerst dat ze dit meemaakt.

Ze zwijgt. Voor een keer niet in staat tot een glimlach.

Ze kijkt hen allen aan, alle gezichten, haar hart klopt als bezeten.

En zij kijken haar aan.

Haar blik gaat van gezicht naar gezicht. Niemand verroert zich, niemand spreekt. Stel je dat voor. Een bijna ondraaglijke spanning.

Plotseling roept iemand Bravo! en het applaus breekt los.

Phil Nans komt terug, pakt haar hand: Je was buitengewoon!

Het applaus golft dwars door haar heen. Ze raapt de bloemen op.

Een hand op haar hart: Ik hou van jullie… Een verwilderde blik. De snelheid waarmee ze van lachen overgaat op huilen is bijna onbetamelijk.

Ze herhaalt: Ik hou van jullie, ik hou heel veel van jullie…
Ze blijft nog, zolang als ze kan.
Zolang het vol te houden is.

'S AVONDS IS er een ontvangst in hotel La Mirande. Op uitnodiging. In de tuinen zijn ronde tafels neergezet, een podium met muzikanten. Obers lopen rond met bladen waarop coupes champagne in het gelid staan. Er is muziek, het is druk, de mensen lopen van de salons naar de bar, naar de tuin. Iedereen lijkt in een vrolijke stemming en er vormen zich paartjes.

Nathalie staat met vrienden in de patio. Odon ziet haar uit de verte. Ze is bruin geworden, haar voorhoofd is een tikje rood. Ook meer sproeten. Ze draagt een diep uitgesneden, huidkleurig T-shirt. Verschillende strengen turkooizen stenen om haar nek.

Als ze hem ziet, wenkt ze hem. Hij komt. Zijn jasje is gekreukt, hij ziet er moe uit. Hij voelt dat er naar hem wordt gekeken. Hij weet dat Nathalie hem niet gebeld zou hebben als er niet iets ernstigs aan de hand was.

Hij leest het in haar ogen.

Ze heeft een man bij zich. Hij is ouder dan Odon, zijn slapen worden al grijs. Elegant. Hij trekt zich wat terug als Odon naar hen toe komt.

Nathalie stelt hen aan elkaar voor.

Odon onthoudt zijn naam niet.

Nathalie excuseert zich bij haar gezelschap. Ze neemt hem apart naar een stil plekje aan het eind van de bar.

'Ik verwachtte je,' zegt ze.

Ze pakken beiden een glas champagne van een blad, leunen met hun ellebogen op de bar.

Nathalie kijkt naar de belletjes die met een gouden glans aan het oppervlak uiteenspatten. Ze leunt wat voorover.

'We hebben een probleem,' zegt ze.

Dat zei ze ook, op dezelfde toon, toen ze gehoord had van zijn relatie met Mathilde. We hebben een probleem... Alleen was dat op de aak.

'We hebben een telefoontje gekregen op de krant.'

Ze pakt haar coupe, laat het glas draaien tussen haar vingertoppen.

'Is het ernstig?' vraagt hij.

'Mogelijk.'

Hij zet zijn glas op de bar.

'Ik luister.'

'Mathilde Monsols zou *Ultimes déviances* niet zelf geschreven hebben... Het zou een bewerking zijn van een oorspronkelijke tekst van Paul Selliès, de schrijver van wie jij dit jaar een stuk brengt.'

Odon staart naar de rijen flessen op de schappen boven de bar. Zijn hand glijdt over de bar. Hij draait zich langzaam weer naar Nathalie.

Zij draait zich naar hem.

Ze houdt het glas in haar handen, zonder te drinken.

'En er is nog iets,' zegt ze.

Haar blik dwaalt verstrooid over de gasten.

'Ik heb het telefoontje niet zelf aangenomen, het was een stagiaire... Zij heeft de informatie doorgegeven aan mijn secretaresse.'

Ze geeft hem de tijd om goed te begrijpen wat ze gezegd heeft. Om de details en de gevolgen goed tot zich door te laten dringen.

En ze geeft hem de gelegenheid het te weerspreken.

Ze kennen elkaar binnenkort dertig jaar, een behoorlijk stuk van iemands leven. Hij heeft wel eens tegen haar gelogen, uit laksheid of om haar te beschermen. Een keer heeft hij haar ijskoud in de steek gelaten, toen hij van Mathilde hield.

En nu....

Nathalie zet haar glas neer.

'Ik moet weten of die informatie klopt.'

Ze zal geloven wat hij zegt. Ze wil het zonder meer geloven.

Hij kan tegen haar liegen.

'Het is waar,' brengt hij ten slotte uit.

Voor haar, rondom, overal gaan de bladen rond, worden glazen geleegd.

'Ik heb de twee mensen die ervan weten gevraagd het stil te houden, maar ik kan je niet beloven dat het niet uitlekt.'

Ze wil niets beloven, niets garanderen.

Hij maakt een gelaten handgebaar. Het stilhouden, maar hoe lang? Ook al lekt het nieuws de komende dagen niet uit, die dreiging zal er altijd blijven.

In de salons praat men over het afscheid van La Jogar, over de zwijgende ovatie, over het publiek dat huiverde voor een vrouw die daar stond.

Men zoekt haar. Informeert naar haar.

'Odon?'

'Mmm...'

'Heb je een idee van wie dat telefoontje kwam?'

'Ik denk het wel...'

Ze spreidt haar handen, maakt zich los van de bar. De zwarte inkt van de zwarte koppen.

'In dat geval...'

Ze legt haar hand zachtjes op zijn arm.

'Ik hoop oprecht dat het niet naar buiten komt.'

Ze kijken elkaar aan. Ze hebben veel van elkaar gehouden. Hun leven leek een lange en plezierige wandeling waar nooit een eind aan zou komen.

Ze trekt haar hand terug.

Voor ze hem kende, wist ze niet wat jaloezie was, dat heeft hij haar geleerd, wat het is om in het stof te bijten. Nu zou ze zich kunnen wreken, dat zou eenvoudig zijn, een kop op de eerste pagina.

Het is geen grootmoedigheid of vergeving. Haar woede is gewoon verdwenen.

'Jij hebt de tekst gepubliceerd, als het uitlekt, is dat een smet op jouw naam.'

'Dat geeft niet.'

Ze glimlacht. Dus... Ze had liever gehad dat het niet waar was, dat zij haar niet had hoeven redden.

'Er moeten niet meer telefoontjes komen, een tweede keer breng ik het niet op.'

Hij wendt zijn blik af.

Mompelt een pover dank je. Hij vindt het ellendig dat zij hierin gemengd wordt. Hij zou willen dat ze nog even bleef, hij zou haar iets anders willen zeggen dan dat schamele dankjewel.

Ze kijkt naar de man die bij haar stond en die in een van de fauteuils op de patio op haar wacht. Een groot rond glas in zijn hand, een drankje dat hij opwarmt in zijn handpalm.

'Ik heb iemand ontmoet...' zegt ze langzaam.

Odon huivert.

De man zit half weggedraaid, zijn benen over elkaar, een aantrekkelijk profiel. Hij haalt een pakje sigaretten uit zijn zak, staat op en gaat buiten roken.

'Wat zie je in hem?'

Nathalie glimlacht.

Ze legt haar hand op zijn schouder, laat hem daar een paar seconden.

'Misschien moeten we scheiden...'

DE MISTRAL HEEFT een dag gewaaid en is toen gestopt. Boven de Mont Ventoux hebben de wolken zich opgestapeld. Over de stad hangen andere, donkerdere wolken die uit het noorden zijn gekomen.

's Avonds komt de regen. De eerste druppels spetteren op de grond, die verzadigd is van hitte, ze verdampen in de nog hete lucht. Een stortbui, en dan nog een. Mensen schuilen in portieken, bij winkelpuien, in de kerk. Ze sluipen langs gevels, langs deuren en ramen.

Men kijkt naar de regen.

De geur van regen verjaagt de geuren van droogte. Overal gaan ramen en luiken open, de frisse lucht wordt binnengelaten.

Men kan eindelijk weer ademen.

Het water druipt langs boomstammen, dakpannen, balkons. Het stof spoelt van de bladeren van de platanen.

Maria loopt door de regen.

Ze loopt door de plassen, haar gympen in het water.

Ze verdwijnt in de Dolle Hond. Het is de laatste voorstelling van *Nuit rouge*. Er staan mensen in de ingang. Ze draaien zich naar haar om. Met haar mouw veegt ze de regen uit haar gezicht.

Het water druipt uit haar broek op het tapijt.

Julie en de jongens staan in de gang, hun gezichten bedekt met klei. Ze kijken naar haar als ze aan komt lopen. Ze zeggen niets. Geen glimlach.

'Ik zoek Odon,' zegt Maria.

'Hij zoekt jou ook,' zegt Julie op ijzige toon.

Greg wil naar haar toe gaan, maar ze houdt hem tegen bij zijn arm.

Hij dringt niet aan.

Maria zegt niets.

Jeff komt het kantoor uit. Als hij Maria ziet, glimlacht hij flauwtjes, maar hij gaat niet naar haar toe.

Hij houdt een bos bloeiend vingerhoedskruid in papier tegen zich aan. Een armvol. Zijn lachje trilt. Hij draait zich om, loopt weg met gebogen rug, brengt de bloemen op het toneel.

Er zit al publiek in de zaal. Andere bezoekers komen binnen en zoeken een plaats.

Maria heeft het koud.

Alles lijkt vijandig.

Toch zet ze door.

Odon is achter het toneel bezig met een technicus, hij controleert het mechaniek om het decor te laten zakken. Het knarst en loopt vast.

’s Ochtends heeft hij in alle vroegte La Jogar gebeld. Ze nam niet op. Hij heeft een boodschap achtergelaten dat ze hem terug moest bellen. Het was belangrijk, zei hij.

Als hij Maria ziet, laat hij alles rusten.

‘Je hebt wel lef, om nog terug te komen!’

Hij pakt haar bij de arm, trekt haar opzij. Zijn hand houdt haar in een krachtige greep.

Hij is razend.

‘Waarom heb je dat gedaan? Nou, waarom? Je wilde dat Mathilde speelde en ze heeft gespeeld! Wat wil je nog meer?’

Julie en de jongens staan bij elkaar in de gang. Jeff is er ook bij gekomen. Zonder de bloemen.

De technicus gaat weg.

Maria kreunt.

Ze heeft gebeld uit de cel naast de bank. Ze had tegoed op haar telefoonkaart. Het telefoonnummer in de krant, lokaal tarief. Het meisje dat de telefoon opnam heeft haar aangehoord zonder iets te zeggen. Het was heel eenvoudig, het duurde niet lang.

Dat was voordat ze La Jogar had gezien. Later, toen ze haar op het toneel had gehoord, kreeg ze spijt van het telefoontje en vervolgens dacht ze dat het er ook niet zo toe deed. Een telefoontje is niet genoeg als bewijs.

'Het was daarvóór...' is het enige dat ze kan mompelen.

Daarvoor, daarna! Dat maakt Odon geen barst uit.

Hij duwt haar het trapje op, sleurt haar op het toneel. Ze stoot met haar enkel tegen een tree. Ze komt op haar knieën terecht, haar gezicht op de vloer, haar tas naast zich, de fotocamera tegen zich aan.

Odon buigt voorover. Hij schreeuwt niet, maar zijn toon is er niet minder heftig om.

'Jij moet zo nodig wraak nemen? Je krijgt nu de kans.'

Ze draait haar hoofd om. Ze ziet het doek, het rode gordijn, de dikke plooien.

De tranen staan in haar ogen, ze hoort het gemompel achter het gordijn, het geroezemoes dat gedempt wordt door de dikke stof.

'Ik wilde niet...'

'Maar je hebt het wel gedaan!'

Hij sist het tussen zijn tanden.

Hij geeft Jeff het teken om het doek op te halen. Jeff reageert niet.

Odon grijpt de voering vast, hij geeft een ruk en de gordijnen gaan open. Het geroezemoes in de zaal houdt aan, sterft hier en daar weg, dan wordt het stil.

Alle blikken richten zich op het toneel. Een meisje, ze kruipt, alleen, door die grote ruimte.

Maria steunt op haar handen. Ze tilt haar hoofd op. Een lamp boven haar flikkert, een los contact, ze knijpt haar ogen samen.

In de zaal allemaal gezichten. Heel veel gezichten.

Ze stamelt iets. De mensen denken dat ze speelt. Ze strijkt met een hand door haar haar. Ze zoekt een rustpunt voor haar blik. Tussen de gordijnen van de coulissen ziet ze Julie en de jongens.

Ze probeert te glimlachen.

Ze houdt de tas en het fototoestel tegen zich aan. Ze komt overeind.

Ze gaat met een vinger over haar piercings. Al die ringen, voor al de jaren van haar leven sinds het overlijden van Paul.

Ze streelt met haar tong langs de eerste, de ring door haar lip. De lip is zacht, vochtig. De ring is koud.

Aan de binnenkant zijn letters gegraveerd. Ze pakt hem met haar vingers, vindt de lettertekens, de naam.

Haar arm, haar hand, haar vinger en de ring. En een speciale geur in haar speeksel, de smaak van koud metaal.

De vinger haakt achter de ring.

Het is doodstil in de zaal als ze trekt. Eén ruk is genoeg. De lip scheurt. Geen kreet. Het bloed loopt over haar kin, warm, kleverig. Er vallen druppels op de vloer. Druppels maken vlekken op het smaragdgroen van haar poloshirt.

Ze ontspant langzaam haar vingers. De ring valt op de vloer, stuitert op, rolt.

Ligt stil.

De eerste ring die is losgescheurd.

Ze weet niet of je fouten kunt goedmaken met pijn.

Ze denkt aan de kus van Greg op die nu gehavende mond. Er komt een lach op in haar keel, hij baant zich een weg, wringt als een ploegijzer haar lippen van elkaar. Ze lacht met kwijlende lippen, ze knelt de tas in haar armen.

In de zaal een opgelaten stilte. Het zal toch wel nepbloed zijn? Gespeelde waanzin? Er klinkt wat voorzichtig applaus.

Maria stapt met een geteisterde glimlach achteruit. Jeff doet snel het doek dicht.

Julie en de jongens gaan opzij om haar te laten passeren. Ze volgen haar met hun blik.

Odon loopt weg.

Julie kijkt onthutst om zich heen. Over vijf minuten begint de voorstelling.

Ze geeft Jeff een teken. Ze gaat op haar plek staan, ze is bleek, gespannen.

Op de speelvloer liggen donkere druppels.

MARIA DUIKT DE gang in. Haar mond doet pijn. Haar enkel ook. Hinkend loopt ze langs de kleedkamers.

De deur van Odons kantoor staat open.

Ze gaat verder, een hand tegen de muur. Ze duwt de deur open die op het plein uitkomt. De regen is gestopt, het was een bui, de mensen komen alweer naar buiten. Het water stroomt door de goten, de lucht is er nauwelijks door verfrist, het stof wordt meegevoerd.

Het is niet meer dan een adempauze. Boven de daken rommelt de donder.

Maria blijft in de deuropening staan. Overal zijn mensen, op het kerkplein, op het terras, een danser met castagnetten profiteert van de opklaring, er staat publiek om hem heen.

Maria moet die hele ruimte oversteken en dan langs de muren glippen om haar kamer te bereiken.

Het lukt haar niet. Het lijkt onmogelijk om in beweging te komen. Ze blijft staan, de armen slap langs haar lijf. Voorbijgangers draaien zich om, kijken ontzet.

Het enige wat ze hoeven doen is niet kijken. Soms put moed zijn kracht uit onverschilligheid. Er komt een jongetje aan, een ijshoorntje in zijn hand. Hooguit vijf jaar. Hij is alleen. Twee roze bollen op zijn hoorn. Hij staart naar Maria, zijn hand een beetje scheef.

En hij begint te huilen. Lange, dikke tranen. Geluidloos.

Een vrouw komt toegesneld. Als ze het gezicht van Maria ziet, pakt ze het jongetje bij de hand.

Het ijsje kiept om.

Maria stapt achteruit.

Ze staat weer in de gang.

Op het plaveisel liggen twee gesmolten roze bollen.

NUIT ROUGE LOOPT ten einde, een laatste, trieste voorstelling, waar de sombere schaduw van Maria overheen lag.

Jeff staat in de coulissen klaar om de afsluitende band te starten, een opname van een paar minuten waarin je de regen hoort neerkomen. Bedrieglijk echt.

Damien begint zijn laatste claus, zijn hand naar de hemel: 'Nu het onweer losbarst, kan de regen mij, zwerver, verzwelgen...'

Voor hij zijn zin heeft kunnen afmaken, doet een echte donderklap de muren schudden en stort de regen neer op de stad. Het publiek kijkt op, kijkt naar het plafond alsof de onweersbui alles zou verzwelgen. De werkelijkheid dringt de verbeelding binnen, vermengt zich ermee. Heel even weten de toeschouwers niet meer of ze in de zaal zijn of op de heuvel van *Nuit rouge*. Waar zijn we? Dat lijkt iedereen zich af te vragen. Een verwarrend, magisch moment. Iedereen staat op. Een ovatie!

Damien legt zijn handen op de hals van Julie, hij strijkt haar haar weg, maakt haar gezicht vrij. Hij brengt zijn lippen naar de klei-adem. Hij trekt haar naar zich toe, vlijt zich tegen haar aan.

Rondom vermengt het oorverdovende lawaai van de regen zich met het applaus van het publiek en de donderslagen.

'Hou je van me?'

'Ja, ik hou van je.'

Ze houdt haar ogen open.

Greg gaat af, hij wil Maria terugvinden, hij zoekt buiten, op het plein, in de straten. Hij heeft haar de gang in zien lopen, verdwijnen. Hij gaat naar boven bij Isabelle. Ze is niet in haar kamer. Hij doorkruist de stad, zoekt haar op het station, op de perrons.

Hij vindt haar nergens.

Hij gaat terug naar de Dolle Hond, maar de deuren zijn dicht en er brandt binnen geen licht meer.

ODON LOOPT. Een doodlopende steeg, de Impasse Colombe. Hij hangt rond in louche bars, clubs die eruitzien als kelders.

Diepe spelonken.

Drekholen.

In de Rue Dévote een triest meisje tussen twee vuilnisbakken. Een engelengezichtje, een injectiespuit in haar hand. Haar arm is nog afgebonden.

Hij loopt door, komt terug, maakt de knevel los.

De deuren van de Saint-Pierre zijn dicht. Het is allang nacht.

Hij aarzelt, belt Mathilde.

Hij maakt haar niet wakker.

Ze zit in een bar, vlak bij de Place des Carmes. Een treurig café in een sombere straat, een blinde muur. Hij gaat bij haar zitten.

Ze staart met ogen zwaar van de mascara naar haar glas.

'Waarom zit je hier, in zo'n kroeg?'

'Dit soort kroegen bevalt me.'

Hij legt geld op de bar. De waard stopt het in zijn kassa.

'We gaan hier weg,' zegt hij.

La Jogar verroert zich niet. Ze wrijft met haar duim over de tafel.

'Ik heb twee journalisten op bezoek gehad...'

Hij gaat naar haar terug.

Ze trekt met haar vinger sporen in de bewasemde tafel.

'Ze zaten me op te wachten in de lobby, vanochtend vroeg. Ze begonnen over *Anamorphose* en Selliès. Ze vertelden dat er geruchten gingen... Ze vroegen hoe ik die geruchten kon verklaren.'

'Wat heb je gezegd?'

'Dat ik geen verklaring had. Dat het roddelpraatjes waren, ik deed het allemaal heel luchtig af, maar ik denk dat ze me niet geloofden.'

Hij steekt zijn hand uit, dwingt haar haar hoofd om te draaien.

Haar poging te glimlachen lijdt schipbreuk.

'Het was Maria, hè? Waarom heeft ze dat gedaan?'

Hij weet het niet.

'Ze heeft de krant gebeld voor ze je had zien spelen. Daarná zou ze het niet gedaan hebben. Je hebt haar diep geraakt...'

La Jogar drinkt haar glas leeg.

Dan is het dus een kwestie van pure pech, denkt ze.

Odon staart naar zijn handen.

'Ik heb een paar keer geprobeerd je te bellen, je nam niet op.'

Ze zegt dat ze haar telefoon had uitgezet. Dat ze naar het graf van haar moeder is geweest.

Hij vertelt wat er in het theater is voorgevallen met Maria. Hun ruzie. Hij zegt niets over de gescheurde lip.

'Ik heb Nathalie gesproken, ze heeft me beloofd dat ze alles zal doen om de informatie niet te laten uitlekken.'

Hij zegt het snel, zonder haar aan te kijken. Hij weet dat het pijnlijk voor haar is als hij over Nathalie praat.

La Jogar glimlacht, krabt met haar nagel tussen haar voortanden alsof ze die uit elkaar wil duwen.

Ze houdt dat een hele tijd vol.

'Dus je vrouw redt me...'

'Ze is binnenkort mijn vrouw niet meer.'

Ze bloost.

'Sorry, ik ben onaardig...'

Hij strijkt met zijn handen over zijn ogen.

'Wat ga je doen?' vraagt hij.

'Ik weet het niet... Ik zie wel wat ervan komt.'

Ze drukt haar lippen tegen het glas. Blijft zo een hele tijd zitten. Zwijgend.

Ze denkt aan de gevolgen.

Ze zegt: Ik wou dat je een tekst voor me schreef.
Odon schudt zijn hoofd.
Met haar vinger rekt ze waterdruppels op de bar tot strepen.
'Dan wou ik dat je oud was.'
'Ik ben oud.'
'Ik wou dat je lelijk was.'
'Ik ben ook lelijk.'
'Nog lelijker dan...'
Hij glimlacht maar hij heeft zin om te janken en dat verraden zijn ogen.
De kroegbaas doet de gordijnen dicht. Hij zet de stoelen op de tafels. Hij doet de lichten van de zaal uit, laat alleen de lampen boven de bar aan.

MET DE REGEN is de Rhône logger geworden, modderkleurig. Okerbeige, de kleur van slijk. De rivier is ook afgemat door al de hitte, een lusteloze stroom. Straks, in de herfst, krijgt hij weer zijn vervaarlijke karakter.

Odon weet niet meer wat zijn houding moet zijn tegenover Maria.

Hij gaat naar huis.

Hij gaat de brug over, volgt de oever. Doodmoe van de avond. Van de nacht.

Op de loopplank vindt hij Big Mac. Hij denkt dat het een steen is. Hij bukt zich. De pad is helemaal droog, terwijl het geregend heeft.

Hij tilt hem op, het dier ligt stijf in zijn handpalm.

Dood toen de regen kwam. Of door de regen. Al dat water na al die hitte.

Hij neemt Big Mac weer mee naar de wal.

Hij begraaft hem in het donker. Graaft een gat met zijn handen. Hij legt de pad erin en bedekt hem met aarde.

Het gevoel dat hij een deel van zichzelf begraaft.

Hij kermt van verdriet.

Hij gaat aan de piano zitten. Hij heeft overal pijn. Zijn vingers aarzelen, vinden dan de noten, hij speelt het Requiem van Mozart.

Een requiem voor een dode pad.

'Goede vaart, meneer Big Mac!'

Hij laat de klep van de piano dichtvallen. Te hard. Een knal. Het geluid weergalmt in zijn hoofd en in de stilte rondom.

Hij gaat naar de keuken, zoekt een fles, vindt een restje gin.

Hij gaat weer naar het dek.

Hij kijkt naar de stad. Dat bijna volmaakte uitzicht, dat hij kent als zijn broekzak.

Nog een paar dagen zal La Jogar binnen de stadswallen zijn. Voor haar hotel heeft hij even geaarzeld. Ze zei: Je kunt meekomen, dat mogen we ons best eens gunnen...'

Hij wilde niet.

Ze draaide zich om.

Hij voelt in zijn zak, vindt zijn sigaretten, en dan nog iets, iets ronds, hij bekijkt het in het licht. Opgedroogd bloed op een gouden ring. De naam Paul is erin gegraveerd. Odon heeft de weggerolde ring opgeraapt.

Hij legt hem op de piano.

Hij drinkt.

Hij denkt aanSelliès. Het schrijven en de dood, hun verbintenis, die obsessie.

Hij trekt de piano van zijn plaats. Hij had mee moeten gaan met Mathilde, een nacht met haar doorbrengen, een uur. De poten maken krassen op het dek. Het koude zweet op zijn lendenen. Hij drukt zijn voorhoofd tegen de zwarte lak van het hout. Hij kan dat soort dingen niet, gemakkelijke, lichte dingen. Je moet een bladzijde om kunnen slaan zegt Julie. Julie is jong, zij heeft nog vele bladzijden te gaan.

Hij had gewoon kunnen vrijen, het prettig kunnen hebben met iemand.

Hij wil het niet prettig hebben voor een uurtje.

Hij sleept de piano verder. Hij tilt hem op en duwt hem tot hij half op het dek en half boven de rivier balanceert.

Maria zegt dat olifanten gedood worden om uit het ivoor toetsen te maken. Hij wil niet aan haar denken. Hij pakt het instrument bij de poten, de snaren trillen door de schok, een sinister akkoord. Een plons. De piano valt, drijft. Stoot tegen de romp. Hij zinkt niet.

Odon komt leunend tegen de reling op adem.

De piano ligt een hele tijd stil en maakt zich dan los, de golven likken eraan, de stroom voert hem mee. Het lijkt een dood beest, een drijvend karkas. Dan, van verder, een man met een zware buik.

In het midden van de rivier houdt hij stil, of hij aan de grond is gelopen, maar hij begint te draaien, in steeds kleinere kringen en ten slotte verdwijnt hij.

MARIA IS IN het theater gebleven. Er waren te veel mensen op het plein, te veel blikken.

Ze wilde wachten met naar buiten gaan.

Ze bleef in de gang.

Ze hoorde voetstappen, ze ging het kantoor binnen, verborg zich achter de deur.

De voetstappen kwamen dichterbij. Ze keek om zich heen. Ze kon alleen naar boven, de wenteltrap op.

Ze ging naar boven.

Sindsdien houdt ze zich daar schuil.

Haar lip doet pijn, hij is dik. Pijnscheuten in haar mond. Op een klein plankje liggen een scheermes, scheerschuim, zeep. Ze kijkt naar haar gezicht in de spiegel boven de wastafel.

Ze wast het opgedroogde bloed van haar kin. De ring is op het toneel gerold, ze heeft hem niet opgeraapt.

Ze gaat naar het raam. *Nuit rouge* is allang afgelopen. Er zitten nog mensen in het restaurant l'Epicerie.

Ze heeft Greg weg zien gaan, hij was alleen, zonder de anderen.

Hij komt terug, nog altijd alleen, hij steekt het plein over, gaat naar de deur. Ze wijkt achteruit. Hij zou omhoog kunnen kijken en haar schim zien. Wil ze niet.

Na het leven komt de dood, zei haar broer. En ervoor? Ervoor, dat is vroeger, zei hij. Ook de dood, misschien... En de herinnering is alles wat erna komt.

Ze stopt haar horloge onder de matras. Ze slaapt. Ze droomt van Judas, maar van Judas zonder de apostelen, hij loopt in zijn eentje door een bos. Ze droomt nog andere dingen.

Ze wordt wakker. Het vertrek wordt verlicht door de lantaarns op het plein.

Terwijl ze sliep is haar lip nog dikker geworden, in de spiegel lijkt hij blauw.

Het is doodstil.

Ze kijkt door het raam. Haar koortsige adem blijft kleven aan de vieze ruit.

Maria gaat naar beneden. Met lichte tred. Ook in het lege theater moet ze zorgen dat de trap niet kraakt.

Ze doet geen licht aan.

Ze pakt de aansteker en de lucifers die op het bureau van Odon liggen. Ze gaat naar de gang, loopt bij het licht van de brandende aansteker.

Ze zoekt de ring, op haar knieën op het toneel. Met haar platte hand. Eerst op de plek waar hij is gevallen, dan daaromheen. Hij rolde.

Ze zoekt wat verder. Overal.

De vloer ruikt naar zweet en stof. Het hout voelt zacht aan. Als ze hem heeft gevonden, zal ze hem weer in haar lip doen. Dat zal pijnlijk zijn.

De aansteker gaat uit.

Maria strijkt een lucifer af. Ze zoekt bij het licht van de vlam. De lucifer gaat uit. Ze strijkt een volgende af. Algauw zitten er geen lucifers meer in het doosje.

Ze zoekt in het donker, alleen met haar handen.

Boven de deur die op de straat uitkomt brandt een groene nachtlamp.

Haar tas ligt boven, haar fototoestel op het bed.

Ze gaat terug naar het kantoor.

Ze vindt een aangebroken pakje M&M's. Ze stopt er een in haar mond, laat de chocola rond de pinda smelten.

Ze is moe.

Ze gaat weer slapen, een uur of twee. In de ochtend, voor de zon opkomt, gaat ze weg. Ze zal regelrecht naar het station gaan. Haar spullen zullen haar een zorg zijn. Ze zal Isabelle later wel bellen.

HET BOEKET VINGERHOEDSKRUID staat in een vaas op het bureau. De stelen in het water. Het water is wat troebel. Dat is Jeff, die raapt altijd na de voorstelling de bloemen bij elkaar en zet ze in de vaas voor de volgende dag.

Als ze verwelkt zijn, gooit hij ze weg en zorgt voor andere.

De bloemen lijken op halmen. Maria heeft ze op het toneel gezien. Ze heeft ze in de handen van Julie gezien. Maar altijd uit de verte. Van dichtbij zijn ze nog mooier. Het zijn bloemenslingers, zware trossen die aan de stengels hangen, klokjes lijken het.

Ze snuift de geur op.

Ze haalt ze uit het water, gaat weer naar boven.

Ze legt de bloemen op het bed.

Ze gaat weer naar de spiegel en haalt alle piercings eruit. De een na de ander. Ze maakt ze los, legt ze naast het scheermes, op het witte aardewerk.

Ze drinkt water. Ze neemt een foto van de ringen en de spijker op het aardewerk.

Ze gaat terug naar de matras.

Onder in haar tas zitten de broodjes die ze meegenomen heeft uit La Mirande. Een beetje hard geworden. De jam. Ze kauwt voorzichtig.

Het licht van buiten tekent een helder vierkant op het parket. Nachtvlinders botsen tegen de ruiten. Het geluid van vleugels en lijfjes die zich stoten. Ze overweegt het raam voor ze open te doen.

Ze blijft zitten.

Ze gaat op het parket liggen, in het vierkant van licht. Ze tekent in het stof.

Tegen de muur staat een smalle ladder. Helemaal boven een luik.

Een vliering onder het dak. Maria zou er de sterren kunnen zien. Misschien... Soms zitten er spleten in de dakbedekking en kun je de hemel zien.

Ze pakt haar tas.

Ze neemt de bloemen mee.

Ze pakt de ladder vast. Ze klimt, een stuk of tien sporten.

Een merkwaardig vertrek, een kist, rotzooi en twee ramen. Een bed met een geruite deken.

Maria legt het boeket op het bed.

De tas.

Aan het plafond zitten honderden gloeilampen, dicht tegen elkaar aan. Ze zijn stoffig, de bedrading is een warboel, alles loopt over en onder elkaar. Maria steekt haar hand uit, haar gezicht omhoog, ze voelt aan het bolle glas, het gladde, ronde oppervlak.

Ze gaat naar het raam. Het plein voor de Saint-Pierre is verlaten. De kerk lijkt reusachtig groot.

In een hoek ligt de kroonluchter van Boheems kristal. Ze bukt zich, glijdt met een hand langs de kralen. Ze pakt ze, tilt ze op, ze zijn amandel- en traanvormig.

Maria kijkt in de nacht.

Ze gaat op het bed zitten, haar blik op de gedoofde lampen. Is haar broer stilte geworden? Ze weet niet of er een antwoord mogelijk is. Gek zijn, denkt ze, is naar de hemel kijken en wensen dat er iemand antwoordt.

Ze telt de peertjes. Het zijn er te veel, ze krijgt er genoeg van.

Ze voelt met haar vinger aan de wond. Haar lip doet geen pijn meer.

Onder het raam is een foto opgeprikt. Op een donkere plek. Ze heeft geen lucifers meer.

Ze vindt rechts van de deur een stopcontact. Een gele draad die onder het stof zit. Ze drukt de stekker erin, kijkt naar de peertjes. Ze wacht. Geen licht. Ze wisselt van stopcontact. Een gele vonk, dan nog een en nog een. Minuscule vonkjes die over de vloer kruipen.

Gekraak uit het stopcontact en de gloeilampen gaan aan.

Plotseling intens licht.

Fel en wit.

Maria spert haar ogen open. Het is schitterend! Het plafond verdwijnt in al dat licht. Het gezicht van Maria.

Ze hoort geknetter in de draad, een paar peertjes knappen, het knippert en dan gaat alles uit.

In één klap is het donker. Maria raakt de draad aan en het licht komt terug.

Ze kruipt naar de foto. Het is een afdruk in zwart-wit, een vogel die tussen kogels vliegt. In schuinschrift, met een zwarte viltstift: 'Libanon, januari 1976'.

Ze blijft lang naar de foto kijken in het geknipper van de lampen.

Ze hebben het lijk van haar broer verbrand in een kartonnen kist. In een naastgelegen park ging iemand met een kettingzaag een boom te lijf. De zaal was net nieuw wit geschilderd, moeder was in het zwart.

Ze zijn allemaal buiten onder de bomen gaan lopen. Maria keek omhoog, ze zag de rook. Het regende, een koude motregen. Vanaf achthonderd graden worden de botten as, dat las ze in een brochure.

Het geluid, de kleuren, alles zit in haar hoofd, ze vergeet niet.

Ze gaat bij de kristallen luchter zitten.

Ze doet haar ogen dicht. Ze hoort de regen of misschien knispert de stroom in de oude bedrading.

Het licht, achter haar oogleden.

Ze pakt het boeket vingerhoedsbloemen. Ze legt het op haar knieën. In het licht gaat het purper van de bloemblaadjes trillen. Het lijkt fluweel.

Met haar vinger streelt Maria de bloemen.

Ze plukt een blaadje, ruikt eraan. Ze stopt het tussen haar lippen. Ze plet het tussen haar tanden. Het sap is bitter. Ze kauwt.

Ze duwt een beetje met haar vinger, ze dwingt zichzelf te slikken, net zoals ze met de as deed.

Ze plukt nog een blaadje.

Ze leunt met haar nek tegen de muur, kijkt naar het licht van het plafond, de lampen branden als duizenden sterren.

Ze gaan niet meer uit. Het lijkt één grote, immense zon.

Maria kijkt van de een naar de ander. Het doet pijn aan haar ogen.

Ze trekt de kroonluchter tegen zich aan, streelt de kristallen kralen.

Ze slikt.

Dat herhaalt ze een aantal keer. De blaadjes zijn giftiger dan de bloemen.

Acht gram is genoeg, zei Julie.

Het licht speelt door de luchter.

Ze plukt nog een blaadje.

JULIE EN DE jongens hebben na de voorstelling afgesproken op de aak. Met Jeff en Odon. De vriendin van Yann is er ook. Dat doen ze elk jaar, na de laatste voorstelling eten ze samen. Gewoonlijk is het een moment om bij te komen na de spanningen van het festival.

Greg is er niet, hij is op zoek naar Maria.

Jeff heeft witvis klaargemaakt. Een soort karper die hij in de modderige wateren van de rivier heeft gevangen. Hij heeft hem bestrooid met grof zout. Hij zet de schotel op tafel.

Hij is ook ongerust. Hij zegt niets, nauwelijks een paar woorden.

Het zout is bij het bakken veranderd in een dikke korst.

Met de punt van een mes snijdt hij de korst open en duwt hem opzij. Het vlees is zacht, maar niet erg lekker. Hij verdeelt het toch, in gelijke stukken.

Er zijn vaker ruzies geweest. Er zullen nog ruzies komen. Julie probeert te eten, de vis staat haar tegen. Ze eet om Jeff een plezier te doen.

Jeff kijkt naar de brug.

De jongens zitten met een biertje grappen te maken. Odon is gespannen. Julie houdt hem steels in de gaten. Ze weet niet wat zich precies met Maria heeft afgespeeld. Ze voelt dat het ernstig is.

'Waar is de piano?' vraagt ze, wijzend naar de lege plek.

Odon antwoordt niet.

Er hangt een sterke geur van citroenkruid in de lucht.

Ze praten over zout dat invreet en heelt, tegengestelde uitwerkingen, net als vuur dat verwarmt en vernietigt. Voorkant en achterkant, goed en kwaad, liefde en haat. De tegenstrijdigheid is overal, in alles. Ze hebben het over het festival waar de stad doodmoe van is, het helemaal mee gehad heeft, maar dat ook de hoop heeft gewekt dat het misschien allemaal toch weer goed komt.

Misschien.

Greg komt nu ook. Hij zegt dat hij Maria niet heeft gevonden. Hij heeft overal gezocht.

Ze is nergens, dat is wat hij zegt.

'Heb jij geen idee?' vraagt hij aan Odon.

Odon weet van niets. Hij kijkt somber, hij wil niets zeggen over zijn ruzie met Maria. Als hij dat vertelt, moet hij vertellen over *Anamorphose*. En over La Jogar.

Yann zegt dat ze wel weer boven water zal komen. Of misschien naar huis is.

Julie laat haar pakje *bidi's* rondgaan, kleine sigaretten uit India, tabak die in een blad *kendu* is gerold, een katoendraad eromheen.

Ze heeft ijs meegenomen.

Ze lepelen de coupes leeg. Likken de bakjes uit. Roken nog een bidi.

Yann verdwijnt met zijn vriendin. De anderen volgen. Damien drukt een kus op Julies lippen, hij gaat ook weg.

Julie blijft alleen achter met haar vader. Ze leunt op de reling.

Ze wil het niet over Maria hebben. Wel over iets anders.

'We hebben een kindje gemaakt, Damien en ik.'

Dat zegt Julie, dat ze een kind draagt. Een kind van een paar uur.

Ze weet het zeker.

Ze zegt: Een kind voor een betere wereld, dit was de avond.

Odon gaat naast haar staan. Hij staart naar de rivier.

'Ga je hem Jezus noemen en wordt hij timmerman?'

Hij ademt langzaam, zijn borst zwelt door een massa lucht. De geuren van de rivier in zijn longen.

Hij denkt aan het moment dat Nathalie hem vertelde dat ze een kind verwachtte, hoe hij wist, bij de eerste blik en toen hij haar buik voelde, dat het een meisje was. Ze had hem uitgelachen, ze zei: Dat soort dingen kun je niet raden.

Zijn blik blijft op de rivier.

'"De vrouwen baren wijdbeens op het graf," Beckett.'

'Beckett is een zak, papa…'

Hij glimlacht stilletjes.

Het licht van de straatlantaarns spiegelt zich in het water, de toeristenboten liggen afgemeerd aan de overkant, alle lichten nog aan.

Ze laat haar hoofd op de brede schouder van haar vader rusten.

'En we gaan ook trouwen…'

Alles vermengt zich, de geur van de rivier, die van het citroenkruid en Julies geheim.

'Geef je je niet een beetje snel gewonnen?' vraagt hij.

Zijn toon is koel. Het spijt hem dat hij zo is, zo onhartelijk. Hij trekt haar zachtjes tegen zich aan. Krijgt hij het te kwaad omdat hij haar kwijtraakt? Hij voelt zich ineens moederziel alleen.

Hij drukt haar stevig tegen zich aan.

'Ik hou zoveel van je… Ik had je in mijn eentje kunnen krijgen. Zonder je moeder. Ik had je zelf kunnen scheppen, zo graag wilde ik je hebben.'

Ze glimlacht tegen zijn schouder, met vochtige ogen, een trillende stem.

'Had je me dan gemaakt als een god, met wat klei en water?'

'Ja, lach me maar uit.'

'Ik lach je niet uit, papa, ik lach je niet uit…'

DAMIEN LOOPT ALLEEN door de stad. De nacht is zoel, hij heeft geen zin naar huis te gaan.

Julie zei dat ze op de aak bleef slapen.

Hij denkt aan zijn leven met haar. Aan een huis ver van de rivier dat ze misschien kunnen krijgen.

Hij loopt door de smalle straatjes naar het centrum, het is stil op het plein voor het paleis, de hekken van de tuinen zijn gesloten. Hij gaat op een terras zitten, er is niemand meer, de tafels zijn met kettingen vastgelegd. Hij zit een tijdje op het lege plein. Dan gaat hij terug naar de oude binnenstad.

Als hij dichter bij het theater komt, ziet hij rook boven de daken uitstijgen. Er lopen mensen die kant op, hij loopt mee.

Hij hoort lawaai, versnelt zijn pas, komt op het plein.

Er staan mensen voor de Dolle Hond, een oploop, ze kijken omhoog.

Een van de ramen onder de kap staat wijd open. Een brandweerman, gebogen, zijn helm blinkt in het licht van de lampen.

In deze festivalstad ben je geneigd aan een voorstelling te denken.

Andere brandweerlieden zetten het publiek op afstand. De gevel wordt verlicht door een schijnwerper.

De buurtbewoners zijn allemaal naar buiten gekomen, bezorgde gezichten. Anderen zijn alleen nieuwsgierig. Het blauwe zwaailicht van een politieauto. Bij de deur een ambulance.

Damien dringt naar voren. Midden in de menigte ziet hij de jongen die elke dag om twaalf uur naar de bakker gaat.

Hij gaat naar hem toe.

'Wat is er gebeurd?' vraagt hij.

'Daarboven is brand uitgebroken,' antwoordt de jongen.

Hij wijst naar het raam. Er ontsnapt een gemene, gele rook. Geen vlammen meer. Het water heeft alles geblust.

'Ze waren op tijd,' zegt hij. 'Het dak is gespaard gebleven.'

Damien blijft bij de jongen staan. Hij haalt zijn telefoon uit zijn zak, belt Odon.

'Een buurman heeft alarm geslagen,' zegt de jongen. 'Hij zag licht, fel licht achter de ramen... Het knipperde, zei hij.'

Een meisje voor hen draait zich om.

'Ze hebben boven iemand gevonden,' fluistert ze.

Damien stopt zijn telefoon weg. Hij kijkt naar het meisje. Het is het meisje dat hij de bakkerij binnen ziet gaan, slechts tien minuten na de jongen.

Hij weet het zeker.

De jongen staat vlak bij haar.

Hier zijn ze.

Er komt een brandweerman uit het theater. Met zwarte laarzen. Twee anderen volgen met een brancard.

Iedereen maakt ruimte. Geroezemoes stijgt op uit het publiek.

Het meisje wijkt terug. Ze komt dan naast de jongen te staan.

Ze staan bij elkaar, zij in haar bloemetjesjurk, hij onbeweeglijk.

De brancard komt langs.

Odon maakt Julie wakker.

Hij zegt dat er problemen zijn in het theater. Ze springen in zijn auto, een oude Scenic, Odon gebruikt hem nooit om naar de overkant te gaan.

Hij rijdt snel.

In een paar minuten is hij bij de Dolle Hond, op het moment dat de brancard in de ambulance wordt geschoven.

Hij stapt uit.

Hij ziet het.

Hij ziet de brandweerlieden en vervolgens Damien die naar hem toe komt.

DE BRANDWEERMANNEN HEBBEN het lichaam van Maria gevonden, het lag tegen de kristallen luchter gevlijd. Ze zeiden dat ze niet was aangetast door het vuur. Ze hadden het over rook, over verstikking.

Een meisje. Een groen poloshirt.

Odon loopt naar voren, hij mompelt iets wat niemand begrijpt. Een politieman spreekt hem aan. Hij hoort het niet. Het zoemt in zijn hoofd.

Maria wordt meegenomen. De ambulance rijdt stilletjes weg. Even beweegt er niets op het plein.

Odon staat voor het theater, zijn armen slap langs zijn lichaam.

Nieuwsgierigen gaan naar huis. Anderen blijven staan. De buren, de wijkbewoners.

Damien pakt Julies hand.

Ze drukt zich tegen hem aan, in zijn armen. Stopt haar hoofd weg. Hij streelt haar haar.

Ze huilt dikke tranen die langs haar hals lopen.

De jongen en het meisje dralen nog wat. Hij een beetje dromerig. Zij met haar handen op de plooien van haar jurk.

Damien observeert hen.

Ze kennen elkaar nog niet.

Ze spreken elkaar voor de eerste keer.

Het gezicht van de jongen die een beetje naar voren buigt.

Het gezicht van het meisje.

Ze volgen met hun blik de ambulance die Maria meevoert. Als de ambulance weg is, blijven ze nog staan.

ZE HEBBEN DE deur ingetrapt om binnen te komen. Er ligt water in de gang. Sporen van voetstappen, van laarzen.

In het kantoor is alles intact.

Ook water op de vloer van de bovenverdieping.

Odon loopt naar de wastafel. De piercings liggen naast elkaar. Er zit wat bloed op de handdoek.

Maria heeft zich hier verstopt, is hier weggekropen.

Het raam onder het dak staat nog steeds open. Er is water gespoten. Er liggen glasscherven op de vloer.

Het stopcontact is zwart, de draad is verbrand.

Het ruikt naar koude rook. Een scherpe geur van plastic die op je keel slaat.

De oude houten kist. De kostuums die erin zaten, de oude dekens, dat is allemaal verteerd. De foto van de vogel die tussen de kogels vloog is verdwenen.

De kristallen luchter. Hier hebben de brandweerlieden Maria gevonden.

Haar fototoestel ligt op het bed. Vergeten. Hij pakt het op, draait het in zijn handen. Haalt de lensdop eraf, doet hem weer terug.

Naast de luchter ligt het boeket vingerhoedskruid.

De bloemen liggen op de vloer. De stelen, afgerukte blaadjes.

Odon bukt zich. Hij raapt een bloem op. Ze stonden in de vaas op het bureau.

Hij begrijpt het. Het is zonneklaar. Hij gaat op de rand van het bed zitten, zijn hoofd in zijn handen. Maria is niet gestikt.

Wilde ze echt dood of dacht ze dat het zou gaan als op het toneel, dat het een spel was?

Hij neemt de tijd. Drukt de bloem fijn in zijn handen.

Als hij opkijkt staat Julie daar, zij heeft het ook begrepen.

DE NACHT OP de aak duurt lang. Odon kan de slaap niet vatten. Hij staat een paar keer op, gaat naar boven, loopt over het dek, zijn ogen zijn zwaar. Hij rookt sigaretten.

Het gezicht van Maria laat hem niet los.

Het duurt eindeloos voor het ochtend wordt.

Jeff komt iets voor achten. Hij gooit niet als gewoonlijk de krant op tafel. Hij zet zijn pet niet af. Zijn gebaren, zijn blikken, alles is anders.

Hij zegt niets.

Odon slaat de krant open.

Op een binnenpagina een klein stukje over de brand, maar geen woord over Maria.

Odon drinkt koffie.

Jeff probeert de bloemen water te geven. Zijn voeten slepen over het dek. Hij verzet de potten, ruimt de kwasten op, begint duizend dingen en maakt niets af.

Uit elk van zijn gebaren spreekt zijn verdriet.

De rivier stroomt rustig, voert bladeren mee, gaat onder de brug door. Weer een zonnige dag, zo te zien.

Jeff pakt de hak en gaat de loopplank af. Alles zonder een woord.

Paars vingerhoedskruid, de mooiste, giftigste soort. Hij plukte het voor de voorstelling. Hij gaf het water om mooie bloemen te krijgen.

De bloemen groeien in vochtige grond, in de schaduw, onder de bomen, een heel perk. Ze zitten vol leven en ze brengen de dood.

Hij pakt de steel met beide handen vast, heft de hak boven zijn hoofd, laat hem krachtig neerkomen.

Met een tweede slag maakt hij een kluit los. Er loopt sap uit de geplette stelen.

Odon hoort hem kreunen.

Hij blijft hakken, ondanks de hitte. Klap na klap. Hij legt de wortels bloot, trekt ze uit, werkt het hele perk af. Weldra ligt de bodem bezaaid met planten. Hij vertrapt wat hij heeft uitgerukt, prevelt ondertussen zinnen die gebeden lijken.

Het neemt een hele tijd in beslag. Odon heeft het gevoel dat het uren duurt.

Hij zegt niets.

Hij houdt hem niet tegen.

Hij blijft op het dek staan, zijn ogen open.

IN HET BEGIN van de middag komt de politie bij het theater. Odon ontvangt hen in zijn kantoor. Ze bespreken de brand, de kortsluiting, de verouderde elektrische installatie.

Ze zeggen dat Maria zich heeft vergiftigd door blaadjes van het vingerhoedskruid te eten. Ze vonden het boeket naast haar lichaam. Er zaten resten van blaadjes in haar mond en in haar maag.

Ze hebben haar tas gevonden, een telefoonnummer, ze hebben haar moeder gebeld.

Ze brengen haar gezwollen lip ter sprake.

'Een van de acteurs zegt dat u ruzie met haar had?'

Odon glimlacht.

'Je kreeg gemakkelijk ruzie met Maria...'

'Ze had nog meer piercings,' zegt de jongste agent.

'Die heeft ze uitgedaan... Ze liggen boven, op de rand van de wastafel.'

De agent gaat ze halen.

'Weet u wat die bloemen daar deden?' vraagt de andere.

Odon vertelt dat het personage van Julie op die manier sterft.

'Het vingerhoedskruid stond in de vaas, ze kon het zo pakken.'

De agent zegt dat het dwaasheid is om zulke dingen te schrijven en die dan te laten spelen met echt vergif.

'U had klaprozen kunnen nemen! Dit is het seizoen!'

'Je kunt niet met alles sjoemelen,' zegt Odon.

De ogen van Odon lijken grote, trieste meren. De agent laat het erbij.

Hij zegt dat de elektriciteit wel vernieuwd moet worden en dat hij naar het bureau moet komen om zijn verklaring te tekenen.

Julie en de jongens zitten in de kleedkamer. Julie is lijkbleek. Ze heeft niet geslapen, niet gegeten, ze heeft zwarte kringen onder haar ogen.

Ze heeft gehuild.

Maria wilde sterven, ze koos de dood die haar broer had verzonnen.

Het komt er stamelend uit.

'Vreselijk, als je dat tot je door laat dringen...'

Ze zegt het langzaam.

Ze kijkt naar haar vader.

Zij heeft die dood avond na avond gespeeld, ze bracht de bloemblaadjes met haar vingers naar haar mond, het duurde minutenlang, het was echt vingerhoedskruid, en Maria zat in de zaal. Ze pikte het op.

'Ik deed alsof...' zegt Julie.

'Jij kunt er niks aan doen...' zegt Damien.

Ze zegt dat ze *Nuit rouge* nooit meer wil spelen.

Greg zegt niets.

Zelfs Yann is verdrietig.

DE NACHT IS vol geluiden. Een heldere maan, een volmaakt kwartier. Wassende of afnemende maan? La Jogar is op de oever. Ze wacht tot Odon thuiskomt. Ze weet niet wanneer dat zal zijn.

Ze loopt onder de platanen, langs de rivier.

De grond is hier droog, stof vermengd met dode bladeren, stukken schors, takken. Aan de overkant de stad.

Ze hoorde bij het ontbijt van de brand. De kelner vertelde dat in de Dolle Hond brand was uitgebroken onder het dak, dat op de vliering een meisje was gevonden. La Jogar dacht dat het Maria zou kunnen zijn. Maria dood.... De eerste seconden voelde ze zich opgelucht. Dat kwam eerst, onmiddellijk, dat gevoel van bevrijding. Met de dood van Maria was een bewijs onmogelijk geworden, een lage gedachte waar ze zich voor schaamde.

Ze schaamt zich nog steeds.

Ze gaat op de matras zitten.

Ze denkt aan het leven dat ze niet gehad heeft, aan alle levens die ze had kunnen hebben. Ver weg, elders, anders.

De levens die je niet gehad hebt, zijn dat altijd de mooiste levens?

Ze doet haar sandalen uit. Haar rok opgetrokken tot de dijen. Naakt, ontbloot. Bijna onzedig.

Ze doet haar ogen dicht.

Odon komt laat thuis. Hij kijkt naar haar. Hij gaat de loopplank op, wil een laken halen om over haar heen te leggen.

'Niet weggaan...'

'Ik ga niet weg.'

Hij komt terug, gaat op de matras zitten, legt zijn handen op haar, handen als strelingen. Hij ziet haar gezicht niet, maar hij weet dat ze veel heeft gehuild.

'Vertel...'

'Wat wil je horen?'

'Hoe het is gebeurd... Ik wil het weten.'

Hij gaat naast haar liggen, vlijt zich tegen haar rug aan, zijn armen om haar schouders.

Hij is ontroostbaar.

'We hadden ruzie. Ze is naar de vliering gegaan. Kort voor de voorstelling. Ze is daar 's nachts gebleven... Ze wilde blijkbaar de gloeilampen aandoen.'

Ze ziet het voor zich, ze stelt zich alles voor.

Odon gaat verder.

'Er kwam kortsluiting. De brand is begonnen bij een van de stopcontacten bij de deur.'

'Ze kon niet op tijd vluchten?'

Hij aarzelt.

Wat kan hij antwoorden? Hij zou moeten vertellen van het vingerhoedskruid. Kan hij haar dat vertellen? Dat Maria dood is omdat ze dood wilde?

Wilde ze dat echt?

Hij streelt het haar van La Jogar, snuift de geur ervan op. Hij wil haar nog steeds beschermen. Zoveel hij kan.

'De brandweerlieden zeiden dat er veel rook was. Ze moet geslapen hebben. Ze lag uit de buurt van de brand.'

Hij doet zijn ogen dicht. Hij drukt haar stevig tegen zich aan. Haar beschermen is geen liegen.

'Dan mag je dus hopen dat ze niet geleden heeft...' vraagt La Jogar.

'Dat mag je hopen.'

Zijn ogen schieten vol tranen. Hij praat verder over Maria, heel zachtjes.

Heeft het niet over het vingerhoedskruid.

'Weet je nog, vroeger? Als de stilte van de sneeuw neerdaalde over de aarde, gingen we bij de haard van het kasteel zitten en spraken over dingen die nooit zouden gebeuren.'

Hij fluistert het in haar oor.

Het is een zin van Fernando Pessoa, een tekst die hij voor het toneel had bewerkt, het jaar van hun ontmoeting.

Geuren van mos. La Jogar blijft een tijdje zwijgen. Haar vingers glijden over de matras.

Om hen heen is er gekrabbel van insecten in de aarde.

'Ik zou onze geschiedenis opnieuw willen beginnen… maar opnieuw beginnen is niet mogelijk, ik weet het.'

Hij drukt een kus op haar haar.

'Het mogelijke is vervelend, met het onmogelijke kun je geluk hebben.'

Zegt hij.

Ze ademt tegen zijn hand. Haar gezicht in de handpalm. Daar, in die holte, vindt ze de vertrouwde geur terug.

'Jij hebt *Nuit rouge* geschreven hè?'

Hij antwoordt niet.

Dat is ook niet nodig.

Ze weet het.

Ze weet het sinds de eerste avond toen hij het had over het goedmaken van fouten.

Vervolgens zag ze *Nuit rouge*. Ze dacht aan het vingerhoedskruid dat langs de waterkant groeide. In het wild, zonder dat iemand er echt naar omkeek. Odon hield ervan, de aarde waarin het groeide rook naar modder. Op een keer toen ze samen op de aak waren, zei Odon dat hij een verhaal wilde schrijven met een personage dat op het laatst sterft door het eten van de blaadjes van vingerhoedskruid. Hij wilde schoonheid en dood verenigen, dat gruwelijke verbond.

Hij zei: Acht gram van die blaadjes is genoeg. Op het toneel zal ik de bloemen gebruiken, dat is poëtischer, maar het zijn de blaadjes die dodelijk zijn.

'Het was een schitterende scène… Julie, haar gebaren, het purper van het vingerhoedskruid in haar handen, toen ik zag hoe ze de bloemblaadjes naar haar mond bracht, heb ik het begrepen...'

Ze houdt haar lippen in de holte van zijn hand.

'Jij hebt mijn fout goedgemaakt...'

Odon denkt aan al de jaren dat hij zich schuldig voelde, zo schuldig dat hij een verhaal moest schrijven om te proberen de naam van Selliès te redden. Want dat had hij besloten, hem verlossen uit de vergetelheid en teruggeven wat hem toekwam.

En dat werd *Nuit rouge*.

Hij zucht in haar nek.

Hij klemt haar stevig vast.

Hij zegt niets meer.

La Jogar sluit haar ogen.

DE VORIGE DAG zijn er theatergroepen vertrokken. Andere zullen nog vertrekken, tot de laatste aan toe. Tot de rust is weergekeerd in de stad. Het lichaam van Maria is overgebracht naar Versailles. Twee oneindig trieste dagen zijn voorbijgegaan. Julie en de jongens hebben het theater schoongemaakt, de decors opgeruimd, de kleedkamers.

Odon heeft de moeder van Maria gebeld. Hij heeft met haar kunnen praten. Ze vertelde dat de as van Maria bij die van haar broer was gezet, aan de voet van een boom die er vijftig jaar over zal doen om volwassen te worden.

Odon neemt zich voor die boom een keer te gaan bezoeken.

Hij doet de patrijspoorten aan de rivierkant open.

Er rijden auto's over de boulevard. De aarde straalt de warmte uit die ze overdag heeft verzameld.

Het festival is afgelopen, maar de zomer nog niet. Het blijft warm, nog weken.

Hij pakt zijn telefoon, gaat naar het dek. Het nummer, in het geheugen.

'Waar ben je?' vraagt hij.

'In de trein.'

'Wat heb je aan?'

'Een zwarte jurk.'

Ze herhaalt: Een zwarte jurk, in een lege coupé.

Hij voelt dat ze glimlacht.

Ze zegt: Ik leer *Verlaine d'ardoise et de pluie*.

Hij gaat aan de tafel zitten, onder de luifel. Ze vertelt over de tekst die ze moet leren, terwijl ze steeds verder weg rijdt. Ze zit al in de plannen voor de herfst en de winter.

Hij luistert.

Hij is blij voor haar.
Hij zegt: Ik ga voor je schrijven.
Ze reageert niet.
Even wordt er niets gezegd. Ze laat dat moment voorbijgaan en hangt op.
Hij slaat een notitieboek open, buigt zich erover.
Hij pakt zijn kopje.
Een stuk hemel weerspiegelt zich in het zwart van de koffie.
Hij is al begonnen, een paar snelle notities, het begin van een verhaal.

ISABELLE PAKT HAAR poederdoos. Ze doet wat poeder op haar voorhoofd en neusvleugels. Haar ogen zijn rood.

Odon kijkt naar haar gezicht.

Ze heeft gehuild om de dood van Maria.

Ze praten erover, een hele tijd.

'Het is zo kort, een leven...'

Ze staart met trieste blik naar de tafel.

Odon brengt het vingerhoedskruid niet ter sprake.

Hij zegt dat hij de spullen van Maria wil halen om die naar haar moeder te brengen.

'Dat moet ik doen...'

Isabelle laat hem alleen gaan. Ze doet de poederdoos dicht. Streelt haar oudevrouwenhanden, die steeds droger worden. Het klopt allemaal niet, zij had moeten heengaan.

Odon gaat naar de kamer van Maria. Even blijft hij onbeweeglijk staan op de overloop.

Hij zoekt de kleren bij elkaar en stopt ze in een zak. Een T-shirt. De geur in de stof.

De gedachtenbus... Hij doet hem open, doet hem weer dicht. Zet hem in de kast.

Hij gaat naar het raam, kijkt naar de opgeplakte papiertjes, tientallen, en dan nog die op de muur geplakt zijn.

De foto's, die van Isabelle op de rand van het hemelbed. De anderen. Hij haalt ze los. Hij bewaart ze. Het manuscript van *Anamorphose* houdt hij ook.

Hij vindt het dagboekje van Selliès, stopt het in de zak bij de rest.

Maria bezat weinig.

Hij tilt de matras op, sleept hem naar de gang, zet hem bij de andere in het achterste vertrek.

Komt terug.

De kamer is leeg. Alleen de witte papiertjes op het raam en tegen de muur herinneren aan de aanwezigheid van Maria.

Hij laat ze zitten.

Hij pakt de zak, doet het luik dicht.

Een blaadje papier is tussen de matras en de muur gegleden. Hij bukt zich. Hij denkt dat het een boodschap is die uit de gedachtenbus is gegleden.

Hij vouwt het open. Het is een grote bladzijde die uit een ruitjesschrift is gescheurd.

Het raadsel van Einstein, overgeschreven door Jeff.

Odon draait het blad om.

Aan de achterkant, in de lege ruimte, met een rood kleurpotlood, in een rond handschrift: De Duitser heeft de vis!

Rondjes op de i's.

Het antwoord is onderstreept.

Het handschrift van Maria. Daaronder haar speurwerk, tekeningen van huizen met kleuren, namen.

Odon lacht, blijdschap die zich vermengt met het verdriet.

Ze heeft het gevonden.

Hij stopt het papier in zijn zak.

Een laatste blik en dan trekt hij de deur dicht.

DE DAGEN ZIJN voorbijgegaan. De affiches laten los en hangen te wiegen. De sfeer van na het festival. Op het bankje ligt een vergeten marionet, een kostuum van groen damast.

Alle kamers zijn leeg.

Het is vroeg in de ochtend.

Isabelle slaat de krant open. Ze leest haar horoscoop, Leeuw, eerste decade: 'Dit wordt een gunstige dag voor u. Profiteer van alles wat zich aandient, geweldige perspectieven zullen zich dan ontvouwen.'

Ze gaat naar de gootsteen, schenkt een glas water in. Ze neemt een slok.

Haar koffer voor Ramatuelle staat klaar in de hal. Haar blauwe vest ligt erop.

Isabelle kijkt uit het raam. Een blik op haar horloge. De taxi kan elk moment komen. Ze heeft gebeld. Hij komt haar iets voor achten halen.

Ze is te moe om met de trein te gaan, ze doet de hele reis per taxi.

Ze doet rode lippenstift op, knoopt een licht sjaaltje om.

Ze heeft een stel reservesleutels aan Odon gegeven.

Daar is de taxi.

Ze doet het raam dicht.

Alles is geregeld. Het huis is aan kant. Alsof het om een lange reis ging.

De chauffeur komt boven, helpt de koffer dragen.

De auto staat voor de deur, ze hoeft niet veel te lopen.

Ze gaat voor drie dagen weg. Het lijkt voor een eeuwigheid.

Voor ze in de taxi stapt, kijkt ze op naar de gesloten ramen van haar huis. De teddybeer, de pop achter het raam. Mathilde is vertrokken, ze heeft beloofd met Kerstmis een paar dagen terug te komen.

Isabelle stapt in de auto. De chauffeur sluit het portier. Hij zet haar koffer in de kofferbak en gaat achter het stuur zitten.

Een blik in de achteruitkijkspiegel.

'Alles in orde, mevrouw?'

'Ja, alles in orde.'

Hij rijdt weg. De motor ronkt zachtjes.

De taxi volgt de Rue de la Croix, rijdt langzaam de smalle straatjes uit. Het is stil, een paar buurtbewoners met manden, de markthallen zijn vlakbij.

De taxi rijdt door de stad. Ze komen bij de wallen, zijn er nog binnen, hij mindert vaart, gaat door de poort, dan rechtsaf de boulevard op die om de stad heen ligt.

Een stoplicht, de taxi mindert vaart, stopt.

De tijd gaat voorbij, een paar seconden.

Isabelle steunt haar hoofd tegen het portier. Maria is dood. Zo slaat het noodlot soms toe. Rukt weg. Onherroepelijk. Al die sterfgevallen, een slachting. De achtergeblevenen huilen. Maken zich verwijten. Je kunt de geschiedenis niet overdoen. Dat denkt Isabelle. Niets wordt ooit herschreven.

Ze pinkt een traan weg.

Het licht wordt groen.

De chauffeur rijdt weer door, hier is het verkeer drukker, hij rijdt langzaam, volgt de wallen aan de buitenkant.

Isabelle draait zich om.

Door de achterruit van de auto kijkt ze naar de rivier, de bomen langs de oever, de schepen aan de overkant, de zon op de torens en de daken, de stad, weggedoken tussen de muren. Alles baadt in het licht.

De auto meerdert vaart. De rivier maakt een bocht.

Avignon lijkt een eiland dat zich verwijdert.

De chauffeur werpt een blik in de achteruitkijkspiegel. Isabelle gaat weer recht zitten.

Als ze door kunnen rijden, is ze voor twaalf uur in Ramatuelle.